LE SOURIRE DU CHAT

FRANÇOIS MASPERO

LE SOURIRE DU CHAT

roman

ÉDITIONS DU SEUIL
27, rue Jacob, Paris VIe

ISBN 2-02-006791-9

« Très bien, dit le chat ; et en même temps il se mit à disparaître très lentement, en commençant par le bout de sa queue et en terminant par son sourire, qui demeura un certain temps après que le reste eut disparu.

Bon, j'ai vu souvent un chat sans sourire, pensa Alice ; mais un sourire sans chat ! C'est la chose la plus curieuse que j'ai jamais vue de toute ma vie ! »

Lewis Carroll

On n'a jamais bien vu le monde
si l'on n'a pas rêvé ce que l'on voyait.
Gaston Bachelard

Ce qui suit est sous-titré roman *parce que, tout ce qui y est relaté étant à peu près imaginaire et rien ne l'étant pourtant tout à fait, la seule chose sûre est qu'il ne s'agit en aucun cas d'une autobiographie.*

Mais peut-être est-ce justement par le biais de l'imagination — et par ce biais seul — que le narrateur a pu, à quarante années de distance, approcher une réalité qu'il vécut comme sienne. Rien n'est plus déroutant que le souvenir. En fixer les miroitements et les ombres fragiles dans la gangue d'un récit qui se présenterait comme authentique, ce serait en casser définitivement des milliers de facettes pour n'en retenir qu'une définitivement prisonnière, prise au piège des mots sous prétexte de la réduire à la vérité. Or au jeu de la vérité, le souvenir, fût-il secouru par l'Histoire, est toujours perdant.

Qu'il soit donc clair ici que, dans ce qui suit, tout personnage et tout événement sont à la fois totalement faux et totalement vrais. Certains faits qui sont évoqués dans ces pages ont pu arriver réellement au narrateur. D'autres, non. Certains personnages ressemblent à ceux qu'il a connus, aimés, et parfois (mais rarement et pour peu de temps) haïs. D'autres, non.

Il reste que ce livre a été écrit parce qu'il y a bien longtemps un enfant se posa quelques questions. Quarante ans plus tard, un homme en est toujours à tenter de les formuler — même s'il a conscience, ce faisant, que la plupart de ces questions, aujourd'hui, apparaissent éculées et fort dépassées, tant furent nombreux ceux qui, entre-temps, en tranchèrent de façon définitive. Puisse tout cela ne pas être, néanmoins, une simple histoire rétro.

Le problème auquel je me suis heurté dans ce livre est celui du sens même des mots. J'ai peiné à retrouver le sens du mot liberté.

L'auteur veut encore remercier ici ceux qui l'ont accompagné dans sa quête. Il ne peut les nommer tous. Mention particulière doit être faite néanmoins de Bahadour Shah, éléphant porteur n° 174 du Registre des Indes qui aida jadis un plus illustre prédécesseur : quoique son ombre tutélaire l'ait accompagné et protégé, l'auteur arriva trop tard, hélas, pour bénéficier de sa courtoise érudition. La lacune qui en résulte n'est pas l'une des moindres de ce récit (elle se fait particulièrement sentir aux pages 61 et 308), encore que la stature de Bahadour Shah en dépasse largement le cadre : mais ceci est une autre histoire…

1. Au bois des Aulnes

Dans sa famille, on l'appelle le Chat. C'est son frère Antoine qui lui a donné le premier ce surnom. Est-ce parce qu'il est maigre comme un chat ? Depuis qu'il est tout petit, il aime bien que son frère vienne le soir dans sa chambre, la lumière éteinte, lui caresser la tête, comme aux chats. Autrefois, il passait les bras autour du cou de son frère et pressait sa joue contre la sienne. Souvent il lui disait « je t'aime » ; il prenait un ton inspiré et ça les faisait rire. Son frère restait contre lui et lui expliquait toutes les choses que les autres ne lui disaient pas, simplement parce qu'ils n'y pensaient pas, ou parce qu'ils n'avaient pas le temps. Son frère explique très bien, on dirait qu'il sait tout : les pierres et les étoiles, les trains et les avions, pourquoi il y a la guerre, comment c'était avant et comment il faudra que ce soit après.

Le Chat, que les autres appellent Luc, a treize ans. On dit qu'il est grand pour son âge. Il a des jambes maigres avec de gros genoux qui sortent de sa culotte en accordéon, une grande mèche noire qui tombe sur les yeux, sa mère dit qu'ils sont violets, cela dépend du temps, yeux bleus, yeux gris, yeux en amande, yeux de chat persan, et une bouche qui s'étire d'une oreille à l'autre quand il rit, bouche de chat-tirelire. L'été, des taches de rousseur lui viennent autour du nez : il aime ça.

Aujourd'hui, le Chat vit comme s'il était en exil. C'est son frère qui lui a raconté qu'en Italie on exilait les gens qui n'étaient pas d'accord avec le régime très loin vers le sud, dans des villages perdus, quelquefois dans une île. Le Chat se voit marcher seul dans des ruelles désertes ou le long de plages de galets et il trouve que ce ne serait pas si mal : il est de pires punitions. Plus petit, il a vécu si longtemps sur le bord de la mer que, partout où il va, il essaye de retrouver le murmure incessant des vagues. Ici, c'est un exil sans éclat, à trente kilomètres de Paris. Le soir, quand le vent porte de l'est, on entend le dernier métro de la ligne de Sceaux qui part de Saint-Rémy. Ici aussi, il peut marcher seul, sur les chemins des bois, découvrir des carrières de meulière abandonnées en se racontant qu'il a été envoyé par un puissant maquis pour préparer l'installation de bases secrètes. Mais tout est plat, petit, et sans grandes odeurs.

Aujourd'hui : la fin de mai 1944. La résidence d'exil du Chat est un drôle de pavillon à tourelle, couvert d'ardoises bleues. Une pièce du premier étage s'est effondrée dans le salon et un grand trou marque la place de la cheminée. Une partie de la maison est ainsi inhabitable et dans d'autres pièces les tentures et les papiers ont été arrachés des murs. Son père dit que ce sont les trente sous-officiers allemands installés là durant l'hiver 1940-1941 qui ont tout saccagé. Ils avaient condamné une pièce où ils faisaient leurs besoins à même le plancher, quand la pompe était tombée en panne, par les grands froids de février 1941. Il est dans l'ordre des choses que les Allemands se soient conduits de cette manière malpropre. C'est leur nature.

*

La famille du Chat est à Paris. Elle l'a envoyé ici en exil depuis le début du printemps. Il semble que les affaires du temps soient si compliquées que l'on n'ait plus le loisir de prêter au Chat beaucoup d'attention. De toute manière, il supportait mal la ville. Il avait vite décidé que rien n'est pire que la succession des jours dans les salles grises ou jaunes du lycée, à regarder, à supporter des messieurs qui parlent ou crient tout seuls sur une estrade. La distribution des biscuits vitaminés était toujours trop rapide : le professeur d'allemand le distrayait un instant parce qu'il s'en bourrait les poches. Il s'appelait Coquin : cela ne s'invente pas. Le Chat avait quelquefois de bonnes notes, surtout quand il n'y avait rien à apprendre par cœur, parce qu'il est malin. Sinon, c'était l'inquiétude de l'attente des interrogations pas sues et des zéros pointés, qu'il est hasardeux, ensuite, de transformer en dix par le rajout d'un *un* devant, sur le carnet de notes à faire signer chez soi. C'était l'espoir fou de l'alerte, les sirènes sonnant juste à l'heure prévue pour la composition, qui ferait descendre tout le lycée dans les caves.

Il était arrivé du Midi un an plus tôt, et la masse des élèves de sa classe continuait à lui apparaître comme soudée et extérieure. Il avait l'impression qu'ils agissaient en suivant un code que tout le monde avait appris, une fois pour toutes, sauf lui, parce qu'il était arrivé trop tard et qu'on ne le lui avait pas donné : il en avait bien reconstitué des fragments, mais on pouvait d'un moment à l'autre lui demander de le réciter et démasquer son imposture. C'était comme en algèbre : il y avait toujours un moment où il refusait l'idée même de l'équation qu'on venait de poser parce qu'il ne voyait apparaître au bout ni couleur ni épaisseur : cela ressortait de sa tête, comme une nausée, et alors tout se brouillait, il essayait de se raccrocher *x, y,* et il avait envie de pleurer. Son frère lui faisait de grandes phrases sur l'abstraction. Ce qu'il aimait, au lycée, c'était les batailles de cavaliers ; il avait un voisin costaud et placide comme un bœuf : perché sur ses épaules, le Chat gesticulait et fauchait tout ce qui l'approchait. Il était imbattable et admiré pour ses prouesses. Tous ces types apprenaient leurs leçons à temps, ils n'avaient plus qu'à « réviser » pour la composition trimestrielle alors que, lui, il se jetait d'un seul coup, comme un fou, dans un siècle entier d'histoire, la veille au soir ; ceux qui avaient de mauvaises notes, ils avaient autant travaillé que les autres : simplement ils n'avaient pas compris, après avoir sué bêtement sur leurs manuels, ou bien ils ne savaient pas s'exprimer correctement. Et puis ils l'embêtaient, avec leurs pères prisonniers en Allemagne ; ils avaient même un arbre de Noël spécial. Ils prenaient l'air vertueux et méritant : il n'y avait pourtant pas de quoi être fier. Leurs pères n'avaient qu'à ne pas se laisser prendre ou alors s'évader. Près de la mer, là-bas, il en avait vu, des évadés.

Il avait un ami aux lunettes épaisses qui était le premier de la classe. Il le raccompagnait le long des trottoirs et ils discutaient des heures de tout ce qu'ils avaient connu dans leur vie : c'était inépuisable. Son ami portait l'étoile jaune. Ils n'en parlaient jamais entre eux. En classe, personne n'en parlait jamais. Ç'aurait pu être comme si elle n'avait pas été là, mais ce silence n'était pas si simple et beaucoup trop lourd. Elle était soigneusement cousue sur tous ses vêtements. L'étoile, le silence rendaient le Chat furieux. En zone libre, d'où il venait, cela n'existait pas. S'il y avait des types qui commençaient à raconter des histoires de youpins en ricanant, il fonçait dedans. Il était toujours le plus jeune de sa classe, mais il tapait toujours plus vite que tout le monde, et, en vrai chat maigre, il se tranformait en une insaisissable pelote de poings et de griffes qui semait la panique. (Son frère le lui a répété depuis qu'il est tout petit : à partir du moment où tu as décidé de taper, rappelle-toi que tu dois faire mal, sans ça ce n'est pas la peine : faire mal et taper le premier. Si tu ne sais pas être le plus méchant, il vaut mieux rester tranquille. Cogne au nez et au ventre. Et il lui donnait des leçons.) Mais à Paris c'était le silence. Cela faisait partie du code. Il n'arrivait pas à comprendre comment les gens pouvaient vivre avec ce machin-là sous le nez en faisant comme si de rien n'était. Il en avait parlé avec son frère. Mais lui répétait toujours que cela faisait partie des choses qu'on ferait payer à la libération. Très cher. Une fois pour toutes. Ce que l'on construirait alors ferait que le monde serait nettoyé pour toujours de toute cette injustice et de toute cette bêtise. Mais en attendant ? Est-ce que tout le monde n'aurait pas pu faire comme le roi du Danemark qui était sorti dans la rue avec une étoile jaune ?

Le Chat avait compris qu'il est souvent plus simple de ne pas aller au lycée du tout. Dès huit heures du matin, il partait pour d'immenses périples au bout du métro parisien, dans la pénétrante odeur de citronnelle et d'urine, dans la chaleur protectrice de la crasse hivernale : pannes, alertes et fructueuses découvertes, comme ce temps d'un trajet dans un wagon bondé qu'il avait passé le ventre collé à la robe de rayonne crissante et douce d'une dame parfumée (l'était-elle vraiment ou était-ce son imagination qui avait complété ce souvenir par cet ajout à vrai dire indispensable à l'image d'ensemble...) qui lui avait souri, souri si fort et glissé le dos de la main contre le velours de sa culotte courte : et, pour la première fois, une autre, une femme, lui avait donné ce plaisir en forme de naufrage qu'il n'avait éprouvé que seul et de façon mécanique — pour le laisser à la station suivante rouge et le cœur affolé. Plus tard dans la journée, il pouvait aussi trouver une quiète torpeur en se faisant happer par la pénombre protectrice des salles de cinéma permanent qui projetaient des actualités et des films de propagande, à Saint-Lazare ou sur les Champs-Élysées. C'est ainsi qu'il a vu l'histoire lamentable et invraisemblable de trois jeunes gens qui ont fui leur devoir de Français, le STO (le Service du travail obligatoire en Allemagne), en se laissant corrompre par d'affreux individus louches, mal rasés et les cheveux luisants, mégot au coin de la bouche, aussi *zazous* que possible : de tristes pourvoyeurs des maquis, gaullistes, terroristes, juifs, ou les trois ensemble. Les jeunes gens participent à un attentat contre un train et sont pris, alors que leurs acolytes s'enfuient lâchement. Le film se termine sur une lente remontée de la caméra le long des wagons couchés, éventrés, sur le ballast jonché de cadavres de civils, femmes et enfants français, tandis qu'un brave inspecteur de police tient aux garçons qui pleurent, enfin lucides, mais trop tard, un discours édifiant sur les vraies valeurs de la patrie, la construction de l'Europe nouvelle et la foi dans le Maréchal. La stupidité de l'histoire l'a réjoui. Il sait bien que les maquis c'est la liberté, et qu'ils ne survivent là où ils sont que parce que les gens ont confiance en eux. Il a vu aussi un autre film qui, lui, fait plus carrément dans l'épouvantable : sur les accents d'une marche funèbre, des soldats allemands déterrent des monceaux de cadavres, squelettes déchiquetés comme des épouvantails auxquels collent des morceaux de capotes pourries, dans des ravins sans fin parsemés de bouleaux : Katyn. Le commentateur accuse les Russes et la barbarie bolchevique d'avoir assassiné des milliers d'officiers polonais prisonniers, crime découvert grâce à l'avance allemande. Il est convaincu qu'il s'agit, comme pour le premier film, de basse propagande, et son frère est d'accord : les Allemands, lui explique-t-il, ont eu le cynisme de déterrer les cadavres des Polonais qu'ils ont eux-mêmes exécutés. L'Armée rouge est l'armée du peuple, dit encore son frère : elle libère, elle n'assassine pas. (Le temps n'était pas aux demi-certitudes.)

Seulement, à s'éloigner ainsi du lycée, il pouvait se produire, entre ses parents et les professeurs, de fâcheux recoupements qui se terminaient dans des scènes terribles où le Chat, traité de vil menteur, pleurait éperdument, pris d'un désespoir sans fond, secoué de hoquets qui ne semblaient attendrir personne, si bien qu'à la fin le désespoir tournait en rage folle et qu'il hurlait sa fureur. C'est alors qu'il avait découvert la vertu de certains maux de ventre aigus : il avait quelquefois l'impression qu'une bête aux dents pointues le mordait, au fond de lui. Ces maux alarmaient beaucoup ses parents. Bientôt il les simula. A ce moment, on découvrit les vertus de l'air de la campagne et du lait de la ferme. Ce dernier point était justifié. Le début des années 40 n'avait pas été seulement marqué pour lui par le soleil méridional, mais aussi par des carences alimentaires qui n'étaient pas pour rien dans sa maigreur.

*

Le Chat se retrouve donc en exil dans cette maison familiale où sont installés depuis peu d'autres exilés, plus vrais, des réfugiés de Boulogne-sur-Mer. Le faubourg où ils vivaient est écrasé sous les bombes anglaises, et la région, *zone interdite* depuis le début de l'occupation, a été évacuée. Il y a la grand-mère et la fille, chacune crie plus fort que l'autre ; le grand-père, grosse moustache et jambe de bois : ou plutôt un pilon, qui sort du pantalon, avec un embout en caoutchouc noir. C'est un ancien de Verdun. Il bêche le potager avec sa bonne jambe. Le fils est un peu demeuré, il n'était pas bon pour le service, ni pour le STO, il travaille aux champs. Il parle toujours en tordant la bouche d'un seul côté : mais ils parlent tous un peu comme ça, avec cet accent du Nord qui déroute et accable le Chat ; il se sent étranger. La fille a deux petits garçons qui crient plus fort qu'elle. Son mari est prisonnier. Elle invoque cent fois par jour son autorité pour les choses les plus diverses : un homme qui souffre tant, si loin des siens, ne peut avoir tort. La présence muette et omnisciente de ce martyr énerve prodigieusement le Chat et il pince en cachette les petits pour qu'ils crient encore plus fort. Alors leur mère les gifle en hurlant qu'ils font de la peine à leur papa qui doit les entendre puisqu'il pense toujours si fort à eux.

Le Chat essaye de traverser cette agitation ch'timi sans trop s'en mêler. Plusieurs fois par jour, c'est la corvée d'eau. Depuis l'assassinat de la motopompe par les barbares, il faut aller chercher l'eau à la pompe communale : il entasse six brocs émaillés sur la brouette en bois et pousse celle-ci le long de la route. La pompe est ancienne, il doit lever son bras très haut, et la plus grande partie de la course en retour ne retombe que sur du vide : c'est juste au dernier moment, juste avant que le bras ne vienne cogner sur le corps de la pompe, qu'on sent une résistance, le tuyau glougloute et l'eau sort. La brouette est lourde et les brocs fuient goutte à goutte. C'est interminable. Interminable aussi, la besogne qui consiste à moudre du blé ou du seigle dans un moulin à café. Il faut passer ensuite la farine dans un tamis et faire cuire sans levure, dans des linges mouillés, des espèces de boudins de pâte striée de son, sur la fonte de la cuisinière à bois où chauffe en permanence un pot de jus noirâtre, chicorée et orge grillée. Le résultat est lamentable. Il ne connaît qu'un travail plus monotone : c'est celui qu'il exécute seul dans une cabane qu'il a commencée au fond du jardin : il râpe pendant des heures une grande carcasse en aluminium avec une vieille lime. C'est un réservoir d'appoint déchiqueté, largué en rase-mottes par un avion américain dans un champ de la plaine : il l'a ramené, avec les deux garçons de la ferme voisine. Il recueille la limaille dans un journal étalé et l'entrepose dans une grande boîte à biscuits. L'aluminium est dur, le peu qu'il gratte encrasse la lime et cela fait un bruit horrible. Son frère lui a demandé d'en faire le plus possible, il s'en servira pour fabriquer des explosifs.

Le domaine du Chat, ce sont d'abord ses bêtes. Il règne sur une basse-cour complexe : trois lapins, pour commencer, dans des clapiers en planches disjointes, sous les tilleuls. Le plus vieux s'appelle Patachou, il est gris et commun. C'est un dur. Au début il le mettait sous une claie grillagée, à même l'herbe du jardin ; cela évitait d'aller aux pissenlits. Mais Patachou trouvait toujours un moyen de passer sous le grillage et cela se terminait par de grandes chasses dans les hautes herbes pour le rattraper par les oreilles. Timochenko, lui, est un lapin russe, une oreille blanche, une oreille noire ; il a été baptisé ainsi en hommage au chef de l'Armée rouge. Le Chat a eu longtemps des doutes sur son sexe véritable, car Patachou se rue sur lui, lorsqu'on les met ensemble, avec une mâle frénésie. Il a dû s'y reprendre souvent dans son exploration minutieuse de l'entrecuisse de Timochenko pour faire saillir la preuve de sa virilité. Il y a encore une grosse lapine tricolore prétendument enceinte : mais, après tout ce temps, il semble bien qu'elle soit simplement obèse. Avec les clapiers où couinent les cochons d'Inde, cela fait en tout six clapiers aux portes grillagées jouant sur des charnières en vieux pneus cloués, qui s'alignent aux côtés de ceux des réfugiés pleins de lapins sans personnalité. Les cochons d'Inde sont sa fierté et son souci. Au bout de quatorze, il se perd dans les noms. De plus, la rumeur court avec insistance autour du Chat que le cochon d'Inde ne se mange pas : ou plutôt, si certains admettent avoir entendu dire qu'on en fait de succulents pâtés, c'est pour clamer immédiatement avec force qu'en ce qui les concerne ils ne l'accepteront jamais. Ce qui ôte, évidemment, toute finalité rationnelle à cet élevage. Il faut bien avouer que l'idée de manger Patachou relève aussi de l'hypothèse d'école : on s'en tire en arguant que, à force de chasses à courre dans le jardin, Patachou est devenu, au sens propre du terme, un dur à cuire. Quant à Timochenko : comment manger un chef de l'Armée rouge ? Le Chat caresse l'idée d'une expédition parisienne pour aller voir si les magasins du quai de la Mégisserie, où l'on vend des cochons d'Inde qui ne sont pas si beaux, sont acheteurs et quel est le cours. En attendant, il en balade souvent un dans sa poche, mais ces bêtes manquent d'intelligence et ne donnent jamais le moindre signe de complicité.

Il possède enfin une poule et un coq nains. Est-ce une bonne affaire ? On dit qu'une poule naine mange autant qu'une poule normale. Tout cela demande du travail.

*

Quand il va, trois fois par semaine, faire du latin et du grec avec le curé de Magny, il marche une demi-heure par la forêt pour gagner le plateau. Sur le chemin du bois des Aulnes, alternent la glaise rougeâtre et un sable blanc très fin strié de coulées rousses.

S'il est en retard, et il l'est presque toujours, il pratique une allure alternée, cent pas en courant, puis cent pas en marchant : c'est très efficace. Il connaît chaque repère du trajet, les arbres — bouquets de châtaigniers, chênes, hêtres et quelques bouleaux —, les pierres et les troncs pourris, et la mare boueuse, ancien trou à meulière, en haut de la montée du coteau où l'on peut pêcher des grenouilles et des cyprins bâtards. Après la pluie, les ornières gardent de grandes flaques d'eau jaune où filent les dytiques comme des patineurs. A flanc de colline, toute une garenne s'étend dans la bruyère, face au soleil. Depuis qu'il a vu un lapin débouler le sentier, il garde toujours, pour traverser le bois, une pierre bien choisie dans sa main gauche. Il n'a pas rencontré d'autres lapins mais, à défaut, il s'exerce en marchant au lancer de la grenade, comme son frère le lui a enseigné : les deux bras tendus et les mains jointes en avant pour viser et faire le geste sec de dégoupiller, puis un grand tournoiement du bras porteur vers l'arrière, enfin le jet de la pierre juste au moment où la main arrive au point le plus haut de sa course. Il compte ensuite la longueur de son tir au nombre de ses pas et ramasse sa pierre.

Passé la côte il arrive à la lisière du bois, à découvert, et il se dirige vers un arbre solitaire au milieu des cultures : l'Orme du berger. Une borne rongée marque l'angle droit que fait le sentier. Magny est au bout du plateau. Dans l'église silencieuse, s'alignent aux murs les pierres tombales qui dallaient le sol de l'abbatiale de Port-Royal, et il est venu souvent, avec son père, déchiffrer les caractères archaïques usés par les pas.

Le curé le fait travailler dans sa bibliothèque qui occupe une sorte de petite boutique, sur l'unique rue du village qui n'est qu'un chemin empierré grêlé de nids-de-poule : fraîcheur de la pénombre, douceur d'un rayon de soleil pailleté de poussières sur le cuir des vieux livres, tendresse de la table de merisier couleur de miel sur laquelle ils se penchent. C'est un ancien missionnaire avec une barbe grise carrée, il lui fait traduire César et lui explique l'origine des noms des villages voisins. Romainville ou Villeneuve, ce sont d'anciennes *villas,* c'est-à-dire des fermes romaines. Le plateau est cultivé depuis près de deux mille ans, souvent, peut-être, par les mêmes familles. A Marles-l'Église, par exemple, le nom des Laîné, qui habitent sur la route de Saint-Rémy, figure sur le tout premier registre paroissial, en 1680, avec mention de l'état de *laboureur.* Le chemin de terre qu'il prend pour venir et qui était, il n'y a pas si longtemps, le chemin du facteur, suit probablement, aux alentours de l'orme, une voie romaine. Y en a-t-il des traces ? Il se souvient que, dans son Midi, son père lui a montré, au détour d'un sentier de garrigue, les vestiges d'une voie romaine : l'empreinte profonde dans la pierre, inscrite pendant des siècles par le passage des chariots. Il était revenu souvent passer la main dans les marques polies au creux du calcaire gris, doucement, comme pour une caresse. Il aurait voulu que la pierre bouge et ronronne.

Mais, ici rien n'est resté des empreintes des chars romains dans la terre meuble deux mille fois labourée depuis le passage de César. Il se demande si le paysage a tellement changé. Le curé lui cite ce texte de *la Guerre des Gaules* où César raconte que, pour ne pas se perdre dans les forêts bretonnes, ses soldats devaient avancer une torche à la main en plein jour. La forêt gauloise n'existe plus.

Ils mangent des noix et des prunes qui sont dans un grand bol, sur la table. Ils cassent les noix entres les paumes de leurs mains. Quelquefois le Chat fait le pitre en jouant au casse-noisettes avec ses dents : un coup derrière la nuque, et crac ! Le curé lui dit que ce n'est pas malin et qu'il faut qu'il sache qu'il ne sera pas toujours le plus fort. Alors le Chat lui récite la grande tirade de la Reine des souris, celle qui avait sept têtes et sept couronnes d'or, dans l'histoire du *Casse-Noisette* :

> Krakatuk, Krakatuk, ô noisette si dure
> C'est à toi que je dois le tourment que j'endure !
> Adieu la vie, source d'envie
> Adieu le ciel, source de miel
> Ah ! je meurs, hi pi pi, couic !

Le curé est fier de ses noix : le noyer du presbytère est né d'un rejeton du noyer de Port-Royal qui fut planté par Pascal. « Ce sont des noix de Pascal », dit le curé. Le Chat l'aime bien parce qu'il ne raconte jamais des âneries sur le Sacré Cœur de l'Enfant Jésus. Il ne prétend pas non plus que la France est punie par Dieu de ses péchés, qu'il faut beaucoup prier la Vierge Marie pour qu'elle mette fin aux malheurs du pays et fasse revenir les prisonniers. (Le Chat se souvient, comme d'un cauchemar, des grandes séances de prières collectives, en 1941 : il avait neuf ans, on les parquait par centaines, louveteaux, jeannettes, enfants des patronages et des catéchismes, dans une grande église en ciment obscure et froide, dédiée à sainte Bernadette, et pendant des heures ils devaient réciter des *Je vous salue Marie* à genoux en demandant pardon à Dieu pour les péchés de la France : il était pourtant parfaitement sûr de n'être pour rien dans toute cette affaire — et d'ailleurs, en y réfléchissant bien, il ne voyait pas du tout quels péchés la France avait commis.)

Le curé commente avec passion l'avance des Russes en Ukraine et des Alliés en Italie. Il appelle Laval le « bougnat sanglant » et répète tout le temps que le Christ était juif. Quand il parle de l'Évangile, c'est pour raconter les temps qu'il a vécus à Jérusalem, et alors tout devient clair, il semble que c'est ce matin même que le Christ est passé sur son petit âne en suivant la route de Béthanie. « Si tu veux t'imaginer le Christ, pense d'abord au plus pauvre des fellahs en djellabah que tu croises sur le sentier des vignes, au long des figuiers. » Le curé s'illumine de tout le soleil de la Palestine. « Mais rappelle-toi surtout toujours que ce peut être n'importe quel homme, sur n'importe quelle terre. A n'importe quelle heure du jour et de la nuit. » Il lui raconte l'histoire des pèlerins d'Emmaüs. « Seigneur, reste avec nous, car il se fait tard. » Le Chat voit très bien, dans son Midi, le chemin bordé d'eucalyptus, pailleté de quartz et de mica, qui monte chez ses grands-parents. La nuit tombe très vite et, dans l'ombre qui s'étend, le vent s'est presque tu, l'odeur des myrtes et du romarin se fait plus pénétrante. « Tu comprends, ils ont eu tort. Ces paroles-là, ils auraient dû les avoir *avant.* Avant qu'il ne se soit fait reconnaître. Alors, peut-être, serait-il resté parmi nous... Mais comment atteindre Dieu si l'on néglige les hommes ? » Il rit de toutes ses dents jaunies et hausse les épaules. Le Chat aime bien y voir clair et toute cette simplicité biblique lui semble plutôt obscure : « N'importe quel homme ? Même les Allemands ? » Le curé rit encore : « Oui. Enfin, presque tous... »

— Je pense, dit le curé, que les hommes s'y prennent mal. En Terre sainte, il y a des choses qui ont été faites au nom de Dieu et qui glacent le cœur. Même la basilique du Saint-Sépulcre, on dit que c'est un si beau cantique de pierre, mais elle a des allures de forteresse guerrière, et tous ces moines qui y campent et se haïssent... Je priais mieux, perdu dans la foule des souks et dans les odeurs des beignets frits à deux pas de là. Je ne suis pas sûr que la cabane de saint François n'ait pas été un bien plus bel acte de foi. Je connais l'un des plus beaux endroits du monde et l'un des plus terribles : le Krakh des Chevaliers, que construisirent les croisés...

— Je sais, dit le Chat. Ma grand-mère m'a raconté et j'ai vu des images. Nous avons un ancêtre qui a fait la croisade avec Godefroy de Bouillon : c'est le troisième Ponte-Serra du nom.

— Bien sûr, répond le curé. Moi aussi, mes ancêtres ont fait les croisades. Seulement, eux, ils y sont allés à pied. ... Et le Krakh des Chevaliers, c'est peut-être le rêve de pierre que Satan a montré au Christ pour le tenter. Monument de pierre, âme de pierre : tout y est pétrifié, on y respire le mal parce qu'on y respire la guerre. Ces hommes-là n'ont rien compris à la foi.

— Je ne sais pas comment vont tourner les choses chez nous, dit encore le curé en regardant par les vitres les couleurs délavées de la rue déserte. Les gens d'ici sont fatigués. Il ne faut pas trop leur en vouloir. Chaque dimanche, je lis à la messe la liste des morts de la dernière guerre — oui, celle qui devait être la dernière. Tu sais, ici c'est comme à Marles, les noms de famille se suivent par grappes, souvent trois, même quatre : des frères tombés parfois le même jour, dans la même attaque, parce que c'étaient toujours ces régiments de paysans qu'on envoyait en première ligne. On était du même pays, du même village. Les officiers de réserve, même, quelquefois, c'étaient l'instituteur et le fils du maire : on se sentait plus proche d'eux que des gradés de carrière. Cette fois-ci, ç'a été différent...

Le Chat le sait : à Marles, le dimanche, le curé traverse l'église pour se placer debout devant la plaque des morts de la Grande Guerre, il ajuste ses lunettes et il lit les noms par ordre alphabétique, comme à l'appel. Et chaque dimanche retentit à son tour, juste avant le nom des trois frères Simon, le nom de famille du Chat, celui de son oncle, qui avait vingt-six ans — brillant historien, auteur d'une monumentale *Histoire de l'Égypte sous les Ptolémée* —, l'oncle Antoine, qui jeta ses chaussures pour courir plus vite, avec ses hommes, à l'assaut de Vauquois en Argonne, en septembre 1915, mort, la tête éclatée dans la boue : alors il sent un petit nœud au ventre, un peu comme si on l'appelait, lui.

— Elle a été tellement inutile, cette guerre-là, dit le curé.

Cela, le Chat le sait aussi, mais il ne l'interrompt plus. Il a lu *A l'ouest rien de nouveau,* le roman d'un Allemand, pourtant, qu'il a pris dans les livres de son frère, et il a compris qu'il n'y a eu que des victimes et que les héros ne sont que des inventions des survivants pour se justifier d'être en vie. Le geste de l'oncle Antoine est dérisoire, ou bien simplement on lui avait donné des chaussures dégueulasses. Pourtant, est-ce qu'il n'aurait pas fait comme lui ? Et son frère lui a bien expliqué : la guerre n'a servi que les intérêts des riches. Les Français avaient des colonies. Les Allemands en voulaient aussi. La preuve, c'est que quand les pauvres se sont révoltés, en Russie, tout le monde s'est retrouvé d'accord pour leur tomber dessus. Mais pour la première fois dans l'histoire, les pauvres ont gagné. Cette fois, ce sera la même chose. Ce sont les pauvres qui doivent gagner. Et pour toujours.

— Il faut que tu saches, dit le curé. Tant de pourriture, tant de boue, tant de morts. Et ce vieux gâteux aujourd'hui, parce qu'il a été le chef de tout ça, qui a rameuté ces imbéciles d'anciens combattants qui n'ont rien compris, avec leurs bérets...

« Ce pays ne s'est pas remis de sa fatigue. Et pourtant, aujourd'hui, je suis sûr que c'est différent. On ne peut pas laisser cette racaille instaurer sa loi pour cent ans. Les restrictions, la misère, les prisonniers et tous ces morts, oui, mais il n'y a pas que cela. Ils tuent les hommes, ils tuent les âmes, ils tuent le monde : ils tuent Dieu. Pour toujours. Ceux qui disent « interdit aux chiens et aux juifs », ou « communistes pas français » (car le curé, grand lecteur des cahiers clandestins du *Témoignage chrétien*, a lu le récit de l'exécution des otages du Châteaubriant), on ne peut pas les laisser faire, tu comprends, car on devient comme eux. Ils pourrissent tout, mais ils sont pires que la pourriture. Des pierres. Un empire de pierres. Un monde de pierres.

« Ce pays attend, mais je ne le sens pas bouger. Les gens ne sont pas méchants. Enfin ceux que je connais. Ils font du marché noir avec les Parisiens. Ils aideraient plutôt la résistance, maintenant. Tout le monde écoute Londres. Ce qu'il faudrait, quand les Anglais débarqueront, c'est que des milliers de fusils, des dizaines de milliers de fourches se lèvent pour les aider. Mais je ne suis pas sûr que ça se passera ainsi. Tous ces jeunes qui sont morts en 14, les frères Simon et les autres, ils l'auraient fait. Ils l'ont fait, mais c'était trop tôt. Pour rien. Ceux qui restent... Et puis il y a tous ces prisonniers, le maréchal, la lâcheté érigée en vertu nationale...

Il hausse encore les épaules :

— Quand ton père viendra te voir de Paris, n'oublie pas de lui rappeler qu'il m'a promis une ration de tabac.

— Oui, dit le Chat, qui compte bien en garder une pincée pour lui.

*

Deux fois par semaine vient les rejoindre la fille des fermiers de Montainville.

Elle a deux ans de plus que le Chat et ils se disent « vous » avec insistance. Elle a été malade et elle en est au même niveau que lui en latin et en grec. C'est une vraie demoiselle. Ses yeux et ses cheveux longs sont ambrés comme un feuillage d'automne. Il la raccompagne sur la route, il ne sait pas bien quoi dire et il voudrait ne pas la quitter. A Marles, il promet à ses copains qu'il va bientôt lui faire des choses aussi crues et définitives par les mots qu'il emploie qu'imprécises et velléitaires dans son imagination. A part les petites filles des plages qui étaient toutes lisses et qui ne comptent pas, ou toutes les Vénus des peintres italiens qu'on voit dans les musées et dont son grand-père classe les illustrations sépia dans de grands albums, qui semblent venir d'un autre monde et qui, de ce fait, ne peuvent compter davantage, le Chat n'a comme expérience du corps féminin que celle de l'examen détaillé et répété du moulage de la Vénus hottentote exposé au musée de l'Homme.

Quand ils sont autour de la table du curé à démêler la syntaxe latine, il lui arrive de regarder la demoiselle en coin, derrière ses cils, et il n'entend plus rien de distinct, il ne sent plus que cette douceur qui lui monte du ventre et l'envahit jusqu'au bout des ongles. Une fois ou deux, brûlant, il a fait glisser son coude pour le presser au creux de son ventre contre son sexe. Le curé parlait et elle égrenait César, le son de ses mots arrivait jusqu'à lui comme un lointain filet d'eau fraîche. Il s'est senti rouge et suant, honteux à l'idée d'être démasqué, et il n'a pas osé serrer ses cuisses plus fort pour se délivrer par plus de honte encore. Et, quand il est près d'elle à marcher sur le chemin du retour et qu'ils vont se dire adieu, il se demande si c'est vraiment le même garçon qui a pu faire ça, ou qui a dit à ses camarades qu'il allait l'enfiler, cette gonzesse, parce que ce qu'il aimerait, maintenant, c'est seulement qu'elle lui passe la main dans les cheveux, ou bien la tenir par la main et qu'elle ne s'en aille jamais. C'est tout simplement une demoiselle complètement intouchable comme toutes les demoiselles, le Chat n'est qu'un sale gosse et il ne lui reste plus qu'à laisser un sanglot se nouer lentement au fond de sa gorge et à se sentir très seul.

*

C'est lorsqu'il est à la ferme voisine que le Chat se sent le mieux. Il en partage souvent la vie quotidienne depuis le petit matin et à plusieurs reprises, même, la patronne l'a pris à demeure des semaines entières. Il couchait dans la même chambre que les deux garçons qui sont un peu plus âgés que lui. Le domaine de la ferme est un royaume aux frontières lointaines qui courent jusqu'au bout du plateau du côté de Chevreuse, aux possessions complexes, imbriquées dans les terres d'autres fermes, avec des prolongements parfois insoupçonnés, coincés à la limite des bois dans des replis de la vallée. Un royaume : la patronne y règne de façon absolue sur les gens et les bêtes, et le fermier réaffirme chaque jour sa domination sur son territoire en le marquant interminablement de l'empreinte de ses outils. Avec ses lois autonomes, à commencer par celle qui gouverne le temps : on vit à l'heure solaire. Dans la grande cuisine bourdonnante de mouches qui viennent se coller en grappes sur le ruban brun et poisseux pendant en spirales du plafond au-dessus de la table, la pendule émaillée portant le nom d'un apéritif marque au mur un temps décalé d'une heure par rapport à l'heure d'avant-guerre et de deux par rapport à l'heure allemande officielle. L'emprise de l'heure allemande, toute-puissante à la radio et, à trois kilomètres de là, à la gare de Saint-Rémy comme dans toutes les maisons du lotissement proche, ne franchit pas les limites des terres.

La patronne a les yeux gris ; elle est calme, précise, avec parfois des éclats rageurs et bien ajustés contre les bêtes et les enfants. Le Chat aime la suivre dans la longue tournée des clapiers en poussant la brouette chargée de trèfle, ou porter les seaux derrière elle au fur et à mesure de la traite. Deux commis travaillent à la ferme : son copain René qui a quinze ou seize ans et qui soigne les bêtes ; et un garçon de la ville, Lucien, pour l'instant ouvrier agricole, mais d'abord et avant tout ouvrier d'usine, qui n'est là que pour échapper au STO. Mais au moins c'est un vrai travailleur, pas comme les deux étudiants que le fermier des Brosses a engagés pour rien, bien heureux, eux aussi, de se planquer du STO.

Pour gagner les champs, on gravit la côte du plateau en suivant les bœufs attelés aux charrettes qui sont toujours vides pour la montée — sauf au printemps, quand il s'agit de transporter les tonnes de purin dont l'odeur imprègne alors les vêtements et les corps pendant des jours. Le fermier a dû pallier la réquisition de ses chevaux, au début de la guerre, en achetant deux paires de bœufs : « Ça n'est pas le même travail », dit-il avec regret. Le Chat aime ces journées interminables passées à suivre, courbé sur le manche de sa binette, les sillons des haricots à sarcler ou des pommes de terre à buter. L'immensité de la tâche lui semble un défi, comme de tenir le rythme des voisins. La lente avancée vers le bout du champ, puis le retour, sans merci, sur le sillon suivant, avec juste le temps de se redresser une seule fois en se cambrant de tout son corps, lui donnent le vertige tant il lui paraît que ce piétinement douloureux n'aura pas de fin, et le souffle court, saoulé par la fatigue, il laisse le ciel et le sol l'envahir et le vider de tout ce qui n'est pas l'odeur de la terre.

Ce qu'il n'aime pas, par contre, c'est le ramassage des doryphores, que l'on réserve aux garçons. Il faut cueillir les insectes le long des plants de pommes de terre et les glisser un à un dans une bouteille. Le seul moment intéressant intervient quand la bouteille est au trois quarts pleine : le rite consiste alors à pisser soigneusement dedans, bien campé à cheval sur le sillon. Geste d'autant plus satisfaisant que les Allemands sont communément appelés des doryphores : il pisse donc sur les Allemands et, dans le grouillement des bestioles prises au piège, c'est à chaque fois une armée qu'il noie sauvagement.

Les gens de Paris passent par bandes. Ils débarquent du métro le dimanche, ou ils viennent en bicyclette et même en voiture. Les jeunes suivent la route en chantant, mais il y a aussi tous ceux qui viennent au ravitaillement. Les fermiers ne peuvent leur vendre à tous, il faut faire un tri, ne servir que les connaissances : méfiance. Les Allemands, eux, en voiture, vont à la ferme des Brosses où ils ont leurs habitudes et où l'on fabrique du beurre. Une voisine scandalisée les y a vus manger le beurre « à la petite cuillère et tout bottés et casqués ». Bien sûr, la petite cuillère c'est vulgaire : encore que le Chat lui-même, s'il était devant une motte... Mais pourquoi faudrait-il retirer ses bottes pour manger du beurre ? Ici, le fermier n'aime pas les boches et ne tient ni à leur parler ni à toucher leur argent. De toute manière, avec tout ce qu'ils réquisitionnent, ça devrait leur suffire.

Deux fois par semaine, la patronne fait un pain extrêmement blanc qui ressemble à de la brioche. Car la ferme est un royaume qui vit en autarcie. A trois kilomètres de là, ce n'est pas seulement l'heure qui se marque différemment : à trois kilomètres à peine, ou même dans certaines maisons voisines, telle celle du Chat, n'a cours, comme dans toute la France non paysanne, que la loi commune des restrictions, de la pénurie et quelquefois de la disette : la ration de pain de 250 grammes par jour pour les J 2 et les A, de 325 grammes pour les J 3 et les Travailleurs de force, et de 200 grammes seulement pour les V... Le quart de lait réservé aux E, aux J 2 et aux V, à condition d'être inscrit chez le même fournisseur et de l'y prendre chaque jour. Et les tickets où sont inscrites des lettres, dont on ne sait à l'avance s'ils donnent droit à de la confiture synthétique, à du café *national* ou à des chaussures à semelle de bois — ou si, tout simplement, ils ne seront pas honorés. Tout cela n'a pas cours au royaume de la ferme. Le troc complète la production.

— J'aimerais rester cultivateur, dit une fois le Chat à René, au potager, en marquant la pause assis sur un bras de la brouette.

— Paysan, c'est bien si tu es le patron, explique René. Commis, c'est trop dur et tu ne gagnes rien. Tu vieillis et qui s'occupe de toi ? Ici j'ai des draps et Lucien aussi, parce que c'est un ouvrier de la ville, mais regarde où il couche, dans l'écurie, son logement, c'est comme une caisse à claire-voie. Dans les grandes fermes, les commis ont juste une litière au-dessus des chevaux. Il n'y a que les charretiers qui ont leur logement à eux. Un commis ne devient jamais patron. Les terres coûtent trop cher et, pour les louer, qui te fera confiance ?

— Je demanderai à mon père, dit le Chat. Et je retournerai dans le Midi.

Il pense aux orangers et aux eucalyptus. Mais il sait très bien, en fait, qu'il ne demandera pas. Il n'imagine même pas comment il pourrait lui expliquer. De toute manière, son père lui parlerait d'écoles d'agronomie ou des Eaux et Forêts.

— Je ne resterai pas commis, continue René. Mon père rentrera d'Allemagne et mon oncle lui rendra ses terres.

René est donc un prince déchu, sans terres, et son exil lui aussi n'est que provisoire. Mais il a des doutes sur l'avenir. En l'absence de son père, sa mère saoule parcourt son village en hurlant : un soir elle a failli se noyer dans la mare du château parce qu'elle a voulu danser sur la nappe de lentilles d'eau vert vif qui la recouvre.

A la ferme, on attend la libération sans se poser de questions, sauf sur le temps qu'il faudra encore. Sur le plateau, on ramasse les tracts semés par les avions américains et anglais. On écoute Londres, sans trop se cacher, avec la grosse radio en bois verni. Son frère, à l'un de ses passages, a tendu au-dessus de la cour et jusqu'aux grands arbres du jardin voisin les minces fils, presque invisibles, d'une antenne efficace qui rend l'audition très claire. « On peut même entendre le Japon », disent les garçons, admiratifs. Ils s'amusent au défilé des « messages personnels » et connaissent des refrains par cœur, comme le plus répété : « Ce sont ceux du maquis — Ceux de la résistance-e — Ce sont ceux du maquis — Ce sont ceux du pay-y-ys. » Le Chat le trouve affreusement plat.

*

Mais peut-être eût-il fallu commencer, avant toute chose, par dire les bruits. Ceux, innombrables, de la terre : au petit matin, les mugissements ou le choc des seaux dans la cour de la ferme ; ou le grésillement de l'alouette chantant en plein midi, montant vers le soleil au-dessus des champs ; ou, le soir, le ferraillement des charrettes, des herses, des rouleaux, redescendant du plateau et cognant contre les pierres des chemins ; et, les nuits de printemps, le murmure des grenouilles ténu comme celui des vagues sur la plage aux temps de mer très calme. Tous bruits habituels, rassurants... Mais, en fait, tous, sinon couverts, du moins relégués au second rôle de contrepoint ou de sourdine familière par les bruits des chars et des avions, sur tous les registres, toutes les gammes, au fil des heures, de la basse continue des manœuvres des tanks aux stridences des passages en rafale des chasseurs et aux brefs éclatements des tirs de DCA. Ici, en cette fin de printemps, la vie des champs rend un autre son. Le bruit des machines de guerre s'y inscrit soudainement à n'importe quel instant pour labourer l'espace.

A dix kilomètres, au camp de Satory, se trouve une école de chars et une base d'essais. Les chars sillonnent toutes les routes de la région. Ce sont de formidables plates-formes sur chenilles, noires, sans carrosserie ni blindage ; on les entend venir depuis

Saint-Lambert, le fracas monte, s'amplifie, jusqu'à tout recouvrir, le sol, les murs, les vitres tremblent à leur passage : juste le temps d'apercevoir des hommes casqués à demi nus, le visage masqué d'épaisses lunettes, qui s'agitent à leur bord, l'énorme tas de ferraille disparaît au tournant dans un épais nuage puant et les dents de métal laissent sur le goudron la trace de profondes morsures, quand elles ne l'arrachent pas par plaques, comme sur certaines côtes.

Beaucoup plus près, à trois kilomètres à vol d'oiseau au nord, juste passé le plateau de Montainville et la vallée de la Mérantaise, se trouve le terrain d'aviation de la chasse allemande, entre Voisins-le-Bretonneux et Guyancourt. Il a été plusieurs fois bombardé et les deux villages qui l'encadrent sont en ruine. L'église de Voisins est écroulée. Les habitants ont essaimé dans les pays alentour, ce qui a augmenté, entre autres, la population de Marles. Depuis quelques semaines, dès que l'alerte est donnée, les avions décollent immédiatement, se dispersent et évoluent à basse altitude afin de ne pas être détruits au sol. On dit que les pistes ont été prolongées jusqu'aux bois proches et que certains avions doivent y rester camouflés à l'abri des arbres. Dans la journée, d'heure en heure, se relayent les hurlements des moteurs emballés à vide que l'on fait tourner au sol pour les entretenir, l'un après l'autre. Entre les alertes, ce sont les vols d'entraînement, évolutions des chasseurs, essais de piqué de stukas qui tournent juste au-dessus de la vallée, et le Chat se dit souvent qu'ils doivent avoir pris la tourelle de la vieille maison comme repère. Sur le plateau, les Messerschmitt passent en rase-mottes et ceux qui travaillent aux champs les voient déboucher de la cime des arbres et remonter légèrement pour passer le plus grand pommier solitaire au milieu des terres, dans un coup de tonnerre : ils distinguent clairement le pilote au-dessus des deux croix noires. Régulièrement aussi passent, très lents, les trimoteurs Junkers-52 dont le ronflement martelé s'installe comme une basse continue : ils semblent avancer en crabe pour aller se poser à Toussus ou à Villacoublay.

Les passages des vols américains et anglais sont annoncés par un cri de sirène lointain, déformé, qui parvient, suivant le vent, de Trappes ou de Saint-Rémy. A Paris, le Chat avait pris depuis longtemps le rythme des passages nocturnes des grandes vagues qui remontent la Seine vers leurs cibles allemandes et passent au-dessus de la ville dans un immense bourdonnement que scandent les explosions stridentes de la DCA : il reconnaissait, familière, la batterie la plus proche, celle du pont de Passy, qui d'un bref déchirement métallique faisait trembler tous les immeubles de la rue sur leurs fondations. Il n'y avait aucun danger : les alliés ne bombardent pas le centre de Paris. Ici le spectacle est plus vaste. C'est en se postant sur la route que l'on trouve le meilleur observatoire. La nuit, ce sont les feux de projecteurs qui montent du nord, et les éclairs brefs de la DCA qui entoure les terrains d'aviation. Et quand se tait le concert des moteurs et des coups de canon il reste, suspendues dans l'air qu'elles font chanter de toutes parts, les vibrations aiguës, cristallines et comme infiniment fragiles des éclats d'obus qui retombent. Alors il vaut mieux se mettre à l'abri sous le porche. Le Chat a ramassé des éclats de diverses tailles, rainurés et dentelés. L'un d'eux, tombé tout près de lui sur le pavé avec un bruit sec, était encore brûlant. Parfois arrivent aussi, en suivant les vents, les milliers de papiers argentés et noirs que sèment les avions pour brouiller les radars. On les met en chapelets sur les groseilliers pour effaroucher les oiseaux.

A la fin de mai, les passages de jour se font de plus en plus fréquents. Parfois ils se retrouvent tous sur la route, debout, regardant le ciel, une main pour s'abriter les yeux du soleil qui fait miroiter soudainement, une fraction de seconde, l'aile d'un avion : le patron et sa femme, les commis, les trois garçons, et plus loin les réfugiés, au moins les deux femmes et l'idiot, et plus loin encore d'autres familles égrenées. Ils font le décompte des formations qui se succèdent, triangle après triangle (et à quoi pourra penser le Chat, bien des années plus tard, en voyant passer le vol des oies migratrices au printemps sur le Saint-Laurent et les grands fleuves, sinon à cet autre lointain printemps ?), au milieu des milliers de flocons blancs de la DCA qui suivent leur avance. Alors, quand il semble que le flux des vagues ne s'arrêtera jamais, le Chat, jambes écartées, la tête toujours noyée dans le ciel, perd pied, il est envahi par le déferlement de cette force immense qui occupe tout l'espace et il se sent prodigieusement libre et heureux. Il voit bien que rien ne pourra les arrêter. Les autres crient et il est sûr aussi de leur joie.

Ils savent reconnaître les forteresses volantes américaines et les Lancaster anglais. Il leur arrive d'en compter plus de cent. A l'aller. Moins au retour. Ils voient de plus en plus souvent des chasseurs qui volent plus bas, des Lightning à double fuselage qui glissent presque sans bruit comme des planeurs très rapides. Quand ils disparaissent derrière la côte du plateau, ils ponctuent leur passage au-dessus du terrain de Guyancourt par des tirs de mitrailleuses lourdes. Les avions allemands ne cherchent pas le combat.

Les cibles ont commencé à se rapprocher. Au début de l'année, les bombardements de Billancourt ont fait plusieurs centaines de morts : un énorme nuage noir strié de rouge, les gazomètres en feu, est monté de derrière le plateau. Puis ont suivi les raids sur les terrains d'aviation proches et enfin, à la fin de mai, le pilonnage de la gare de triage de Trappes : il a fallu chercher les morts sous les décombres des maisons et le bourg a été évacué à son tour. Le lendemain du bombardement, le Chat a essayé d'aller voir, en bicyclette, mais il s'est fait refouler des rues qui fumaient par les gendarmes.

Un matin, de très bonne heure, la vallée a reçu un chapelet de bombes qui sont tombées sans dégâts dans les champs maréca-geux que longe la rivière quand elle sort du moulin des Brosses : à quelques centaines de mètres de la maison du Chat. Il y a eu comme l'arrivée d'un train s'engouffrant entre les collines, puis le monde a failli s'écrouler. Ensuite ce n'a plus été que le bourdon-nement habituel des avions, ponctué des tirs de DCA, et la fumée des explosions montant derrière la rivière et se mêlant à la brume matinale. On a dit que c'était le terrain d'aviation qui était visé : peut-être cherchaient-ils à atteindre les fameuses pistes camou-flées sous les bois ? On avait vu, paraît-il, l'avion de tête larguer une fusée rouge pour marquer l'objectif, mais le vent avait doucement fait dévier celle-ci vers le sud.

C'est à la nuit tombante qu'est passée une forteresse volante à très basse altitude, venant de l'est, visiblement en difficulté, un moteur fumant fortement. Elle s'est délestée de sa cargaison de bombes entre Marles et Saint-Lambert. Bien que la distance fût beaucoup plus grande, le bruit a été presque aussi fort et le choc aussi violent que la fois précédente. « Des bombes de six tonnes », ont dit le Chat et les garçons, d'un air compétent. Elles se sont écrasées autour du moulin Favart qui est inhabité et ont laissé un chapelet d'entonnoirs le long de la rivière.

Les bombardements sur la France ont toujours lieu de jour et les avions, dit-on, volent plus bas. Les tracts qu'ils lâchent par paquets — *le Courrier de l'air, la Voix de l'Amérique* — expliquent, comme Radio-Londres, qu'il s'agit de tout faire pour approcher les objectifs en épargnant les populations amies.

Au début de juin, ils sont tous sur la route à regarder passer une formation de plusieurs escadrilles à deux ou trois mille mètres d'altitude. Les forteresses volantes sont bien encadrées par les nuages de la DCA et plusieurs commencent à fumer et à se détacher de leur triangle. L'une d'elles, très en arrière, semble semer des flammes dans la traînée de fumée blanche. Et puis des petites taches blanches naissent une à une dans le sillage de la vague. Au-dessous des corolles ouvertes se balancent des points noirs : de plusieurs avions, les hommes ont sauté en parachute ; on en compte une douzaine qui descendent lentement tandis que la formation disparaît vers l'ouest. L'avion le plus atteint a déjà sombré derrière les arbres. Mais ils sont sauvés. Parviendront-ils à ne pas être faits prisonniers en touchant le sol ? (Un jour les Allemands ont enfermé quelques heures un parachutiste blessé dans la mairie de Marles et il paraît que des gens lui ont apporté des fleurs.) Et puis soudain, plus rien n'est joué. Voilà qu'à mi-parcours, des fumées et des flammes apparaissent et ponctuent le ciel. Le Chat met un instant à comprendre, et les autres aussi, que les hommes vont brûler en plein ciel : les derniers parachutes ont pris feu. Leur descente reste d'abord lente, puis elle s'accélère et ils gagnent sur les autres. Ils deviennent de plus en plus visibles et l'on distingue maintenant nettement les éclairs de soudaines flambées qui déchirent la toile sous les torsades de fumée, et les minces formes noires, gagnées par les flammèches, qui se balancent toujours. Les torches humaines s'abîment l'une après l'autre derrière la cime des arbres du plateau. Combien de minutes cela a-t-il duré ? Quand ont-ils compris qu'ils allaient mourir ? Se sont-ils écrasés ou ont-ils brûlé vifs ? Sur la route il y a eu des cris ; des hurlements de femmes, du côté des réfugiés. Et puis tous se taisent. Le spectacle est terminé pour ce soir. D'ailleurs c'est l'heure du souper.

2. Un « auf Wiedersehen »

A part cela, tout est vraiment bien calme. Mais comment peut-on vivre ainsi sans piano ? se demande souvent le Chat. Non qu'il en joue réellement. Il est surtout capable de passer des heures à taper sur le clavier, de mémoire ou d'imagination, des airs et des accords approximatifs. Ceux qui ont à le subir, même les plus placides, peuvent, à bout de nerfs, devenir enragés. De ses prestations musicales, son père dit qu'il préférerait encore l'entendre jouer de l'orgue à chats : instrument raffiné, constitué d'une série de chats disposés derrière une cloison à travers laquelle, par des trous appropriés, seules dépassent leurs queues : assis face à celles-ci, le virtuose les tire ou les pince prestement pour obtenir des miaulements et des accords mélodieux. Mais après tout est-ce sa faute si, dans cette famille où faire de la musique est une chose aussi naturelle, semble-t-il, que de parler, de chanter ou de savoir l'anglais, tout le monde joue, déchiffre et improvise, sauf lui ? Il aurait dû commencer vers sept-huit ans, comme l'avait fait son frère, mais avec la déclaration de la guerre le temps a manqué pour que l'on s'en occupe. Lui seul, donc, ne partage pas ce savoir et il se sent comme infirme.

Depuis le début de la guerre, chaque fois que la famille s'est trouvée réunie pour une période plus ou moins longue, c'est la présence d'un piano qui a matérialisé la quiétude recouvrée : comme si le temps marquait un arrêt au cœur de l'espace que construisent les notes. Son père joue Schubert et Schumann : le *Carnaval*, Eusebius dialogue à angles aigus avec Florestan, trois pirouettes ; le Chat se met tout contre le dos du piano droit, l'oreille sur la paroi, pendant la marche des Philistins, c'est comme si on était *dans* la musique : tous les éléphants du cirque Amar vont entrer dans le salon, chacun tenant dans sa trompe la queue du précédent ; ou bien c'est la danse des ours, que l'on imite en se dandinant lourdement d'un pied sur l'autre, un bâton passé dans le dos derrière les coudes. Il faut chercher les partitions dans les piles de grands albums, trouver la bonne et l'ouvrir sur la tablette au-dessus des touches : il connaît juste assez ses notes pour savoir tourner les pages. Il arrive que son père accompagne sa mère qui chante des Lieder de Schubert. L'air favori du Chat, c'est le « roi des Aulnes » : *Wer reitet so spät durch Nacht und Wind — Es ist der Vater mit seinem Kind*. « Qui chevauche si tard, dans la nuit et le vent ? C'est le père avec son enfant. » Poésie qu'il a apprise au lycée pendant sa première année d'allemand. Son père fait gronder sa main gauche : l'enfant tremble de fièvre dans la nuit et le Chat ne comprend pas pourquoi il faut qu'il meure au bout du chant : son père ne l'a-t-il pas serré assez fort dans ses bras ? Sa mère déchiffre les valses de Strauss : geste rituel des mains qui enlèvent les bagues — un rubis, un saphir bleu sombre —, répété dans toutes les familles bourgeoises de génération en génération, pour les poser sur la console du piano, à côté de la partition ; ou elle joue les airs d'un vieil album rouge illustré qui date de sa propre enfance et qui les a suivis partout, *Rondes et chansons populaires* : « Veillons au salut de l'Empire », la chanson des Chouans « Prends ton fusil Grégoire, Prends ta Vierge d'ivoi-oi-oi-re... » et celle qui lui plaît davantage, *la Parisienne* : « Peuple français peuple de brâ-â-ves... » Quant à son frère, il s'efforce de retrouver les dons de leur grand-père qui sait transcrire de mémoire au piano tous les grands classiques de l'opéra, de Wagner, qu'il admire plus que tous les autres, à Offenbach. Ainsi son frère répète-t-il, par exemple, les thèmes qu'ils ont retenus de certains concerts à la radio. Ils chantent aussi tous deux, sans accompagnement, de grands duos, fugues ou canons, où leurs voix se répondent sans éviter les couacs, les dissonances et les dérapages : « Le Veau d'or est toujours debout ! » de Gounod ou « Bacchus est roi, Bacchus est roi ! » d'Offenbach. Pour de telles occasions, il est préférable de se trouver dans une maison vaste, sonore et si possible à étages, l'effet le plus satisfaisant étant obtenu lorsqu'ils peuvent se poster chacun sur un palier et que leurs voix se croisent d'un étage à l'autre, la cage de l'escalier faisant caisse de résonance. Il y a quelques années, ils ont suivi à la radio une retransmission de *Peer Gynt* de Grieg. Son frère lui a raconté l'histoire : Solveig attend, inlassable, le retour du marin d'au-delà les mers, mais après tant d'obstacles vaincus, le redoutable Homme à la cuillère rencontré sur le chemin du bout du monde le laissera-t-il revenir ? Il ramasse les âmes à la louche pour les refondre dans une grande marmite et ainsi le cycle de la vie ne s'achève jamais. C'est le thème de l'Homme à la cuillère qui est devenu leur air favori, cette manière de gigue de la mort (comme cette fresque ombrée de rouge, à demi effacée, qu'ils ont vue en visitant la Chaise-Dieu, la *danse des morts*) qui roule et se bouscule ; ils y ont plaqué des paroles assez incohérentes où il est question de bigorneaux et d'éléphants et les font suivre ordinairement d'un récitatif lugubre :

C'était Ivan le vieux sonneur
Qui travaillait pour sa belle-sœur
C'était un enfant de l'amour
Il travaillait la nuit et le jour

Un jour qu'il avait bu du vin
Il rêva qu'il était marin
Il enfourcha sa bicyclette
Et s'en alla chasser la mouette

La fin est confuse, mais le sens général est néanmoins clair : car le vieux sonneur (est-ce une roue de sa bicyclette qui se dévisse alors qu'il dévale vers la falaise ?) ne peut qu'aller rejoindre l'enfant du *Roi des Aulnes* et bien d'autres dans la marmite de l'Homme à la cuillère.

Le Chat est allé, une fois dans sa vie, à l'Opéra : l'Opéra-Comique, à vrai dire, à Paris, où l'on donnait cet hiver-là *la Tosca*. Il fut un peu interloqué par la grandiloquence des décors et de l'action : lorsque le héros principal, le peintre héroïque, apparut sur la scène, tout sanglant des tortures subies et clamant sa foi dans la liberté des peuples et dans l'unité italienne, le chef de la police autrichienne, l'ignoble Scarpia, n'eut guère le temps d'éclater en sarcasmes diaboliques car une sonnerie figea acteurs et spectateurs : une alerte. Tout le monde se retrouva dans les cafés de la rue, le peintre au visage zébré de maquillage rouge, un imperméable jeté sur sa chemise bouffante artistiquement déchirée, son tortionnaire, Tosca elle-même, les machinistes, les spectateurs, le Chat, son frère, la petite cousine au nez rouge que son frère aimait beaucoup et quelques officiers allemands debout devant le comptoir dans leurs beaux uniformes.

— Moi, dit le Chat, pour commenter le spectacle au point où on l'avait laissé, moi, je ne parlerais jamais sous la torture !

— Tu es bête, lui répondit son frère. Personne n'a le droit de dire ça. Personne ne sait ce qu'il ferait vraiment. Et personne n'a le droit de condamner ceux qui parlent. De toute manière, dans la vie, ça ne se passe jamais comme ça.

— N'empêche, dit encore le Chat.

L'alerte se termina, chacun reprit son poste, les acteurs chantèrent, le peintre, fusillé, tomba sous les balles qui auraient dû être fausses, mais qui, piège suprême de l'infâme Scarpia, étaient vraies, et, dans une superbe clameur d'agonie, Tosca se jeta élégamment du haut de la muraille dans un fossé heureusement moins profond que la fosse d'orchestre. Bref, les uns moururent, les autres applaudirent follement, surtout les officiers allemands, et tout le monde rentra chez soi très content.

*

Quand il cherchera plus tard à se souvenir de ces premiers jours de juin 1944, il s'étonnera toujours d'avoir pu y caser tant d'agitation, tant d'activités diverses, traversé tant d'événements petits et grands (lui qui, adulte, pourra passer une journée entière à regarder, du haut d'une falaise, des vagues, toujours les mêmes, déferler, belles et monotones, sur le même rocher).

C'est ainsi qu'il se voit, avec les garçons de la ferme et d'autres du village, creuser le sable blanc au flanc sud de la vallée, en plein soleil, juste contre la lisière du bois et construire un fortin qui, une fois recouvert d'un toit de branches et de mottes d'herbe verte, permet de surveiller la route, de suivre le vol des avions et de rester à fumer, dans l'ombre et la fraîcheur du sable doux, des cigarettes de viorme ou d'herbes infâmes — mais aussi quelquefois de feuilles de tabac vert arrachées au fond d'un potager roulées dans du papier journal. Un dimanche, un soldat allemand vient avec une fille de Chevreuse, tout près, sous les arbres, ils s'allongent devant les blés verts proches et ils font l'amour. Les garçons ne voient pas grand-chose, à vrai dire, le corps du soldat, de dos, masque tout : il n'a pas ôté son uniforme et, en regardant de sa meurtrière cette masse vert-de-gris s'agiter confusément, le Chat imagine qu'il le tient au bout de son fusil. Il le vise longtemps, mais peut-on tuer un homme en train de faire l'amour ? Pour l'instant, il pense certainement que oui. La question et le doute ne viendront que plus tard.

— C'est ça, la collaboration horizontale, dit René. La salope, on la tondra.

Le lendemain, ils trouvent près des blés une capote anglaise et ils commentent ce produit mystérieux et rare de la technique moderne qu'ils voient pour la première fois.

C'est aussi le temps de la fête à Chevreuse. Lucien y dépense en quelques heures toute sa paye du mois. Le carrousel tourne vertigineusement en entraînant, au bout des longues chaînettes, les balançoires presque à l'horizontale : c'est le jeu des garçons qui essaient d'attraper le siège de la fille qui est devant, les cris et la musique de foire... Le 4 juin, les alliés prennent enfin Monte Cassino, après six mois de combats acharnés, de tranchées, de pilonnages d'artillerie et de bombes, ils entrent dans Rome. Sur les tracts qui sont tombés à profusion dans les champs, on voit une photo des Français qui défilent dans Rome : ils portent des gandouras et des casques anglais. En une seule nuit, huit cents bombardiers larguent deux mille tonnes sur Berlin et font des milliers de morts. Les Russes avancent en Ukraine, ils vont faire cent mille prisonniers à Minsk et sont désormais sur la route de Varsovie. Les nouvelles de Radio-Paris sont amusantes dans leurs formulations stéréotypées : « A la suite d'une offensive de l'ennemi qui a été contenue après de durs combats où il a subi de lourdes pertes, les forces de l'Axe se sont repliées sur des positions préparées à l'avance : cette rectification du front permet une meilleure concentration des forces. » Un personnage nasillard et grotesque, Jean-Hérold Pacquis, clame ensuite chaque soir à heure fixe comme un coucou qui sort de son chalet suisse : « Et soyez sûrs, chers auditeurs, que l'Angleterre, comme Carthage, sera détruite. » Il y a beaucoup de soleil ces jours-là et le petit carrousel de fête est l'un des plus jolis souvenirs de la vie du Chat.

*

Dans les premiers jours de juin, sa mère vient passer quelques jours à Marles. Pour le Chat, c'est à la fois un moment de fête et de grande réserve. Il a balayé la cour, ratissé les allées, changé la litière des cochons d'Inde, lustré Patachou et Timochenko, fabriqué patiemment une petite motte de beurre — assez grumeleuse et blafarde, à vrai dire —, fruit de l'écrémage, une semaine durant, du demi-litre de lait quotidien mélangé à la peau retirée sur le lait bouilli, placé un bouquet de lupins près du lit de sa mère et arraché des carottes.

Leur bonheur de se retrouver et le plaisir du Chat ne sont pas en cause. Mais les parents sont une espèce bizarre. Il semble qu'ils aient pour loi de ne jamais se laisser aller aux émotions simples et qu'ils décèlent partout des pièges dont il faut préserver leurs enfants à tout prix. En même temps, ils sont d'une grande naïveté car ils semblent ignorer que se construisent ainsi deux univers parallèles, celui, sous leurs yeux, des convenances, et un autre, ailleurs, en dehors d'eux, aux multiples et insoupçonnables dimensions — celui, par exemple, où il est naturel de ramasser les capotes anglaises usagées d'un Allemand sentimental... Trois mondes distincts, même, à vrai dire : car il y a encore celui qui est leur domaine à eux, qu'ils protègent, fait de secrets plus ou moins mal gardés (*not before the children*). Cela fait beaucoup trop : on s'y perd, car il faudrait avoir la règle du jeu, le fil d'Ariane en permanence pour ne pas tout mélanger et en fin de compte, obligatoirement, se mal conduire ; alors seulement on aurait une chance d'être « bien élevé ». Mais le Chat n'est pas bien élevé :

peut-être est-ce parce que l'on a pas eu tout le temps qu'il fallait pour, tout simplement, l'« élever ». (C'est ainsi par exemple, que dans cette famille où, depuis des générations, il est de tradition que les enfants vouvoient leurs parents, il tutoie les siens, à la différence de son frère : encore une chose, qu'avec la guerre, on a mis au compte des profits et pertes.)

Et n'ont-ils pas l'obsession du dressage ? Sa mère n'est pas là depuis quelques heures que déjà les séparent des histoires humiliantes de mains pas lavées, de lit pas fait et de baisse anormale de certaine provision de sucre.

Ce que le Chat reprocherait le plus aux parents et qu'il trouve empoisonnant chez eux comme chez tous les adultes, c'est leur prétention à être les maîtres des mots. Les maîtres absolus : ce sont eux qui décident de ce dont il faut parler et de comment en parler ; et de ce dont il est interdit de parler et de comment il est interdit d'en parler. Ils savent ignorer une question ou y répondre d'une manière pire, encore, que s'ils l'ignoraient (ainsi son père a-t-il toute une série de réponses passe-partout qui doivent mettre fin aux curiosités épuisantes ou mal venues : « Si on te le demande, tu diras que tu n'en sais rien », ou encore « Qui ? Le pape des bonzes ! », et si le Chat s'inquiète d'une quelconque douleur, « Il n'y a plus que trois jours avant la mort et le premier compte pour deux »). Ils prétendent savoir ce qui est indiqué et contre-indiqué, ce qui est appréciable et ce qui est d'emblée nocif, ce qui est fait pour le bien des enfants et ce qui est fait pour leur mal. Et comment deviner, à treize ans, ce que tant d'assurance, ce que tant de sens affiché du devoir et du définitif peuvent cacher d'inquiétudes et de doutes ? Pourtant, lui, le Chat, considère qu'il est assez grand pour être seul juge de ce qu'il peut comprendre et ne pas comprendre, savoir dès maintenant et remettre à plus tard.

A Paris, il a trouvé près de la table de chevet de son père un livre assez ancien et usé, *la Médecine familiale*, feuilleté, écorné à bien des pages, celles des oreillons et du faux croup, mais une seule page était marquée par une fiche blanche visiblement récente : celle où il était question de l'enfant *menteur*. Des mots étaient soulignés au crayon. Il s'est senti irrémédiablement démasqué. Toute l'affaire du *un* mis devant le *zéro* pour faire un *dix* sur son carnet de notes, et bien d'autres, encore plus graves, étaient contenues dans cette page, définies et stigmatisées. Le médecin auteur du manuel ne semblait pas apprécier les enfants menteurs, recommandait une grande fermeté, des punitions sévères, des enveloppements de draps mouillés froids, et associait ce défaut avec la répugnante et redoutable masturbation : or le masturbateur, expliquait-il, est un *hypocondriaque*. Le Chat chercha dans le dictionnaire : l'hypocondrie est une affection qui rend bizarre et morose. L'auteur précisait encore que le menteur masturbateur, en s'habituant à tricher et à dissimuler, perd toute volonté et tout sens du devoir. Et le Chat avait bien senti que de tels vices l'entraîneraient sur une pente fatale.

Mais aussi comment forcer l'attention des parents lorsqu'on sent qu'elle est ailleurs, lorsqu'on sent — est-ce le malheur des temps qui veut cela ? — qu'ils ont à s'occuper de tant d'autres choses : d'autres chats à fouetter ? Tu n'es jamais à la hauteur de ce qu'ils attendent de toi ; est-ce vraiment l'amour qui les aveugle ou bien, plus petitement, l'amour-propre ? Que reste-t-il pour la forcer, leur attention, que d'aller chercher des histoires comme ci, des histoires comme ça, qui (accessoirement, bien accessoirement) ne sont pas toutes forcément vraies (mais qui pourraient l'être, quand même...) ?

En même temps, il sait qu'il est partial : il lui arrive la plupart du temps de trouver les parents des autres sots, laids et vulgaires ; il n'admettrait pas que l'on mette les siens sur le même pied. Il retrouve rarement chez les autres ce sentiment de la confiance partagée qu'il a connu aux meilleures heures de sa vie familiale.

*

(Pour ce qui est des préoccupations des parents du Chat à cette époque-là, il faut savoir qu'un soir d'hiver, au début de 1944, son père avait emmené sa mère faire une visite étrange au cœur des Halles. Depuis longtemps déjà, ils parlaient entre eux de leurs inquiétudes au sujet de son frère. Il préparait l'École normale supérieure dans un grand lycée parisien, mais le sort d'un étudiant de dix-neuf ans était de plus en plus précaire face aux mesures toujours élargies de réquisition de la jeunesse pour le travail obligatoire en Allemagne. Certains prenaient les devants en cherchant en France même des travaux qui les dispenseraient de partir en Allemagne, beaucoup se faisaient embaucher chez des agriculteurs, un ami de son frère, même, avait été vu en uniforme de pompier. Mais son frère refusait absolument de jouer au planqué et ses parents partageaient cette morale en laquelle ils ne pouvaient que se reconnaître. En même temps, il leur était impossible de ne pas voir qu'il s'engageait toujours plus avant dans le militantisme clandestin. De plus son père n'appréciait pas que l'on fît systématiquement rimer patriotisme avec communisme et c'était là, entre eux, au sein de la famille, l'objet de dures discussions. Peut-être aussi acceptait-il pour lui-même, dans ses propres activités, des dangers qu'il refusait pour son enfant. Il est certain qu'il voyait l'activité de son fils se diriger inéluctablement vers l'usage des armes et vers le sang, et il ne croyait pas que de si jeunes gens fussent mûrs pour cela (même s'il comprenait qu'ils s'y sentissent poussés nécessairement par l'abandon de la plupart de leurs aînés) : à supposer qu'il acceptât pour sa part la logique des mots d'ordre de terrorisme, ce qui n'est pas sûr. En bref, entre le père et le fils, deux conceptions de la résistance s'affrontaient certainement : s'ils avaient le même regard, le même dégoût pour l'occupation étrangère, ils étaient divisés sur tout le reste comme peuvent l'être deux générations aussi éloignées. Antoine, dévorant avec passion, pêle-mêle, tout ce qui pouvait circuler, en sous-main, de littérature sur la grande révolution bolchevique, retrouvant, dans la lutte, des anciens des brigades de la guerre d'Espagne, voyait dans le combat contre le nazisme la promesse d'une nouvelle société à construire ; son père tenant dans une égale méfiance les communistes et de Gaulle : une vie passée à étudier l'histoire des sociétés depuis les origines de l'humanité l'avait probablement incliné au scepticisme et à la crainte quant aux grands projets, religieux ou politiques, qui s'attachent à faire, tout d'un bloc, le bonheur des hommes ; il les sentait surtout capables de leur porter malheur ; et il ne croyait pas davantage dans un homme providentiel.

Il avait fini par penser que la meilleure solution serait que son fils rejoignît un maquis comme ceux que les mouvements de résistance organisaient à cette époque pour les réfractaires — plus particulièrement dans les massifs montagneux au-dessus de Grenoble. Il voyait surtout les inquiétudes qui tenaillaient sa femme : les absences nocturnes de leur fils après le couvre-feu que ne pouvait expliquer une vie sentimentale, même inconnue et compliquée, l'amoncellement des tracts et le stockage des stencils, le passage des amis, le soir, qui prenaient des airs entendus auxquels il était impossible de se méprendre, l'hébergement de certains autres qui devint plus fréquent, la valse des bicyclettes d'origine inconnue, puis la découverte d'un pistolet, plus tard ; enfin, l'irruption dans la vie familiale de certain blouson maculé de larges taches de sang. Toutes ces choses heurtaient violemment l'idée que l'on se fait de la vie d'un garçon à qui il arrive encore qu'on demande de ne pas mettre ses coudes sur la table.

Mme Ponte-Serra sentait bien que cette activité en croisait très probablement une autre, celle de son mari. Elle avait eu extrêmement peur quand celui-ci avait été emprisonné quinze jours, en 1941, pour une affaire qui, pour elle, n'avait jamais été éclaircie. D'autant, encore, qu'il y avait tous les soucis de cette vie quotidienne difficile, les siens à préserver mais aussi à nourrir, cette chasse permanente et obsédante au ravitaillement, dans une atmosphère grotesque, avilissante, presque hystérique, où il semblait que le souci de bouffer eût obnubilé tous les autres sens des bourgeois français — et pas seulement des bourgeois : il fallait arriver à garder un équilibre, un sens moral élémentaire, ce sens moral dans lequel elle avait été elle-même élevée et auquel elle tenait plus que tout, entre le souci lancinant de protéger les siens, son foyer, ses propres parents, et celui de ne pas céder sans conditions à cette sauvage envie de repli dans l'égoïsme de la survie, de la bouffe, de l'aisance préservée à tout prix. Dans ce monde cruel de la bourgeoisie parisienne des années 40, elle cherchait avec obstination à maintenir une ligne de conduite qui conciliât la dignité et l'amour des siens, qui pût faire taire ses inquiétudes et qui, de plus, sauvegardât les apparences d'une vie familiale aussi parfaitement et naturellement calme qu'aux meilleurs jours de la paix et de sa propre enfance du côté de la

Plaine-Monceau, vis-à-vis d'une société mondaine, indifférente, voire hostile. Désespérément, elle cherchait et réussissait, tant bien que mal, à *faire face*.

Du fait de ses propres activités, son père connaissait une filière. Ainsi avait-il pris contact avec un responsable parisien de l'Armée secrète chargé du recrutement et de l'acheminement des jeunes maquisards. Et parce qu'il voyait sa femme se débattre au milieu de cent questions sans réponses à propos des activités de leur fils, il avait tenu à ce qu'elle le rencontrât aussi pour qu'elle puisse juger par elle-même du sérieux de l'organisation. Tel était le sens de la visite qu'ils firent ensemble, un soir, dans les locaux d'un transitaire des Halles.

Dans la pénombre d'un entrepôt glacial, au milieu des amoncellements de cageots, ils avaient ainsi trouvé une dizaine de garçons en instance de départ qui frappaient tous par leur allure extrêmement négligée, leur mauvaise mine et leurs excellentes manières. Ils s'étaient présentés l'un après l'autre de façon fort bien élevée, en ajoutant d'un air apparemment désinvolte quelques précisions sur leur activité : Untel (mais il s'agissait d'un pseudonyme), « terroriste », évadé de la prison de Rouen. Untel, agrégé de philosophie, condamné à trente ans par contumace pour vol à main armée. Untel, trois déraillements, deux attentats. Même si le responsable qu'ils étaient venus voir s'était avéré être, en dehors de sa profession d'honnête commerçant, un officier de réserve visiblement d'un « très bon milieu », pondéré, précis et rassurant dans le détail de l'organisation des maquis qu'il leur donna, montrant tous les avantages qu'il y avait à voir s'intégrer un jeune homme aventureux dans un mouvement solidement encadré et lié organiquement à Londres, il n'est pas sûr que cette visite calma les inquiétudes de Mme Ponte-Serra. De toute manière elle n'eut pas de suites : la filière fut rompue peu après.

— Tu vois, dit le père en sortant : tu comprends maintenant pourquoi c'est mieux que je t'en dise le moins possible.

Elle était ainsi faite qu'elle lui donna raison.

Mais elle était aussi ainsi faite que, certainement, à aucun moment ne lui vint la pensée qui était pourtant celle de la plupart de ses amies et des membres de sa vaste parenté : l'essentiel, c'est encore de ne pas se mêler de ces histoires-là, de tisser un cocon et d'attendre que ça passe... Dans quelques années on rirait bien de ces temps difficiles : à condition d'avoir eu l'intelligence de se tenir tranquille et d'être toujours là.)

*

Le 6 juin, lorsque sa mère repart, le Chat aimerait qu'elle reste près de lui : encore un peu de chaleur... A ce moment-là, il ne pense plus vraiment avec sa tête. Mais déjà elle est tendue vers ses soucis parisiens : le ravitaillement à rapporter au reste de la famille, l'inquiétude des uns ou des autres qui l'attendent. Il lance une grande offensive et se fait caressant : pourquoi ne partirait-il pas à Paris avec elle, même pour une seule journée ? Il reviendrait seul le soir par le métro et il pourrait enfin aller se renseigner quai de la Mégisserie sur les possibilités d'écouler ses cochons d'Inde. Il l'accompagne à pied jusqu'à la gare de Saint-Rémy en portant son sac qui contient un lapin tué de la veille, des œufs, du beurre et cinq kilos de pommes de terre, et tente encore une fois de la convaincre. Le trajet demande à peu près trois quarts d'heure. Ils passent devant la Kommandantur locale, une grande villa entourée de haies touffues, au portail de laquelle veille toujours une sentinelle casquée et harnachée, sa longue capote verte serrée à la taille qui lui fait grotesquement saillir les fesses à la manière de la Venus hottentote, comme à tous les soldats allemands (cela donne toujours envie de leur planter une épingle en douce dans le derrière, dit son frère), un fusil en bandoulière, une grenade à main passée par son long manche en bois dans le ceinturon : le soldat suit toujours les passants d'un œil bovin que l'on espère inquiet. Le Chat accompagne sa mère sur le quai de la gare et va jusqu'à entrer avec elle dans le wagon : il s'assied en face d'elle, il a le soleil dans les yeux. Mais sa dernière manœuvre échoue. Elle reste intraitable et, penaud, il l'embrasse et se lève. Une dame qui vient d'entrer prend sa place et, devant ce témoin, il n'ose plus rien dire. Il prend le chemin du retour sans attendre le départ du train.

Il vient de repasser devant le soldat de garde quand il entend la sirène de l'alerte. Il chante tout bas sa version de *Lily Marlen* :

Devant la caserne y avait un Allemand
Qui montait la garde tous les soirs en chialant
Je lui demand' pourquoi chiale-tu
Il me répond on est foutu
On a les Russes au cul
On a les Russes au cul

Il continue son chemin et, en arrivant dans la vallée, il suit distraitement les évolutions des avions. Passent en souplesse, assez bas, deux ou trois Lightning américains, dispersés. Il pense que, décidément, ils prennent de plus en plus de libertés. Il entend quelques rafales de mitrailleuses vers l'est, isolées et sans autre écho. Accrochage avec la chasse allemande qui bourdonne aux quatre coins de l'horizon ? Joli ballet dans le soleil et l'azur. Rien que d'assez banal. Il fait un détour par le coteau afin d'inspecter son fortin de sable.

Quand il arrive près de la maison, une heure plus tard, la vieille réfugiée l'attend sur la route et lui fait des signes en criant son nom. En s'approchant, il voit qu'elle a le visage tout gris et qu'elle pleure à gros hoquets. Elle le happe et l'étreint contre son tablier raide de saleté et lui dit mon petit, mon petit, soyez courageux, votre mère a eu un accident. Et elle renifle sans le lâcher. Il voudrait bien retrouver sa liberté, ne pas respirer ces odeurs désagréables de poireau et il pense que des phrases comme celles-là, il en a lu dans des romans, elles sont destinées à annoncer la mort des gens avec précaution à leurs proches : c'est déjà ridicule à lire, mais à entendre cela sonne encore plus faux. Elle renifle toujours, cela lui coule de partout, des yeux et du nez, elle le laisse enfin, en lui répétant d'être courageux et que ce n'est pas grave.

— On vient de nous prévenir de chez Canard, dit-elle. Ils ont reçu un message au téléphone. Votre mère a été transportée à Chevreuse chez le docteur. C'est un accident, ce n'est pas grave, votre mère est seulement blessée. Le train a été mitraillé.

Il prend le vieux, l'immense vélo de dame vert pomme surnommé Mammouth et pédale comme un fou dans les pierres et les nids-de-poule, par le plateau.

Il ruisselle de sueur. Sa mère est allongée sur un divan dans le salon du docteur. Ce qu'il voit tout de suite, c'est qu'elle lui sourit. Ses cheveux sont défaits, la masse de ses longs, très longs cheveux châtains et dorés aux mille reflets — ses cheveux qui lui rappellent toujours la légende qu'elle lui racontait, de la prisonnière perdue dans une tour au milieu de la forêt et qui dénouait sa chevelure du haut de sa fenêtre pour la laisser tomber aux pieds du Prince charmant et lui permettre de monter l'embrasser.

Il ne l'embrasse pas. Il regarde au mur le portrait de Pétain encadré de tricolore que surmonte la devise : « J'ai fait à la France le don de ma personne. » Sa mère suit son regard, elle ne parle pas mais fait comme un signe, de ses yeux très bleus, de ne rien dire. Il vient s'asseoir sur le bord de son lit, tout raide et intimidé. Il n'ose pas lui prendre la main. Elle lui dit ensuite qu'elle a un éclat d'obus dans la cuisse, qu'elle ne peut pas bouger la jambe, qu'elle n'a pas très mal : on lui a fait un pansement de secours et elle attend d'être transportée à Paris pour y être opérée. Elle lui dit encore qu'elle n'a pas bien compris comment cela s'est passé : le train venait à peine de quitter la gare, le wagon était presque vide ; la dame en face d'elle a commencé à raconter qu'elle allait rejoindre ses enfants à Paris, qu'elle rapportait des confitures et de l'échine de porc, que le soleil la gênait et elles ont constaté que le rideau était bloqué. Puis le train s'est arrêté net, il y a eu un fracas de tôles et de vitres brisées et la dame a plongé en avant, le nez sur la banquette. Ensuite, dans la confusion, on l'a aidée à sortir, du dehors, et elle a vu des blessés le long de la voie. Elle a déchiré son imperméable pour faire un garrot à un monsieur qui avait la jambe presque arrachée et dont le sang giclait. Elle sait faire ces choses-là, car elle a été infirmière dans un hôpital en 1940. C'est dommage, dit-elle, parce que c'est un très bel imperméable que ton père m'avait acheté à Montpellier. Et j'ai perdu le lapin. Ensuite...

— Et la dame en face de toi ?

— Elle est morte sur le coup. Elle avait reçu un éclat dans le cou.

— Mais, dit le Chat, j'étais assis là...

— Je sais, petit chat. Sa mère lui sourit encore. Mais ce n'était pas toi. Et puis tu n'aimes pas avoir le soleil dans l'œil.

A ce moment le docteur entre et annonce que l'ambulance est arrivée. Il annonce aussi que les Anglais ont débarqué en Normandie. L'ambulance part et le Chat reprend son vélo. Le soir tombe et, dans la descente ombragée sur Marles, toujours sautant sur la pierraille, la fraîcheur fait frissonner sa peau où la sueur n'a pas encore séché. Dans la soirée, on vient encore de chez Canard pour dire qu'on a téléphoné de Paris : l'opération s'est bien passée. On dit aussi que le débarquement a réussi.

Quinze jours plus tard, le Chat repassera chez le docteur pour reprendre les chaussures de sa mère et les lambeaux de l'imperméable. Le portrait de Pétain n'est plus dans le salon. Le lapin n'a pas été retrouvé.

*

Le soir, à la ferme, il entend à la radio le discours du maréchal. La voix larmoyante a des accents suppliants : « Français, je vous en conjure… Cette prétendue libération est le plus trompeur des mirages auxquels vous puissiez être tentés de céder… N'écoutez pas ceux qui, cherchant à exploiter notre détresse, conduisent le pays au désastre. » Ce chevrotement met le Chat mal à l'aise, comme s'il s'agissait de quelque chose d'obscène et il l'insulte grossièrement. Ce n'est vraiment pas la peine de les conjurer, tous les lâches, tous ceux qui se sont fermés à tout ce qui n'est pas leur ravitaillement, leur chauffage, leur tabac, leur gazogène ; ceux qui sont toujours à se faufiler dans les arrière-boutiques, à faire la cour à leur épicier ; ceux pour qui un camarade de classe de leur fils ramené pour une heure à la maison semble représenter une menace ou pire, un ennemi déclaré, un juif, un pestiféré, capable qu'il est d'amputer de cinquante grammes de pain le patrimoine familial (il y a des familles où, chaque matin, on pèse sur la balance la ration de chacun et où chacun possède un petit sac pour la serrer soigneusement), capable qu'il est d'avoir des parents gaullistes et de les compromettre dangereusement ; ceux qu'il a entendus partout, dans les queues, dans les trains, dans les contrôles d'identité pendant les alertes, quand les gendarmes allemands ou français emmenaient des gens qui ne leur avaient pas plu, répéter que c'est bien malheureux tout ça, mais qu'est-ce qu'on y peut, tout le monde n'a qu'à suivre leur propre exemple : ils sont en règle ; il n'y a qu'à être en règle... En règle, en règle, en règle... Non, ce n'est vraiment pas la peine de les conjurer de ne pas bouger, de rester chez eux, de ne pas s'en mêler, de ne rien faire qui puisse gêner les troupes d'occupation : comme si, depuis quatre ans, ils faisaient autre chose, comme s'ils n'avaient pas l'intention de continuer à s'aplatir.

Pour la BBC, il n'y a pas de doute : le débarquement a réussi, la libération a commencé et l'appel est lancé à la mobilisation de toutes les forces de la résistance. De Gaulle parle : « Pour les fils de France, où qu'ils soient, le devoir simple et sacré est de combattre l'ennemi par tous les moyens dont ils disposent. » Londres rappelle que toutes les lignes de communication seront désormais harcelées, que les nœuds ferroviaires et les trains en circulation peuvent être attaqués à tout moment sur tout le territoire et que la population est donc appelée à éviter les déplacements. Le Chat pense qu'ils le disent un peu tard. Dans les jours qui suivent, les passages de vagues de bombardement se multiplient tandis qu'une pluie de tracts multicolores tombe sur les terres avec les premières photos de la flotte de débarquement. La gare de Massy-Palaiseau est pilonnée, le trafic du métro est désormais coupé : pour aller à Paris, on descend à Palaiseau et l'on va à pied ou par une navette d'autobus jusqu'à Massy-Verrière où l'on reprend un autre train. Ce n'est décidément pas de sitôt que le Chat ira se renseigner sur la vente des cochons d'Inde quai de la Mégisserie. Les coupures de courant sont fréquentes, la lumière n'est rendue que pour quelques heures le soir, et il est de plus en plus difficile de téléphoner à Paris de chez Canard, le café qui fait cabine publique : il faut attendre parfois plus d'une heure. A la ferme, comme dans bien des maisons, une carte de l'Ouest a fait son apparition, où l'on plante des épingles : les Anglais sont bloqués devant Caen qu'écrasent les bombes. Le couvre-feu s'étend désormais de dix heures du soir à cinq heures du matin. Un jour, au petit matin, quand on va chercher pour la traite les vaches qui sont parquées pour la nuit dans le pré de Champmercy on trouve les restes d'un horrible massacre :

une équipe d'abatteurs clandestins est venue voler une vache et l'a tuée, équarrie et débitée sur place. Il ne reste que la tête, les sabots et une masse grouillante d'intestins roses et bleuâtres, sur laquelle s'amassent les mouches vertes.

Enfin, un important contingent d'infanterie allemande en route vers l'Ouest fait halte dans la vallée et s'y installe.

*

En ce début de juillet, sa mère est revenue à Marles pour sa convalescence et son père l'accompagne pour quelques jours. Une trentaine d'hommes sont logés dans les pièces dévastées du côté gauche de la maison : ils ont installé des bat-flancs avec de la paille le long des murs, à même le sol, qu'ils ont bordés de longues poutres. La vieille demeure craque sous le nombre de ses habitants : dans les deux pièces du deuxième étage s'entassent les six réfugiés, dans la partie droite du premier étage, logent le Chat et ses parents ; ils partagent, en bas, la cuisine et la salle à manger. Son père a pu garder, dans la tour, son bureau aux bibliothèques arrachées.

A la porte, sous les tilleuls, une sentinelle monte la garde en permanence, jour et nuit, l'éternelle grenade à manche en bois passée dans le ceinturon. Dès le petit matin monte de la cour la voix des hommes qui s'affairent, le bruit des seaux et des éclaboussures d'eau, le choc des quarts et de la marmite de café que l'on apporte d'une maison voisine. Dans la journée, ils partent faire des exercices de tir et l'on entend, venant des bois, les claquements secs des Mauser. Souvent, le soir, après l'heure passée au démontage et au nettoyage des armes dans les derniers rayons du soleil, ils restent affalés, à moitié déboutonnés, éparpillés dans la cour et le jardin, en attendant sans presque parler que le léger brouillard monte de la rivière et envahisse la vallée de sa fraîcheur humide. Derrière les lauriers, ils ont construit des feuillées : une fosse profonde en longueur et, côte à côte, six barres horizontales fixées sur des pieux plantés dans le sol. Des feuillées à six places !

— Toujours le sens aigu de la vie collective. Et celui de la démesure, commente le père du Chat.

— De toute manière, ajoute-t-il, c'est normal, ils ont un mètre d'intestins de plus que toutes les autres races humaines. C'est à force de manger de la choucroute.

— C'est vrai, ça ? demande le Chat, qui entend cette histoire pour la centième fois.

— Bien sûr. C'est scientifique. Et ça le restera tant qu'ils raconteront leurs histoires de races inférieures.

Ce qui est vrai, c'est qu'ils y vont par groupes et qu'ils restent là, perchés sur les barres et culotte baissée, à bavarder calmement.

Ils ne ressemblent guère à tous ceux que le Chat a côtoyés ces dernières années. Ceux-là parlaient haut, portaient des uniformes impeccables, des bottes luisantes et des armes astiquées. Leur seule présence semblait occuper tout l'espace disponible, rejetant par la masse de leurs corps, de leurs voix, de leurs bruits, de leurs armes tout le reste de l'humanité dans une grisaille indistincte et respectueuse. En groupe, ils donnaient l'impression de vivre au-dessus de tout ce qui les entourait, dans un monde à part et supérieur, protégés, comme par une carapace infranchissable, par la solide affirmation de leur puissance, de leur cohésion, l'affirmant encore par l'éclat de leurs rires, de leurs chants, de leurs cris, de leurs ordres, le tintement sonore de leurs pas, le choc de tous leurs accessoires guerriers, casques énormes, sacs carrés, grenades grosses comme des pilons de cuisine, fusils Mauser encombrants et cliquetants, poignards-baïonnettes ballottant sur la fesse droite ; ceci pour les hommes de troupe engoncés dans leurs uniformes aux plis rigides, vestes lourdes fermées au col et lourdes capotes en drap épais, vert ou gris : car il y avait aussi des officiers aux tenues incroyablement brillantes, aux casquettes rivalisant en hauteur avec des coiffes bretonnes, vestes ou redingotes vertes à revers blancs et à boutons dorés et ceux, particulièrement raffinés, qui portaient un petit poignard doré au bout d'une chaîne que l'on rêvait toujours de couper subrepticement ; et les « colliers de chien » de la police militaire, toujours par deux, toujours casqués, mitraillette noire en travers du ventre, bouledogues porcins ainsi surnommés parce qu'ils portaient en plastron une sorte d'énorme chaîne brodée ; et les SS à tête de mort sur leur vilain calot noir, pistolet à la ceinture, qui semblaient former un monde encore plus à part, particulièrement bruyant et arrogant ; et ceux, plus bourgeois, plus ventrus de l'organisation Todt, des pères de famille au crâne rasé, la nuque faisant des plis et le cul saillant sous la veste au ras des fesses, aux uniformes kaki avec un brassard rouge à croix gammée... Bref, tout un monde d'hommes fermé sur lui-même, hommes sûrs d'être des hommes, des vrais, les seuls hommes se reconnaissant comme des hommes, restant entre eux et ne voyant pas davantage le reste des humains, de derrière le rempart de leurs certitudes, de leur arrogance, ou même de leur condescendance et de leur gentillesse passagères, que s'ils avaient été complètement myopes. Et, par ailleurs, isolés lorsqu'ils étaient dans la foule — dans le train, dans le métro — par un cercle de silence à peine hostile, simplement, en apparence, indifférent. Un monde d'hommes auquel le Chat n'a pas, ne veut pas, de toute façon, avoir accès. Mais il n'a pas son mot à dire. Il y est mêlé quoiqu'il en veuille. Autour de ces hommes plane une menace indécise. Une menace de mort ? Ils portent la mort en eux, même si eux-mêmes, lorsqu'ils sourient, ne le savent pas ou l'oublient. Ils ont le droit de vie et de mort. Ce sont eux qui font la loi, fixent la règle : c'est d'eux que dépend si l'on est *en règle*, et ils peuvent à chaque instant instaurer quelque chose de nouveau, d'aussi insensé et absurde, par exemple, que le port de l'étoile jaune.

Les soldats qui occupent aujourd'hui la maison ne ressemblent donc pas vraiment à ceux-là. Ils lui rappellent même parfois — à condition de faire un effort d'exagération — les pauvres soldats italiens qu'il a connus dans le Midi, qui étaient si tristes d'être loin de chez eux.

Ce sont des recrues qui n'ont pas bonne mine, leurs uniformes flottent et boutonnent mal. Ils sont jeunes, à part quelques gradés qui portent sur le bord de leur veste le ruban rouge et noir de la campagne de Russie. Les *« Aili ! Ailo ! »* des départs matinaux ne sont guère entraînants et il semble que s'ils n'étaient régulièrement houspillés, occupés à des travaux aussi inutiles que de creuser à la pelle des tranchées dans un sol particulièrement pierreux, ils se laisseraient aller au seul plaisir de contempler entre deux alertes la douceur des nuages qui passent. Le Chat les entend parler entre eux : ils avaient été heureux d'être envoyés en France, d'éviter les Russes. Maintenant, en route vers le front de l'Ouest, simplement, ils ont peur.

Après deux ans et demi d'allemand en classe, le Chat en a quelques rudiments. Lorsqu'il est entré en sixième, son père a décidé que ce n'était pas parce que la France était soumise à l'oppression nazie qu'il ne ferait pas connaissance avec la culture allemande comme lui l'avait fait, au début du siècle, lorsqu'il avait voyagé à pied sur les rives du Rhin et du Neckar. Le Chat était censé parler anglais à la maison et savait réciter, effectivement, en bégayant pas mal, des passages entiers d'*Alice in Wonderland* ; il le parle d'ailleurs sans effort pour une conversation courante encore que, dans sa famille, on le ridiculise pour son accent et qu'il préfère, dans ces conditions, rester coi. Mais l'allemand était censé lui apporter la vraie clef des langues étrangères par la richesse de sa grammaire et de sa syntaxe. Il avait été touché par le charme des premières poésies de Goethe qu'il avait apprises, celle de la rose sur la lande que l'enfant veut cueillir — *Röslein, Röslein rot, Röslein auf der Heiden* —, le roi des Aulnes, bien sûr, et la chanson du camarade où déjà il entendait, mais si mélancolique, le bruit des bottes : *Ich hatte einen Kameraden, Einen bessern find'st du nitt' !*, « J'avais un camarade, un meilleur tu n'en trouveras pas ! », la balle perdue qui vient le frapper à ses côtés, *als so ein Stück von mir*, « comme un morceau de moi-même ». Dès la fin de la première année, il avait commencé à apprendre la *Lorelei* qui figurait dans son livre de classe (*« Ich weiss nicht was soll es bedeuten »...*) ; mais l'année suivante, tous les nouveaux manuels d'allemand étaient parsemés de rectangles de papier collés soigneusement par l'éditeur, page après page, sur certains passages : ainsi sur toutes les poésies de Heine, car Heine est un auteur juif. (Cela se passait en « zone libre », sous le gouvernement de Vichy.) Heine était exclu de l'Histoire. Il n'avait jamais existé. Il ne sut jamais, ou oublia, la fin de la *Lorelei*, n'arrivant pas à déchiffrer par transparence, même en plaçant la page devant sa lampe, les caractères gothiques censurés, et à connaître les raisons de tant de tristesse annoncée au premier vers, le seul dont il se souvînt encore. Tout cela ne le prédispose pas pour autant à la conversation courante. Il ne sait pas dire saucisson. Il sait quelques mots usuels, comme beurre (et cela, c'est bien normal, pas besoin de faire des études, car le mot *Butter* semble être le cri de ralliement des troupes germaniques en campagne et la quête du beurre avoir remplacé celle du Graal pour les héros modernes), et il a appris aussi, bien entendu, qu'en allemand une capote anglaise devient une *Parisienne*.

Un soir, à la tombée de la nuit, il entend une explosion proche, puis une cascade de cris, des appels en allemand. Tous se mettent à courir, dégringolant l'escalier dans un grand vacarme de bottes cloutées. Il comprend qu'un cycliste est passé, a tiré sur le soldat de garde et a disparu au tournant ; la sentinelle lui a balancé sa grenade, mais trop tard. Il n'a pu voir qu'une ombre fugitive dans le crépuscule. Tard dans la nuit, les hommes restent en alerte dans tout le village, des motocyclettes pétaradent, des camions arrivent de Chevreuse et filent à toute vitesse pleins d'hommes casqués et armés qui débarquent et courent cerner les bois. Les officiers vont d'une maison à l'autre, les hurlements s'amplifient, ce ne sont que heurts de bottes et de crosses. Les voici soudain comme des bêtes traquées, leurs voix sont rauques ou suraiguës, ils ont l'œil fixe et semblent ne plus rien voir de ce qui les entoure : des automates détraqués. Le Chat les préfère presque ainsi. Il se raconte que c'est son frère qui vient d'arriver au village et qui n'a pu se retenir de tirer sur la sentinelle : il y a longtemps que le Chat l'attend. Il regrette en tout cas que la sentinelle n'ait pas été touchée. C'est justement le soldat qui, la veille, lui offrait du saucisson. Non, bien sûr, ce n'est pas son frère. D'ailleurs il est probable que le tireur est né de la peur d'un petit soldat noyé dans l'ombre.

*

Il part avec son père faire une promenade à pied à travers les bois et les champs. Ils ont d'abord fait une halte chez le maire pour régler la question de l'attribution de pommes de terre de semence pour le jardin. Puis ils montent à Magny saluer le curé helléniste qui est en train de transvaser son cidre, et ils redescendent à Port-Royal, au fond de la vallée. Il pleut, et les arbres s'égouttent lentement sur leur passage, dans la bruine ; de l'eau glacée lui ruisselle dans le cou et ses vieilles chaussures sont comme des éponges. Il est heureux de marcher avec son père, comme il l'a fait souvent, ici et dans d'autres paysages. Son père est un marcheur infatigable : peut-être cela est-il resté du temps où, dix années durant, il a parcouru les hauts plateaux de l'Annam et du Tonkin, et de son expédition au cœur du Yunnan. Il aime cheminer comme lui, au même pas que lui. Ce n'est pas une marche indifférente : rien de ce qui les entoure ne reste étranger au fur et à mesure qu'ils avancent. Personne ne sait mieux que son père dire le sens de chacune des choses qu'ils rencontrent, des plus simples aux plus cachées, les arbres et les rochers, les lignes d'une bâtisse, le contour du chemin et le profil d'un paysage. C'est une chose qu'il a commencé à lui apprendre depuis qu'il est très petit. D'un objet anonyme, d'une feuille ou d'une pierre on peut faire jaillir une histoire multiple et infinie, on peut remonter le temps, faire défiler des générations disparues, des civilisations, ou plus avant encore, des ères géologiques. Il prend tout ce qu'il rencontre dans son regard avec un grand respect, un peu comme le curé de Magny, mais il va beaucoup plus loin, et surtout il se garde bien de tirer la morale.

Il y a longtemps, son père lui a montré que pour comprendre et pour pénétrer plus avant dans ce que l'on voit, il n'y a pas de meilleur moyen que le dessin. Guider le crayon sur le papier, faire aller et venir l'œil de l'horizon à la feuille qui se noircit lentement, c'est reconstruire patiemment ce que l'on voit en même temps que l'on construit son dessin, à coups d'hésitations, d'erreurs et de repentirs : lent exercice de la lecture des lignes et des trames. Dessin panoramique du paysage où, en suivant d'un trait les collines, en zébrant de gris plus ou moins fort suivant les distances, on découvre la logique du relief, et des articulations, des découpages, des emboîtages insoupçonnés : ici passe une rivière invisible car elle a taillé ce creux, ici cette falaise à vif ne peut être qu'une carrière, morceau de montagne arraché par les hommes, ici ce piton arrondi est certainement ce qui reste d'un pic des vielles chaînes primaires très usé, ici cette ligne à la cime des arbres, à flanc de montagne, marque le tracé d'une route ou d'un chemin de fer ; voici les rasades contre les incendies ou les traces d'antiques jachères, ou la pelade soudaine d'une aire à battre le blé ; et la tour intacte de ce château en ruine, comment l'expliquer autrement que parce qu'elle a servi, récemment encore, de télégraphe optique ou de poste de garde-feu ? Et ces masses plus sombres d'arbres immenses, cèdres ou séquoias qui surgissent d'une forêt de hêtres clairs, n'est-ce pas le signe sûr qu'il y eut là, au dix-huitième siècle, le maître éclairé de quelque gentilhommière proche, cachée ou disparue, disciple de Buffon ou voyageur de retour des Amériques, compagnon de La Fayette peut-être : surtout si, non loin, pointe le bouquet de trois vieux acacias en triangle, qui n'ont pu être plantés là que par un homme éclairé, tenant de la franc-maçonnerie dont ce fut le signe de ralliement.

Ainsi s'imprime le passage des hommes à la surface des choses. Ici viennent mourir, comme un dernier ressac sur les plateaux, les vagues d'aventures lointaines bien plus sanglantes que celles des gentilshommes qui rapportèrent des arbres nouveaux de par-delà les mers. Ainsi le retour des croisades laisse-t-il ses traces sur tout le pays : noms empruntés à la Terre sainte, comme le château de Damiette à dix kilomètres d'ici, maladreries où l'on isolait les lépreux devenus légion à la suite des séjours aux terres du Levant, et Levy-Saint-Nom, baptisé ainsi pour honorer le nom de la Vierge car les Croisés savaient qu'il n'y a pas de nom plus saint, de plus près de Dieu, pour les croyants, que celui de Levy. (Mais depuis une délibération du conseil municipal de 1941, le nom du village a été aryanisé : il s'écrit désormais Lévis-Saint-Nom.) Son père est habile de ses mains. Au cours d'une randonnée dans le Massif central, il y a quelques années, le Chat et sa mère lui ont offert un petit couteau de Thiers aux lames innombrables — il y a même une scie et des ciseaux minuscules ; il l'emporte toujours en promenade et il sculpte dans du bois de châtaignier des objets dont l'idée naît d'une disposition première, coupe-papier en forme de poignard qui tient bien dans la main, canne au pommeau sculpté d'une tête vaguement grecque (car il faut éviter de céder au trop facile découpage de l'écorce le long de la tige, en forme de serpent qui s'enroule).

Il se sent beaucoup plus près de lui, marchant sous la pluie et s'arrêtant longtemps le long des taillis de ronces pour cueillir les premières mûres gorgées d'eau, que partout d'ailleurs et surtout à Paris, dans le grand appartement, lorsque son père restait près de lui pour le forcer à terminer une version latine qu'il ne comprenait pas, résolument pas, à bout de nerfs, au bord des larmes.

— Je ne comprends pas. Ça ne veut rien dire.

— Tu n'es qu'un petit serin.

Mais il ne l'aidait pas et c'était comme une épreuve de force entre le tortionnaire et sa victime. Et lui-même avait beau torturer le texte, s'accrocher comme un naufragé au seul mot compréhensible surnageant dans la phrase et essayer d'en déduire le reste, il n'en tirait qu'une bouillie confuse, à travers ses larmes, ce qui portait son père au paroxysme de l'exaspération froide.

Il ne lui restait qu'à admettre, en lui-même, que c'était vrai : il n'était qu'un serin stupide et paresseux. Mais cela n'arrangeait absolument rien. La version latine était beaucoup plus difficile à démêler que les paysages, les bois, les collines et les pierres.

Une fois, quand il était vraiment petit, il jouait avec un autre garçon au bois de Boulogne. En marchant tous les deux sur la grande pelouse, ils étaient tombés sur deux couples allongés au soleil qui leur avaient donné des bonbons et s'étaient amusés à les faire parler.

— Qu'est-ce qu'il fait, ton papa ?

Son camarade avait répondu prudemment que son père était comme tous les papas, ce qui voulait dire qu'il allait travailler tous les jours en laissant sa maman à la maison : il était peut-être soldat, ou pompier, ou aviateur.

Mais le Chat, lui, fut précis. Il savait avec certitude.

— Mon papa est professeur de chinois.

Ils l'avaient fait répéter trois fois au moins en se roulant de rire sur l'herbe : ils n'en finissaient plus de s'esclaffer. Il s'était senti devenir cramoisi en comprenant qu'il y avait là quelque chose de bizarre et de mystérieux qui n'était pas communicable sans précautions à n'importe qui. Quand il avait raconté cela à la maison, ses parents avaient ri également. Son père lui avait dit :

— Si tu veux donner le titre exact, il faut dire : professeur de langues et littératures chinoises et tartare-mandchou.

— Mais, avait ajouté sa mère, c'est mieux de dire simplement professeur.

Oui, mais on ne le tenait pas pour quitte : quand il grandit et qu'il alla chez des parents de camarades de classe, il y en avait toujours pour lui demander « Professeur de quoi ? » ou « Professeur où ? » et il fallait répondre « Professeur au Collège de France ». Alors on lui demandait encore d'un air soupçonneux si c'était un collège religieux et il se trouvait soudain tout miteux en essayant de bafouiller une réponse convaincante.

Dans le grand appartement parisien, tout lui était à la fois familier et un peu mystérieux. Ses parents se sont installés là à leur dernier retour d'Extrême-Orient, dans l'année de sa naissance. C'était un peu comme s'ils avaient amarré à quai un paquebot encore plein de tout ce qui avait fait la plus grande partie de la vie de son père : paquebot provisoirement à l'ancre, que l'on n'avait pas pris la peine de décharger vraiment, restant dans l'attente de l'heure d'un autre départ. Mais il n'y avait pas eu de nouveaux appareillages. L'argenterie familiale miroitait dans l'ombre auprès des vases de Chine bleutés, des céladons pâles et des kakémonos. L'entrée était immense et obscure parce que la lumière qui venait du plafond était masquée par deux parapluies chinois déployés à l'envers : c'était le lieu idéal, quand son frère était plus jeune, pour projeter des films Kodak muets aux copains, les jours d'anniversaire ; il suffisait de disposer un drap, comme écran, sur le Piranèse accroché au mur du fond. Les placards regorgeaient d'étoffes merveilleuses pour les déguisements, de terres cuites enveloppées dans des papiers de soie fanés et de poupées japonaises surprenantes de fraîcheur oubliées dans leurs boîtes.

Son père travaillait la nuit selon des rythmes peu communs qu'il avait conservés des chaleurs du Tonkin et de l'Annam : il était même arrivé quelquefois au Chat de le croiser en se levant pour partir à l'école : il allait se coucher après avoir veillé toute la nuit. Il occupait un bureau dont tous les murs étaient garnis de bibliothèques débordant de livres européens, chinois et japonais, ces derniers faits de liasses de feuilles reliées par des cordonnets de soie ou prises entre des tablettes de bois. Il semblait aux enfants que l'espace en était insondable, sans limites connues, comme celui d'une caverne, car il fallait avancer doucement le long d'un sentier précaire qui serpentait au milieu des piles de livres, de papiers, de rouleaux, des caisses de bois de camphrier ouvertes bourrées de documents, un ou deux guéridons, jusqu'à la table de travail encombrée elle aussi de feuilles, mais également de pots pleins de pinceaux à calligraphier très minces, aux fins manches de bambou, d'encriers au fond noir souvent craquelé et de figurines d'ivoire. Vers ses cinq ans, le Chat s'était aménagé sous l'immense table aux innombrables tiroirs une cabane commode où il restait coi à écouter les imperceptibles bruissements marquant le travail de son père qui oubliait complètement sa présence : il était bien.

Il a compris que son père étudie l'histoire de civilisations anciennes avec une très longue patience. Car comment saisir ce que furent ces temps et remonter aux hommes qui les ont façonnés sans suivre méticuleusement les signes qu'ils ont laissés ? Et pour étudier le fonctionnement de cet araire ou de cette lunette astronomique, ne faut-il pas aussi, avant cela, connaître dans le détail les techniques européennes modernes de l'assolement et du labourage et les méthodes de calcul de l'observation astronomique dans les diverses sociétés et jusqu'à nos jours ? De même il est nécessaire, pour suivre les lentes mutations du langage et de l'expression à travers les idéogrammes, pour suivre les détours et les métamorphoses des mots, d'aller retrouver derrière les pièges et les déguisements, vivante, une langue vieille de trois mille ans dans les dialectes de montagnards perdus au-dessus des forêts. Ainsi avance-t-il en suivant les fils qu'il noue précautionneusement, accumulant les repères, point par point, sans souci des années, pour des ouvrages encore bien loin de leur achèvement.

Le Chat se souvient de cet hiver durant lequel sa mère a

repassé un par un sur la planche de la lingerie une masse de précieux papiers chiffonnés, déchirés et maculés, fragments parfois minuscules. Il s'agissait d'archives miraculeusement retrouvées par un Anglais fortuné au cours d'une expédition au cœur de l'Asie centrale, dans quelque monastère-caravansérail du Tibet. Ces papiers, vieux de plus de dix siècles, formaient un trésor inappréciable car ils permettaient, mis bout à bout comme dans un puzzle, de reconstituer la chronique de la vie matérielle et spirituelle d'un couvent bouddhiste sur une vaste période. Mais il semblait qu'il y avait eu, voici quelques centaines d'années, une baisse certaine dans le niveau de la spiritualité des moines. Le noble Anglais avait découvert ces papiers, fort souillés, dans des *lieux* qui n'avaient rien à voir avec une bibliothèque, encore qu'heureusement désaffectés depuis longtemps. Le déchiffrement des idéogrammes pâlis, après repassage, au bout d'années d'efforts, a abouti à la publication d'énormes volumes reliés de toile rouge aux titres dorés.

Que le paquebot ne fût que provisoirement échoué, ici, dans cette rue parisienne assez terne, qu'il dût repartir un jour vers le large, le Chat n'en doutait jamais ; et il ne doutait pas davantage qu'il repartirait à son bord. S'il n'avait pas jusqu'ici cheminé sur la route ombragée de banians qui mène de Siem Reap à Angkor, en croisant les éléphants domestiques qui portent des troncs d'arbres avec leur trompe, ce n'était que le résultat d'un mauvais tour de l'histoire : une panne passagère. Mais l'histoire allait bientôt reprendre son cours naturel. Le Chat partirait comme son père. Il retrouverait les éléphants et peut-être monterait-il sur l'un d'eux qui ne serait autre que l'érudit et sage Bahadour Shah, éléphant porteur inscrit sous le numéro 174 sur le Registre des Indes, celui-là même dont Kipling a dit tenir ses plus belles histoires. De toute manière le Cambodge l'attendrait : c'était le pays le plus calme du monde, le peuple le plus doux et le plus sage ; il ne s'y passait, il ne s'y passerait jamais rien d'autre que le lent défilé des jours sur les travaux des champs, sous le regard endormi des divinités domestiques.

Il ne fallait pas se fier à l'apparente torpeur du lieu et des choses, à la quiétude résignée de l'appartement somnolant dans la pénombre. Il savait que dès qu'un navire lève l'ancre, dès qu'il a fait quelques milles vers le large, l'espace se transforme et éclate, la lumière entre partout, les couloirs deviennent des ponts-promenades, tout ce qui était confiné et réduit s'élargit, s'ouvre à l'infini, entre mer et ciel. Il connaissait les étapes par cœur, par les récits et les photos de famille : Port-Saïd, Djibouti, Bombay, Colombo, Singapour et enfin Saigon sur les eaux jaunes du Mékong, entre les couloirs de palétuviers.

C'est aussi quand il avait cinq ou six ans que son frère était venu pour l'embrasser un soir — alors qu'il attendait dans son lit, les yeux ouverts sur des formes obscures baignées par la très vague lumière du lampadaire de la rue filtrant par les persiennes fermées — et qu'il lui avait raconté qu'il revenait d'un voyage en avion : il y avait une piste d'atterrissage sur le toit, au huitième étage, et il était monté à côté du pilote pour survoler Paris, après avoir sanglé un petit parachute en cas de danger. Le Chat lui avait demandé si l'avion était toujours là et l'avait supplié de l'emmener avec lui : son frère l'avait pris sur ses épaules en le masquant d'une longue couverture et il s'était glissé le long des couloirs : ils avaient été interceptés au moment où il ouvrait la porte d'entrée sur le monde extérieur, le palier illuminé, par leur mère qui poussa, comme on disait dans la famille, des *cris d'orfèvre* et leur interdit catégoriquement de se prendre pour Peter Pan. En fait, le but du voyage était, pour son frère, moins lointain : leur grand-mère habitait au-dessus. Il suffisait de passer d'un étage à l'autre pour changer de continent et trouver une très petite, très redoutable et très vieille dame qui régnait sur le monde plus labyrinthique encore de ses souvenirs d'Égypte avec l'assurance de quelqu'un qui n'avait jamais oublié que son nom de jeune fille ne comportait pas moins de trois particules et que la carrière de son défunt mari — dont le nom était *au dictionnaire* — lui avait acquis le titre de *Lady*, comme à lui celui de *Sir*, titre qui plaisait surtout aux enfants : ils l'appellaient souvent Lady Ponte-Serra, en y mettant autant de respect que de moquerie ; elle-même n'en usait guère, sa germanophobie farouche n'excluant pas une certaine méfiance pour la perfide Albion datant du temps où, au Caire, elle avait hébergé et réconforté le capitaine Marchand rescapé de Fachoda et tenu tête dans ses salons à Lord Kitchener (*of Khartoum*) par quelqu'une de ses paroles historiques définitives dont elle était d'autant plus fière, quand elle les répétait, qu'elle avait eu cinquante ans pour les ciseler...

*

Ils arrivent à Port-Royal, toujours sous la pluie. C'est une visite qu'ils ont faite souvent. N'entrons pas dans le détail de ce que le Chat essaye de se faire expliquer par son père à propos de cette obscure affaire des jansénistes et de la colère de Louis XIV. A vrai dire, il préfère la collection personnelle du gardien des ruines, qui les a emmenés chez lui, tandis que sa femme leur prépare un thé noir — fait avec quoi ? Certainement pas du vrai thé, par les temps qui courent : les fanes de carottes sont, dit-on, excellentes. Le gardien collectionne les uniformes et les armes, des sabres, des cuirasses et des casques à plumets. Sa spécialité est le siège de Paris. Il possède des affiches qui annoncent les prix de la viande de chat et de rat, et d'autres de la Commune de 1871. C'est là que le Chat entend parler pour la première fois de la Commune : il n'en est pas question dans son manuel d'histoire, celui qui sert à tous les lycées de France, le *Mallet* (car depuis 1940, par décision de Vichy, de même que Heine n'est plus un poète allemand, le *Mallet et Isaac* qui a formé trois générations de jeunes Français ne s'appelle plus que le *Mallet* : qu'importe si Mallet est mort en 1915 et n'a jamais eu le temps de rien écrire, et si ce n'était que par fidélité fraternelle au souvenir de son ami mort que Jules Isaac, vingt ans durant, a rédigé seul tous les manuels de la série mais les a toujours signés de leurs deux noms unis ?). Il lit, sans comprendre pourquoi il fallait que ce fût affiché sur les murs de Paris, l'affiche datée du 22 mai 1871 :

« Commune de Paris

Que tous les bons citoyens se lèvent !
Aux barricades ! L'ennemi est dans nos murs !
En avant pour la République, pour la Commune et pour la liberté !

Le Comité de Salut public. »

— C'était à la fin du Siège de Paris ?
— Non. Après.
— Quand les Allemands sont entrés dans Paris ?
— Non. Les Versaillais.
— Les Versaillais ? Des Français ? Alors l'ennemi, c'était eux ?
— Oui.

Son père parle longtemps avec le gardien qui explique la dureté des hivers dans l'humidité de ce fond de vallée. Cette attention patiente, il l'a toujours : il ne sert à rien de savoir regarder les choses si l'on ne prête pas attention aux gens. Depuis qu'il le suit dans ses marches, le Chat sait qu'il cause toujours très longtemps, sans élever la voix — et souvent si doucement qu'il faut s'appliquer pour le suivre —, qu'il pose des questions à ses interlocuteurs sur des choses précises qui l'intéressent et qui les intéressent aussi et qu'il ne se lasse pas d'écouter les réponses. Et partout où ils reviennent, quand on le reconnaît, ils sont reçus en amis : ici c'est du thé amer, dans le Midi c'était du vin cuit. Que faut-il faire pour arriver à être si naturellement bien avec les autres ?

Les armures et les uniformes ternis jettent quelques lueurs dans l'ombre de la maison humide. Ils s'en vont, toujours sous la pluie qui les glace, dans la nuit tombante. Le Chat proclame son admiration pour la collection du gardien. Son père lui dit, gentiment mais fermement, qu'il est un petit serin.

*

C'est le départ des soldats allemands. Le soleil brille et ils reprennent la route vers l'Ouest. Ils ont soigneusement rebouché les feuillées et, dans la maison, ils ont enlevé la paille et les planches, balayé le sol : seule trace de leur passage, le Chat ramasse dans un coin du salon dévasté trois images en couleurs d'extraordinaires dames nues, blondes et roses, les seins qui pointent et l'entrecuisse soigneusement flou, ce qui le déçoit beaucoup : pas le moindre détail inédit.

Les soldats attendent l'arrivée des camions, affalés dans la cour, vestes ouvertes à la chaleur de la matinée d'été. Le petit lieutenant, celui qui a la croix de fer et le ruban du front russe, demande à voir le père du Chat.

Il s'incline très poliment et explique en allemand au *Herr Professor* que lui et ses hommes tiennent à le remercier à la fin de leur séjour et qu'il ne veut pas s'en aller sans lui dire au revoir.

— ... *Und ich möchte Ihnen auf Wiedersehen sagen.*

— *Nein*, dit le père en souriant, *Nein : nicht auf Wiedersehen, bitte.*

Le lieutenant dit qu'il ne comprend pas.

— Comment dit-on adieu en allemand, demande son père. *Zu Gott* ? Non. *Lebewhol*, je crois.

Pas au revoir. Adieu. Le Chat voit le lieutenant qui reste sur place, qui répète à voix moins haute qu'il ne comprend pas, non, qu'il ne comprend pas et puis soudain, il a l'air beaucoup moins jeune, très fatigué et très triste.

Et son père aussi a l'air fatigué et triste, malgré son sourire qui se fige.

Le soir, ses parents partent à leur tour pour Paris. Le Chat ne dit à son père ni au revoir ni adieu. Il est dans les bois à ramasser des douilles de Mauser vides. Il en rassemble cinq dans un chargeur et il superpose plusieurs chargeurs : il souffle dedans comme dans une flûte de Pan, ce qui donne une très jolie musique pour des airs bizarres. Il pense à la fin du rêve de la petite fille dans *Casse-Noisette*, quand le vilain parrain Drosselmayer, à cheval sur la pendule, grince :

Perpendicule
A fait ron-ron
Avance et recule
Brillant escadron !

Alors tous les soldats de plomb et les hussards de pain d'épice qui livraient bataille aux troupes de la Reine des souris rentrent sagement se ranger dans leurs boîtes et le calme revient.

3. « Fábrica española de armas automáticas »

Le Chat reçoit une lettre de son cousin Gabriel, prisonnier en Allemagne. Elle est écrite au crayon-encre bleuâtre sur de petits feuillets quadrillés. Elle est arrivée à Paris par des voies obscures : par la Suisse ? De Paris, sa mère l'a confiée à un voyageur se rendant à Marles.

« Lieutenant Gabriel Delage
Oflag 48 X 13. 2 avril 1944.

Mon vieux Chat, je suppose que cela fait un bail qu'on ne t'appelle plus comme ça. Mais, immobilisé, je rêve que le temps s'est immobilisé avec moi : j'ai du mal à imaginer le grand garçon sérieux que tu as dû devenir... »

Gabriel raconte qu'il s'ennuie. Que l'occasion qu'il a d'écrire sans censure est unique et ne se reproduira pas, et qu'il en profite pour faire des lettres à toute la famille. Il dit tout ce qu'on peut dire dans une lettre comme celle-là : qu'il espère que le Chat réussit dans ses études et que le ravitaillement à Paris est meilleur. Il parle de ce qu'il mange, lui, et du froid, et du temps qui ne coule pas ; de ses trois évasions manquées, avec des détails pour faire rire le Chat. Il raconte qu'il rêve beaucoup et qu'il a deux envies majeures : quand il sera libéré il ira d'abord s'asseoir à la terrasse d'un café, sur les boulevards, et il commandera un café-crème avec des croissants ; et il prendra le premier train pour Toulon, il courra sans reprendre haleine jusqu'à la propriété des grands-parents, la Valerane : et là, il retrouvera le vieux piano Steinway, il jouera, jouera, face à la mer. C'est une longue lettre.

Une longue lettre qui se termine par des phrases un peu sibyllines pour le Chat.

« J'ai écrit à Antoine. J'ai essayé de lui dire deux ou trois choses. Mais je le connais : il n'en fait qu'à sa tête, sa foutue tête de bois. Il est tellement intelligent, il comprend tellement vite, il se sent tellement fort. Je me fais du souci. D'ici, j'ai tout le loisir de m'en faire. D'imaginer tant de choses. Et de me persuader qu'elles sont vraies.

» Répète-le à Antoine : pour affronter tante Nina, il faut prendre son temps. Tante Nina et ses amis sont la plaie de la famille ; mais il faut attendre. Attendre que toute la famille s'unisse pour pouvoir lui clore définitivement le bec. Oui, définitivement. Seul, il ne pourra pas hâter les événements.

» Il ne m'écoutera pas. Toi, tu lui poseras des questions et il sera bien forcé de te répondre. Ça le forcera peut-être à réfléchir. Je vous connais tous les deux, vous n'avez pas dû changer : toi et tes éternels « pourquoi » ; et lui qui veut toujours tout t'expliquer.

» Ce matin il a fait très froid. Il y avait encore de la glace dans le pot à eau. Il a neigé jusqu'à la fin de mars. J'ai lu un vieux Kipling, en allemand : *Histoires comme ça*. L'histoire du Chat qui s'en va tout seul. J'ai pensé à toi. »

La tante Nina est une vieille connaissance. La légende veut qu'il exista bien jadis dans la famille une tante de ce nom et incontestablement germanique. Mais sa vraie naissance s'est produite spontanément, pendant l'été 1940, dans la correspondance de divers membres de la famille sans qu'aucun n'ait eu besoin de donner le code. C'était l'époque des premières cartes dites justement *familiales*, imposées comme unique moyen de communiquer entre zone occupée et zone libre. Ces cartes comportaient une série de formules stéréotypées à barrer ou à compléter dans les quelques blancs chichement ménagés. C'est dans ces derniers que la tante Nina est venue tout naturellement se glisser. Au début elle allait simplement mal, ensuite elle devint insupportable, puis franchement malade et parfois même, dans les moments d'euphorie, carrément à l'agonie. Ce personnage avait fini par acquérir une consistance, une silhouette, et le Chat la voyait tout droit sortie d'une illustration de Hansi avec son tailleur verdâtre tombant sur ses gros souliers carrés, son visage de fouine acariâtre, ses petites lunettes et son chignon posé comme une crotte sur le haut du crâne.

Le Chat est heureux d'avoir une lettre de Gabriel. La dernière fois qu'il l'a vu, c'était au printemps 1940. Gabriel était lieutenant dans les tirailleurs marocains. Cantonné sur la frontière luxembourgeoise, il avait traversé la France pour venir, en permission, passer deux jours à la Valerane. Ces deux jours-là ont laissé le souvenir d'un ouragan : Gabriel était un très bon pianiste et il avait entrepris de réparer l'hiver perdu sur le grand Steinway de concert ; déchaîné, il avait déchiffré à la suite, comme un fou, près de vingt sonates de Beethoven. Personne n'avait pu tenir le coup. La mère du Chat était montée s'enfermer dans sa chambre — on pensait qu'elle s'était collée un oreiller sur la tête pour ne plus entendre. Son père s'était réfugié, pour travailler, dans une pièce très éloignée de la vaste bâtisse ; mais, même là, dit-il plus tard, il n'avait pu parvenir à rassembler deux idées. Les grands-parents avaient émigré vers la serre, pour soigner leurs cactus. Non, personne n'avait pu tenir le coup, sauf le Chat et son frère. A la fin de chaque sonate, Antoine en réclamait une autre et, entre les mouvements, il parlait, parlait. Le Chat ne disait rien : il tournait les pages.

Avant le départ de Gabriel, Antoine lui avait lancé un défi : traverser la baie à la nage jusqu'à la pointe des Batteries et revenir. Gabriel ne l'avait pas relevé, Antoine l'avait fait seul. C'est au printemps que la mer est la plus froide. Ce jour-là était un jour de mistral, quand le soleil brille très fort sans chauffer, dans un ciel parfaitement pur, un jour de mer bleu de Prusse, de vagues courtes, hachées et hostiles. Antoine ressortit près de deux heures plus tard sur la plage, triomphant et glacé. Ils avaient eu beaucoup de mal à le suivre à la rame sur la lourde barque à fond plat que l'on appelait une *bête*. La peau d'Antoine était toute marbrée de bleu, il tremblait tellement qu'ils avaient dû se mettre à deux pour le frotter et le réchauffer. Ils lui avaient donné du rhum. Gabriel admirait Antoine.

Le Chat a su plus tard que Gabriel avait été blessé dans les combats autour de Lille. Alors qu'il quittait la ville, après dix jours de bataille à la grenade maison par maison, il s'était retrouvé en rase campagne face à un char qui le fixait d'une mitrailleuse mauvaise. Il s'était jeté dans un fossé. Mais ses fesses dépassaient encore. Elles avaient été durement labourées. Il avait été capturé, impuissant : ivre de rage (et de whisky : sa compagnie n'avait jamais abandonné un tonneau recueilli dans la cave d'un état-major anglais). Rétabli, il avait reçu dans son camp allemand copie d'une flatteuse citation portant attribution de la croix de guerre. Plus tard, ses trois évasions lui avaient valu d'être envoyé dans un oflag spécial de Prusse orientale. Un oflag pour *mauvaises têtes*.

Quant aux idées générales qu'il demande au Chat de transmettre à Antoine, le Chat ne se voit guère les exposant et parlant clairement de choses confuses. Ordinairement c'est son frère qui l'aide à dégager le sens des choses : Antoine, lui, ne semble jamais douter qu'elles en aient toutes un, pour peu que l'on se donne la peine de le chercher.

*

Que faire par un après-midi gris et pourri, quand un rideau de pluie empêche d'aller couper de l'herbe et que les cochons d'Inde couinent misérablement dans leurs clapiers ? Que faire lorsqu'on est devant un jeu de cartes que de sales mioches ont dépareillé et dispersé, sinon essayer de construire des châteaux que le moindre geste maladroit effondre ? Le Chat est gaucher ; on s'est acharné, chez lui, à l'école à lui faire utiliser sa main droite pour les choses qui comptent dans la vie en société : écrire, tenir son couteau. Mais les gestes qui lui viennent naturellement partent de sa main gauche. Souvent il hésite et ses mains bégayent. L'échafaudage des châteaux de cartes ne résiste pas longtemps à de tels bégaiements.

Cet après-midi-là, donc, il vient d'arriver enfin à un troisième étage fortement penché, quand la porte s'ouvre violemment. Son frère entre dans la salle à manger et crie :

— Haut les mains !

Les cartes tombent. Il tient un pistolet.

— Il est vrai ? demande le Chat.

— Regarde. Et il le lui tend.

— Pas ici, dit le Chat. Tu ne les entends pas, dans la cuisine ?

Dans leur chambre, son frère lui montre l'arme : noire, mate. Il enlève le chargeur et la lui donne. Le Chat lit, gravé sur le côté : *Fábrica española de armas automáticas. Calibre 9 mm.*

— Ce n'est pas plus compliqué que ton pistolet à bouchon. Prends-le bien en main. Non, la main droite, pas la gauche. Tu enlèves le cran de sécurité avec le pouce. Tu armes en tirant le percuteur vers l'arrière, là, tout le dessus, tu vois, ça coulisse. Ensuite, tu tends le bras et tu vises en descendant lentement et en appuyant très, très doucement sur la détente. Parce que, quand le coup part, ton pistolet se soulève brutalement et le recul envoie la balle vers le haut. Il faut toujours appuyer doucement, doucement…

(C'est une leçon qu'on n'oublie pas : le Chat s'en souviendra, et à des années de là, au cœur des Caraïbes, ce sera encore la voix de son frère qu'il entendra, derrière celle d'un instructeur en treillis vert olive : *Suave ! Suave ! Hay que apretar el gatillo hasta que el golpe te sorprenda…* « Doucement ! Doucement ! Il faut tenir la gâchette jusqu'à ce que le coup te surprenne… »)

Son frère fait glisser les balles du chargeur et les cylindres arrondis roulent sur le lit comme de grosses billes luisantes.

— Le 9 millimètres, c'est bien parce que ça arrête net l'adversaire. Même s'il n'est blessé qu'à la main ou au bras, le choc est tellement fort qu'il tombe. Avec un calibre plus petit, il faut tirer de plus près et être certain de tuer du premier coup : un boche blessé par une balle de 6,35, il peut quand même continuer à avancer…

Le Chat suit les instructions. Il fait le geste de viser soigneusement, par la fenêtre, et fait glisser le collimateur le long de la petite porte sous les tilleuls, comme si une silhouette ennemie allait soudain s'y encadrer. De la main gauche.

— Après le dîner, j'ai une petite expédition à faire.

— Tu m'emmènes ? demande le Chat.

— Oui. Si ton vélo marche.

*

En juin, il avait été décidé qu'il n'y aurait pas de concours d'entrée à l'École normale supérieure pour 1944. En mai, le ministère du Travail avait, comme déjà en 1943, décrété, prenant prétexte du « service civique rural », le recensement de tous les jeunes gens âgés de dix-huit ans et plus afin de pouvoir procéder à la réquisition de ceux qui n'occupaient pas un emploi indispensable à l'économie du pays : prélude en fait à leur envoi au STO. Les étudiants se clairsemaient. Ils cherchaient des planques. Quelques-uns choisirent le maquis ou la clandestinité et les faux papiers.

Son frère avait préparé intensément le concours après y avoir échoué de justesse l'année précédente ; il avait cette fois toutes les chances d'y réussir. Il s'était donc retrouvé soudain privé de cette perspective et entièrement disponible pour des tâches qu'il jugeait plus urgentes. Depuis son arrivée à Paris, au début de 1943, il s'était engagé à fond dans un militantisme clandestin qu'il avait déjà commencé dans le Midi. Il avait participé à l'organisation du Front national en milieu étudiant et à la mise sur pied progressive, à partir de cette base, de groupes de francs-tireurs et partisans communistes : manifestations-éclairs d'abord, dans les lycées et les facultés puis dans la rue, à des heures d'affluence ; constitution de groupes de protection pour ces manifestations ; commandos contre les permanences de la LVF, de la milice ou de la *Propagandastaffel* ; enfin armement de ces groupes répartis en *triangles*. Dès avant le débarquement, le mot d'ordre a été donné : « S'unir, s'armer, se battre dans les villes, les villages, de l'ouvrier au patron, du fermier au propriétaire terrien, du curé à l'instituteur, pour empêcher le pillage, le meurtre, pour la liberté de la France. » S'unir, ce sont les contacts difficiles et dangereux, les réunions entre responsables d'organisations différentes où s'étale parfois le verbalisme des derniers venus, l'exaspération, souvent, devant les atermoiements. Et s'armer… Quelques parcelles de matériel de sabotage dépareillé, plastic, détonateurs, rescapés de parachutages arrivent tout en bout de chaîne. Quelques pistolets symboliques restent cachés, à l'état quasi mythique, chez quelque grand-tante innocente, reliquats légués par des groupes antérieurs décimés les années précédentes par la répression. Il faut prendre les armes sur l'ennemi. Les premières attaques d'officiers allemands ne sont pas des attentats mortels : il s'agit d'assommer à deux le porteur d'une arme lorsqu'il est suffisamment isolé et de lui prendre son pistolet. Ensuite seulement, armés, il sera possible de passer à des attentats réels. Antoine laisse libre cours à l'impatience qui le travaille : il veut aider l'histoire vacillante à basculer du bon côté. Car il doit bien y avoir un bon côté. C'est en tout cas l'heure de se forcer à y croire.

*

L'expédition prévue ne doit pas comporter de grands risques. Il s'agit d'aller cambrioler deux mairies de villages assez proches, Senlisse et Choisel, pour y rafler la totalité des cartes d'alimentation du deuxième semestre 1944 qui viennent d'y être livrées en ce début de juillet avant que d'être distribuées aux habitants. Les quelques centaines de rations ainsi récupérées seront ensuite réparties parmi les militants clandestins des villes et les réfractaires qui n'ont pas rejoint le maquis. Il est possible que, distantes de quatre kilomètres l'une de l'autre, les deux mairies aient le même secrétaire et que ce soit lui-même qui ait donné l'indication.

A quatre pattes sur le plancher de la chambre, Antoine fait ses comptes sur la carte des environs de Paris. Il y apporte beaucoup de soin et d'attention : les yeux très bruns et myopes mais toujours en éveil, le corps aussi trapu que le Chat est dégingandé, mais aussi et peut-être plus nerveux que lui, et, comme lui, une épaisse tignasse noire en épis incontrôlables : du poil d'âne, dit leur coiffeur commun. Et cette inépuisable énergie, cette curiosité, cet enthousiasme qui ont si souvent épuisé le Chat — et bien d'autres.

— Avec les détours, ça doit bien faire vingt-cinq à trente kilomètres. C'est beaucoup pour toi.

— Toi et tes détours : tu veux toujours perfectionner. Ce n'est pas un grand jeu.

— Appelle ça comme tu voudras. Mais il n'est pas question de passer par des endroits trop peuplés : il faut éviter Chevreuse et Dampierre. On part vers neuf heures et demie, avant le couvre-feu. A l'aller, on ne risque pas grand-chose. Nous irons lentement. Si tout va bien, j'aurai fini Senlisse avant minuit et nous serons de retour ici vers une heure et demie du matin.

— Si tout va bien. Et s'il ne pleut plus. Et comment vas-tu faire pour entrer dans les mairies ?

— Regarde : on est parfaitement équipés.

Il sort de son sac tout un bric-à-brac. D'abord une longue pince nickelée tachetée de rouille et recourbée au bout : cela évoque un insecte biscornu, une sorte de mante religieuse, mais aussi un instrument chirurgical.

— C'est une pince-monseigneur.

Le Chat a déjà vu ce mot dans les aventures d'Arsène Lupin.

Puis vient un manche terminé par une sorte de roulette fixe.

— Un diamant.

— Un vrai ?

— Mais non, idiot. C'est pour couper les vitres.

— Le verre va faire du bruit en tombant.

Son frère exhibe deux petites plaques brunâtres.

— Non. Tout est prévu. Regarde ça.

Le Chat se penche, tâte et flaire. La consistance est flexible et l'odeur vaguement sucrée.

— Du plastic ?

— Non, idiot. Le plastic est en pains, d'une agréable couleur verte et il sent très fort l'amande. C'est du chewing-gum. C'est américain.

Comme tout le monde, bien sûr, il sait ce que c'est que du chewing-gum, et que les Américains, maniaques, passent leur temps à en ruminer. Mais, comme tout le monde aussi, il n'en a jamais vu.

— Je peux goûter ?

— Non. Ce n'est pas pour les enfants gourmands. Une fois mâché, ça devient parfaitement collant. Je le colle à la vitre que je découpe, et je la détache sans bruit.

Voici enfin un gros marteau, plat des deux bouts.

— C'est pour assommer les boches ?

— Pas forcément. Mais c'est utile.

— N'empêche, dit le Chat. Avec ça tu peux tuer un boche.
— Oui, dit son frère.

*

Ils partent silencieusement après le dîner, le ventre plein de vert de bettes et de navets bouillis. Les réfugiés sont montés dans leurs chambres, tout est calme et obscur dans la maison : le courant est coupé. Dans la cuisine, le foyer s'éteint. Dehors il fait doux. Le Chat a regonflé les pneus de Mammouth, le bien nommé à la dégaine d'animal préhistorique. Mammouth pèche surtout par ses freins : le frein avant est lunatique ; quant à l'arrière, ses patins de liège ont le fâcheux défaut de s'échapper brusquement de leurs étriers pour peu que l'on serre fortement — c'est-à-dire, en fait, juste au moment où l'on a *vraiment* besoin de ralentir... Il reste donc à freiner avec les pieds : mais c'est là que la manœuvre se complique, car Mammouth est un vélo si grand que, selle baissée pourtant au maximum, les pieds du Chat touchent à peine terre de leur pointe. Est-il besoin d'ajouter qu'il voue à sa monture une passion jalouse et sans limites ?

Ils ont pris chacun un vieux sac à dos. Celui du Chat est une poche informe, marquée au coin d'une tache de graisse qui doit remonter à l'époque très lointaine où l'on emportait en pique-nique, du côté de Ramatuelle et des moulins de Paillasse, des sandwiches beurrés au jambon. Il l'a attaché au porte-bagages avec des ficelles de chanvre, rebuts de la moissonneuse-lieuse. Son frère a pris dans sa poche une lampe électrique plate à la pile mourante. Ils roulent dans l'obscurité sans lanternes. La lune éclaire très peu et aucune lumière ne filtre des maisons qu'ils longent. Mais, jusque passé Saint-Lambert, le Chat connaît la route presque par cœur, et même ses nids-de-poule et les endroits où les chenilles des tanks ont arraché le bitume. De temps en temps, un froissement lui signale qu'il traverse une coulée de bouse de vache fraîche. Il faut surtout qu'il consacre toute son attention à ne pas entrer dans la roue de son frère qui pédale avec un grincement régulier : sa bicyclette presque neuve se prénomme Bucéphale. Ils ont souvent marché et pédalé dans des nuits plus obscures. Ils croisent toutes sortes d'odeurs avivées par la pluie, mais surtout celle qui monte avec le brouillard des prés fraîchement fauchés et des foins fermentés qui n'ont pu être engrangés. C'est le moment de prouver que les chats sont nyctalopes.

Passé Saint-Lambert, ils prennent à gauche la grande route qui mène, par une longue côte, sur le plateau. Le Chat ahane et tient bon, debout sur ses pédales. Ils redescendent par les « dix-sept tournants » et là, dans le noir total, perdus parmi les arbres, ils n'arrivent plus à repérer le bord de la route et doivent finir la descente à pied. Ils rattrapent la grande route de Cernay qui longe la clôture extrême du parc du château puis prennent un chemin étroit qui les mène à l'entrée de Choisel. On devine la silhouette des maisons mortes, une rue étroite, puis l'espace s'élargit : une place, l'église et, en retrait derrière un muret, la mairie, une baraque à un étage. Ils glissent leurs vélos derrière l'église, en tâtonnant le long du mur du cimetière.

— Tu m'attends là. S'il y a une alerte, tu lances un gravier dans la fenêtre de gauche. C'est le bureau du secrétaire. Et tu te caches avec les vélos : tu ne bouges plus.

Son frère part avec son sac, franchit la clôture et passe par derrière, dans la cour. Obscurité et silence. Un village complètement endormi. Une cité sous-marine. Attendre, seulement attendre, en essayant de respirer normalement.

Cinq minutes plus tard il est de retour.

— Ça y est. On repart.

De Choiseul à Senlisse, il y a quatre kilomètres. Il faut remonter sur le plateau puis se laisser glisser par une longue pente sinueuse vers une nouvelle vallée. La route est défoncée, les pierres partent en rafales sous les roues des vélos et Mammouth fait un bruit de ferraille terrible. Ils s'arrêtent quand se dessinent toutes proches les premières maisons. Les freins crissent contre les jantes de Bucéphale. Des pierres roulent encore. Ce n'est pas possible, pense le Chat : ils doivent être des dizaines à nous avoir entendus. D'un moment à l'autre une lumière va jaillir, les démasquer, quelqu'un va se manifester.

A l'entrée du village, un chemin s'ouvre entre des murailles, maisons ou clôtures. Son frère plante les deux pieds de chaque côté de son vélo et le Chat se rapproche de son ombre.

— Je ne sais pas. Je pensais que la mairie était là.

Le Chat ravale son amour-propre :

— Peut-être que ça suffit comme ça ?

— Tu la fermes. C'est certainement au bout.

Ils continuent à suivre la pente en poussant leurs vélos le plus silencieusement possible. Le ciel s'éclaircit, la lune donne un peu de lumière. Le Chat voit une saillie, à droite, au bout d'un mur.

— La boîte aux lettres.

La mairie est derrière. Ils répètent les mêmes gestes. Ils cachent les vélos derrière la haie qui fait face, en contrebas de la route. Son frère lui prend son sac vide et lui donne le sien, plein du premier chargement, qu'il reficelle à tâtons sur le porte-bagage de Mammouth en entremêlant des nœuds hérétiques. A nouveau seul, à nouveau l'attente. Il grelotte dans son vieux blouson et ses culottes courtes. Un mal familier, vieille connaissance, vient lui tordre le ventre et le plie en deux.

Son frère revient. Ils remontent en selle pour reprendre le chemin, un peu plus discernable sous la clarté de la lune, et se retrouvent à gravir la longue côte. Est-ce le pays tout entier qui est mort cette nuit ? Quand ils reprennent la grand-route vers Chevreuse, ils essayent d'accélérer mais la nuit s'obscurcit à nouveau. C'est la pluie. Elle ruisselle bientôt de ses cheveux sur son nez, ses yeux, dans son cou, sous son blouson. Elle se mélange à sa sueur. Il essaye de la lécher sur sa lèvre supérieure : elle est salée.

Ils arrivent en roue libre en bas d'une côte, au fond d'une ravine, sur ce qui semble une ligne droite. Le Chat ne voit plus son frère et donne un coup de pédale pour le rattraper. Sa roue heurte celle de Bucéphale et ils tombent, chacun d'un côté de la route, sans se voir, vélos et jambes emmêlés ; ils jurent et éclatent de rire. En se relevant, le Chat sent qu'il marche sur un matelas de papier.

— Mon sac s'est ouvert.

Son frère s'approche à quatre pattes et éclaire le sol d'un bref éclair de sa lampe :

— Tous les tickets...

Ils commencent à ramasser par brassées les cartes déjà mouillées pour les enfourner dans le sac.

— Attention, dit le Chat, qui vient de plonger la main dans quelque chose de gluant et de froid. C'est plein de cague.

Dans les moments de grandes émotions, il lui revient toujours des expressions et l'accent de son Midi. Les tickets sont tombés dans de la bouse de vache.

Il lève la tête et il voit des lumières qui bougent en haut de la côte qu'ils ont descendue.

— Des Allemands, dit son frère. Prends ton vélo. Derrière les arbres. Tant pis pour le reste.

Ils foncent à travers le fossé vers le sous-bois proche en forçant comme des fous pour faire passer leurs vélos à travers les branches et les ronces qui les agrippent ; ils s'écroulent sur le sol détrempé. Le Chat reprend son souffle et essaye de désengluer sa main contre l'herbe mouillée.

Cinq lumières qui s'approchent, le choc des vélos contre la chaussée, le léger grésillement des dynamos, et des voix qui bavardent. Ils passent à quelques mètres. Leurs lanternes éclairent des ombres casquées, grandes capotes et fusils en bandoulière. Le dernier s'arrête et promène une torche électrique sur la flaque de papiers à terre.

— Ça y est, chuchote son frère. Et le Chat l'entend farfouiller dans son sac : léger choc d'objets métalliques.

— Hep ! *Moment !* crie le soldat aux autres qui s'éloignent. Ils reviennent. Ils ramassent des papiers. Ils les scrutent et ils discutent. Les deux frères n'arrivent pas à bien saisir les mots.

L'un d'eux parle plus fort. Ils entendent clairement :

— *Lassen sie das. Was wollen sie tun ?* Et ils comprennent qu'il doit exprimer le genre de choses qu'un homme peut ressentir quand il se trouve au fond de la nuit, sous la pluie froide, dans un pays étranger et qu'il en a marre, marre, marre :

— *Gehen wir ! Gehen wir !*

Ils repartent en parlant toujours, avec animation, fureur et lassitude…

Le Chat est glacé. Stupidement, il se récite une comptine de son enfance guère lointaine, et que l'on chante toujours dans les rues de Hyères :

Qu'un perroquet
Qu'avait la coli-que
Quand il pétait
Ça sentait le navet
Ah oui maman, qu'avait la trompet-te
Ah oui papa, vé du pistolet !

Mais pour l'instant, ce serait plutôt lui qui aurait la colique. Il pousse son frère du coude. Montrer qu'il n'a pas peur.

— Le chewing-gum : tu as tout usé ?

Son frère fouille dans son sac à tâtons et lui tend une plaquette.

— Fais attention. Ça ne s'avale pas.

— Dis-moi : qu'est-ce qu'on aurait fait, s'ils nous avaient vus ?

— Ne dis pas de bêtises. Maintenant on repart dans l'autre sens.

En ruminant sa gomme, il pense amèrement que, pour un peu, son frère le traiterait de petit serin. Il reste là, à plat ventre, bras et jambes écartés, la joue contre l'herbe trempée, il voudrait se laisser glisser sans fin dans la nuit ruisselante et il ne bouge plus.

Il sent une main qui passe doucement dans ses cheveux imprégnés de pluie et il geint :

— Je veux rester là. J'en peux plus. Tu m'aimes quand même, dis ?

Son frère rit.

— Il faut partir très vite. En haut de la côte, on bifurquera à gauche, sur Dampierre.

Elle est dure et glissante, la côte. Le chemin qu'ils prennent est plein de flaques qu'ils ne voient pas : il passe à travers des murs de fermes, puis dans les grands arbres, le long du parc, plus noir encore que la campagne. Le vent glace le Chat. Il a mal au ventre, il a mal partout. Ils sortent de l'abri du bois quand le bruit de ferraille de Mammouth se fait infernal : le vélo fait des embardées et les chocs du sol lui entrent dans tout le corps.

— Ça y est. J'ai crevé.

Son frère revient.

— Tais-toi. Il y a des maisons.

Ils se mettent à l'abri d'un mur à auvent : une gouttière chante, ils sont au sec. Le Chat défait son sac, il essaie de regonfler Mammouth à grands coups de pompe mal vissée dans le noir, puis, de guerre lasse, il retourne les roues en l'air. Il tâtonne. Son frère l'éclaire de quelques brèves giclées. Il prend sa trousse derrière la selle et veut dévisser les deux papillons de la roue avant. Il force de ses doigts gourds sans y parvenir et, fou de rage, il donne un coup de pied dans la grande carcasse qui va valdinguer contre le mur dans un hoquet d'agonie.

— J'en ai marre de cette salope !

— Ne t'énerve pas. Je vais le faire.

Ils entendent un bruit de serrure qu'on ouvre et, dans le mur, à un mètre d'eux, apparaît un faible rai de lumière.

— Il y a quelqu'un ? demande un homme à voix basse. Un fanal s'avance dans l'encadrement d'une porte ouverte.

— Il y a quelqu'un ? répète la voix.

Le fanal progresse vers eux.

— Qu'est-ce que vous faites là ?

— Vous voyez, monsieur, dit son frère, très poli, en se relevant. Vous voyez : on a crevé.

Le fanal se balance tout près de leurs visages.

— Mais c'est le couvre-feu. Il est une heure passée. Et par ce temps.

— Nous revenons de chez notre oncle. De Cernay.

Le fanal se balance encore.

— C'est ça. Vous feriez mieux d'entrer. Vous êtes trempés comme une soupe.

— Il faut que nous réparions le vélo de mon petit frère. On nous attend.

— C'est ça, répète encore bizarrement la voix. Eh bien ! entrez par là avec vos vélos. Vous serez mieux à l'abri. Suivez-moi.

Ils se retrouvent à l'intérieur, leurs pieds faisant un bruit de ventouses sur le carrelage. Une lampe à pétrole s'allume. Ils sont dans une sorte d'atelier, avec un établi, des outils au mur et des plantes en pots le long d'un long vitrage calfeutré d'un rideau épais. L'homme souffle sa lanterne. Il est petit et leur paraît âgé. Il est chauve et glisse sur de grosses pantoufles.

— Viens voir !

Elle n'est pas plus grande que lui et arrive en nouant un peignoir.

— Voilà ce qu'on ramasse le long de notre route, par les temps qui courent.

— Mes pauvres petits, dit la femme, si vos parents vous voyaient...

— Madame, commence le frère avec le plus de dignité possible, excusez-nous de vous déranger. Nous avons crevé...

— C'est ça, dit l'homme. Et ils reviennent de Cernay. De chez leur oncle.

Il les regarde poser leurs sacs. Celui du frère joue, en cognant contre le carrelage, un air de casseroles entrechoquées.

— En tout cas, c'est pas des patates que vous trimbalez là.

— Seulement, reprend-il, seulement ce petit-là tremble de froid. Et la patrouille frisée est passée, il n'y a pas vingt minutes.

— On les a vus, dit le Chat. On les a vus et on s'est cachés...

Son frère l'interrompt d'un violent coup de pied dans les tibias.

— Mes pauvres petits. Mes pauvres petits, répète la femme. Avec cette guerre. Et une nuit comme celle-là. Vous êtes trop jeunes.

— A ces heures-là, dit l'homme, je ne dors guère. Alors je bricole. Vous avez fait du bruit comme un troupeau d'éléphants. Tout le pays a dû vous entendre. Mais ça ne fait rien : ils ont peur. Ici, c'est chacun pour soi. Et il y a longtemps que les gendarmes ne sortent plus la nuit tombée. Vous allez vous sécher. Et on va réparer ce pneu.

Sa femme revient avec une serviette.

— Frottez-vous fort. J'ai mis du café sur la cuisinière. Vous attendrez le lever du jour.

C'est à ce moment que, dans la lumière vacillante, il comprend que son frère qui grelotte aussi est bleu, bleu comme autrefois après avoir traversé la baie à la nage. Assis sur de vieilles chaises de jardin, ils boivent des bols pleins d'un café national brûlant, bizarrement sucré. La femme boit avec eux dans une tasse plus petite.

— J'ai mis du miel, dit-elle. C'est meilleur que la saccharine.

L'homme a extrait la chambre à air, trouvé le trou et elle est déjà dans l'étau resserré sur la rustine, en attendant que la colle sèche.

— On pense à notre fils, dit encore la femme.

— On n'a pas de gêne à le dire : il est parti par la frontière espagnole, il y a deux ans.

— Vous avez des nouvelles ?

— On a su qu'il était bien arrivé. Une lettre, par la Suisse. Il était en Algérie. Après...

— Aujourd'hui il est peut-être déjà en France.

— C'est ce qu'on se dit, nous deux. Mais je ne sais pas s'il faut le souhaiter. Ça cogne dur, là-bas. On dirait qu'ils n'avancent guère. Les frisés s'incrustent.

— Oui, dit son frère qui se réchauffe. Mais les Russes avancent toujours eux. Et puis ici, dans toute la France, ça bouge. Et après...

— Ça va. Je ne veux pas me mêler de vos affaires.

Le Chat qui a senti le moment critique de la prise de parole en trois périodes, exorde et conclusion, est plutôt content de voir son frère rester la bouche ouverte. Et il lui flanque à son tour un grand coup de pied sous la table.

— Vous êtes tranquilles ici. Oh, on nous a fait des histoires... Des convocations, des visites. Les gendarmes chez nous, presque chaque semaine. Mais c'est loin, maintenant. Les gendarmes, ils sont repassés il y a trois jours. Mais alors, d'une politesse ! De vrais amis... Moi je n'ai rien à voir avec toutes ces histoires. Il hausse les épaules et va, glissant sur ses savates, remettre la chambre à air dans son pneu.

— Prenez vos vélos, je vais vous montrer l'appentis. Il y a du foin, vous pourrez dormir. Si vous partez tôt, c'est inutile de passer nous réveiller.

Ils se retrouvent tous les deux seuls dans l'obscurité et plongent jusqu'au cou dans un foin sec qui gratte.

— En tout cas, dit Antoine, il faudra revenir les remercier, après la libération.

— Et maintenant ?

— Maintenant, on essaye de dormir jusqu'au lever du soleil.

— J'ai froid aux pieds.

Et puis, au moment de glisser dans le sommeil, une idée lui revient :

— Dis, tu n'as pas répondu tout à l'heure : s'ils nous avaient vus. Tu les aurais descendus ?

— Je ne sais pas. Tu poses des questions stupides.

— N'empêche, reprend le Chat, rêveur. N'empêche. Cinq, ça faisait beaucoup.

(« Mon frère, écrivit Antoine sur son carnet à quelques jours de là, mon frère fut tour à tour criard et poétique. »)

*

A l'heure allemande, le soleil se lève tard. Il est plus de cinq heures quand un coq se déchaîne tout près d'eux.

— *A la bastide, tronche d'ail*, marmonne le Chat qui essaye de se repelotonner sur le ventre en grelottant. La morsure au creux du ventre a disparu.

— On file, dit son frère.

Sur la route, les malédictions de la nuit se sont dissipées. Le ciel est nettoyé, c'est une belle matinée d'été. Ils pédalent comme des fous pour se réchauffer et dans la grande descente en boucle sur Saint-Lambert, ils chantent sans reprendre leur souffle que, *prenez garde, prenez garde, la dame blanche vous rega-a-a-rde, la dame blan-an-che vous entend*. Devant la maison, ils croisent René qui ramène les vaches de Champmercy.

— Les Parisiens se lèvent tôt, maintenant.

Ils se glissent sans bruit jusqu'à leur chambre. Ils vident leurs sacs en vrac sur le plancher. Les feuilles de tickets s'amoncèlent en pyramide. Ils les poussent sous la commode, son frère cache son pistolet sous son matelas et ils dorment jusqu'à midi.

Le Chat a-t-il eu peur ?

Mais où cela commence-t-il, la peur ? Le vide affreux de la leçon pas sue, le blanc absolu, seul devant toute une salle pleine d'individus narquois, lui tordait autant les boyaux, s'insinuait pareillement dans ses veines, le paralysait davantage que ce qu'il a ressenti cette nuit quand le soldat allemand a éclairé les tickets à terre et qu'il aurait suffi qu'il relève le faisceau de sa lampe vers les buissons proches. Là, il n'était pas seul. Il ne peut avoir vraiment peur quand il est avec son frère. Cela date peut-être de l'époque où ils sont restés plusieurs semaines à vivre ensemble seuls, en l'absence de leur mère, à Toulon. C'était en 1941 : leur père venait juste de sortir de prison. Leur mère avait réussi à obtenir l'*Ausweis*, le laisser-passer pour franchir la ligne de démarcation entre zone libre et zone occupée, qu'elle demandait depuis des mois pour raisons de santé. Elle était restée à Paris jusqu'à épuisement du séjour autorisé, essayant encore d'avoir une prolongation des autorités allemandes. Certes, durant ce temps, des amis veillaient sur eux. Mais quand le Chat était tombé malade et qu'il avait eu de grandes fièvres — il se dressait la nuit en hurlant, yeux ouverts sur des cauchemars diffus qui jaillissaient de l'obscurité, de l'espace soudain distordu — c'était son frère qui était là, près de lui à le calmer, à le faire boire, à lui parler très doucement ou à le veiller, silencieux, rassurant, chassant angoisses et abîmes par sa seule présence.

Et plus encore que cette époque toulonnaise, le soude à son frère tout ce qu'ils ont vécu, fait, construit ensemble à la Valerane où vivent leurs grands-parents maternels, au bord de la mer : le vrai royaume du Chat.

*

Dégringolade de rochers et de pins, de terrasses de terre rouge et d'escaliers, d'orangers, de cactus et de palmiers, des dernières hauteurs des Maures jusqu'à la mer.

Les grands-parents du Chat s'étaient connus là peu avant 1900.

On peut imaginer quelque après-midi paisible, la chaleur, déjà, d'une fin de printemps, la jeune fille assise parmi les siens — cette jeune fille aux longs cheveux châtains brochés de reflets dorés et aux yeux très bleus, celle-là même dont les parents ont demandé à Renoir de faire le portrait que le Chat aime bien parce qu'il ressemble aussi à sa mère. Arrive ce grand garçon, immense, dégingandé, cheveux ras, sanglé dans un uniforme bleu mal coupé : il n'a pas vingt-cinq ans ; il vient de terminer son internat de médecine et fait son service à l'hôpital militaire d'Hyères. Il est gauche, timide, maladroit, se mêle difficilement à la conversation, mais quand il s'assied devant le grand piano à queue et qu'il pose ses énormes mains sur le clavier, il joue parfaitement, délicatement, et tout le monde l'écoute. Ainsi font-ils un mariage d'amour ce qui, dans ce milieu, est suffisamment peu fréquent pour que, quarante-cinq ans plus tard, la grand-mère du Chat le proclame encore comme une provocation à la face de toutes les conventions de sa famille — tandis que celle-ci continue, pour une grande part, à considérer qu'exercer la médecine constitue peut-être une profession, encore que fort besogneuse, mais n'est pas une *position* dans le monde.

Au fil des ans, le jeune homme dégingandé est devenu le géant massif que, depuis qu'il est tout petit, le Chat, en bon Lilliputien, considère comme une sorte de montagne pacifique — se réveillant parfois en quelques rares mais redoutables séismes — qui se laisse escalader jusqu'au sommet où règnent des yeux très clairs, très enfantins et des joues redoutablement piquantes. Patron, professeur, spécialiste réputé, il a été plus porté à s'occuper de son service hospitalier parisien pendant tout le temps de sa vie active qu'à cultiver une clientèle privée. Nulle partie de ce que l'on appelle encore de son temps les sciences *naturelles* ne lui est étrangère, et il aimait, dans les premières années de son mariage, partir en famille pour de grandes randonnées à pied de plusieurs semaines à travers les Alpes : voyageant *en zigzag,* prenant un guide à Chamonix ou à Courmayeur, chargeant les filles tout enfants sur un mulet, on franchissait les cols à plus de deux mille mètres, on s'encordait sur les glaciers, pour redescendre par les vallées italiennes et terminer en allant rendre visite dans les petites églises et les grands musées de l'Italie du Nord aux primitifs et aux peintres du Quattrocento. Mais ses passions les plus apparentes étaient peut-être la botanique et l'entomologie. Ce colosse ne partait jamais en voyage sans un assortiment de cannes à pêche, de filets à papillons, de boîtes à herboriser en bandoulière qui, dans les gares, joints à l'amoncellement des cartons à chapeaux de son épouse, stupéfiaient les usagers des grandes lignes : il est arrivé au Chat, sur le quai de la gare de Toulon, de prendre lâchement l'air de ne pas connaître cet étranger.

— Je vais te montrer comment on pose un piège à insectes, disait-il à son petit-fils quand ils partaient en promenade. Et comme un trappeur dans les grandes forêts américaines, il disposait de façon magique les quelques morceaux d'un champignon déchiqueté, pour revenir le lendemain et sortir de ses vastes poches le petit tube avec le tampon d'éther où finissaient ses captures. On savait qu'il ne pouvait passer par Nîmes — ce qui était heureusement peu fréquent — sans aller rechercher expressément dans les arènes, parmi les pierres calcinées des gradins, quelques spécimens très rares d'un coléoptère, à vrai dire d'aspect assez ingrat, qui ne vit que dans ces parages.

Installé à la Valerane depuis le début de la guerre, il partageait son temps entre des activités foisonnantes et apparemment désordonnées. Celles-ci comprenaient d'abord la rédaction ou la mise à jour de ses manuels de médecine : il était toujours en retard et heureux de la distance, aggravée par la ligne de démarcation, qui le séparait de son éditeur, être mythique et chargé de toutes les irrationalités, voire de tous les ridicules, dont il stigmatisait l'affairisme et la rapacité supposés. « Espèce d'éditeur », grognait-il quand il surprenait l'un de ses petits-enfants en flagrant délit d'avarice, de chapardage louche ou d'étroitesse d'esprit ; ou bien « Je vais téléphoner à mon éditeur », claironnait-il, lorsqu'il s'absentait un instant pour gagner les cabinets. La grand-mère du Chat brillait dans ses récits des réceptions des éditeurs, à Paris, avant la guerre, où l'on distinguait d'un simple coup d'œil ceux-ci des auteurs, à la mine florissante des uns, à l'air exsangue des autres. Le reste du temps était surtout employé à parcourir le domaine aux quatre coins duquel il avait réparti des plantations innombrables : il disposait ainsi d'un jardin spécial pour les aloès et les agaves, vaste rocaille à flanc de colline, de pentes réservées aux mille sortes de cactus, nopals et hauts cierges velus, raquettes hérissées, d'un large secteur doucement incliné vers le sud pour les grands arbres exotiques, de terrasses pour les mimosas dont il existe plusieurs centaines d'espèces et qui s'allient avec les eucalyptus pour donner des hybrides d'une diversité infinie, et d'autres terrasses pour la vigne et les orangers. Sa déception était de n'avoir pas réussi à faire mûrir des pamplemousses, ce qu'au large le docteur Fournier, maître de l'île de Porquerolles, avait, lui, parfaitement réalisé.

Au bord de la mer, au-dessus de l'embarcadère rongé par les vagues ponctuant la plage toujours déserte, se trouvait une petite construction servant de hangar à bateaux et à instruments de pêche, surmontée d'une terrasse en briques rouges chauffées par le soleil sur laquelle ouvrait une petite pièce que l'on appelait le *laboratoire.* La porte n'en était jamais fermée à clef, car dans ce pays à l'écart il ne passait guère que des gens de connaissance. De la fenêtre, la vue portait jusqu'aux îles d'Hyères, à la limite de la mer et du ciel. Là étaient rangés d'innombrables bocaux qui contenaient, flottant dans un formol trouble, les poissons les plus étranges que les pêcheurs apportaient régulièrement au professeur : bêtes insensées des mers chaudes, venues s'égarer dans les fonds de la Formiguette, poissons volants, poissons-lunes, poissons-scies et poissons-chats, hippocampes démesurés, ou simplement roussettes et murènes. Et, sur une table, la carcasse d'une tortue géante venue peut-être depuis les Galapagos s'échouer sur cette plage : disposées autour de la carapace monumentale, les quatre pattes, griffues, et la tête aux écailles sèches, dures et lisses que le Chat aimait tenir dans sa main.

Le Chat avait fait là de longs séjours depuis sa plus petite enfance et quand, à la rentrée de 1940, sa mère s'était installée avec son frère et lui à Toulon, il y avait passé désormais toutes les vacances et même une partie de l'hiver 1941, après la pleurésie qui avait interrompu pour lui, cette année-là, le lycée. Ce pays était devenu le sien : les autres n'étaient que des lieux de passage ;

celui-là était son point fixe, tout le reste n'était qu'exil. Les trois mois de l'été 1941, il les avait passés nu-pieds — non par choix mais par nécessité, parce que ses uniques sandales en carton avaient définitivement craqué et qu'il fallait attendre l'automne et la répartition pour obtenir des chaussures à semelles de bois —, et sa peau s'était cornée à courir dès l'aube sur les terres et les roches vite brûlantes.

On avait alors peu de chose à manger : pratiquement pas de viande, ni de lait, ni de matières grasses, pas d'autres pommes de terre que les quelques kilos récoltés par les garçons. Par contre, à la saison, des tomates, des bettes dont on peut apprêter aussi bien les côtes que le vert, du fenouil, des céleris, des cardons, des artichauts, et leurs tiges amères : toutes choses lassantes lorsqu'elles sont toujours bouillies. De même que les arbouses rouges à cœur jaune, les figues de Barbarie épluchées à grands risques, roses et violettes, sont douces mais fades. L'hiver, la grande maison était inchauffable et il fallait vivre autour de la cheminée, à l'abri de son immense hotte garnie de pots d'étain et de vieilles chopes flamandes. L'hiver 1941, la neige tomba sur les cols puis, un jour, même jusqu'au bord de la plage, à la frange des vagues où elle resta quelques heures à s'accumuler avant de fondre. Ce fut un hiver de calamité et de disette. En une nuit beaucoup d'eucalyptus et d'orangers gelèrent, en une grande flambée sèche.

C'était un pays sauvage et très peu peuplé où chacun connaissait chacun à dix kilomètres à la ronde : les lieux étaient souvent désignés par les noms de ceux qui y avaient vécu. La petite plaine de terre rouge, ouverte sur la mer et cernée par les crêtes sombres des Maures, était tenue presque entièrement par un seul propriétaire, qui régnait sur les vignes, les champs de fleurs, les bergeries et les vieux oliviers. La route étroite et la voie du petit train serpentaient le long de la mer, et, au fil des ans, des gens étaient descendus de la montagne pour se fixer sur leur passage : mais cela ne faisait alors qu'une dizaine de maisons, auxquelles s'ajoutaient un hôtel tenu par un Suisse, un café-épicerie ouvert par un Normand, la gare, l'école et cinq ou six villas plus ou moins excentriques, dont l'une en forme de mosquée était signalée sur toutes les instructions nautiques. A l'automne finissant, le petit train amenait dans ses wagons les troupeaux de moutons de la transhumance, les ruches scellées que l'on descendait de Digne et de Forcalquier.

Mais c'était aussi un pays de chemins qui ne menaient à rien : coulées commençant avec assurance, gravissant la montagne pour se perdre dans un maquis inextricable, toutes griffes sorties contre les jambes nues, ou sur des rochers chauves semés de carapaces de tortues vides et de peaux de serpents effilochées. Ils trouvaient aux carrefours des signes secrets impossibles à interpréter, crottes de lapin sèches, dorées, qu'il était difficile, parfois, de distinguer des grains de grenat dans leur gangue, empreinte solitaire d'un sanglier dans la glaise pailletée, longues chaînes de grosses fourmis affairées traversant le sentier pour aller de fourmilière à fourmilière, de cité à cité. Pour monter vers les demeures cachées dans la montagne, il fallait trouver, sans se tromper, des sentiers parcourus seulement à pied ou à dos d'âne. Les fermes pauvres étaient tenues par des gens doux et un peu sauvages qui, presque tous, portaient des noms plus italiens que provençaux. Au début du siècle, quand le chemin de fer avait été tracé, beaucoup de ces terres, parcelles terrassées à fleur de rocher, avaient été abandonnées par les familles qui y vivaient depuis des siècles ; elles étaient descendues plus près de la côte pour trouver des travaux moins ingrats. Bientôt étaient arrivées pour les remplacer les premières vagues de Piémontais : car là-bas la misère paysanne était plus grande encore et, en ces années 1900-1910, l'exode fut terrible. Vers 1915 étaient encore venus des Italiens refusant la conscription et la guerre. Plus tard, ce furent les antifascistes. Ils vivaient de durs travaux dans les domaines des plaines côtières, se louant aux vendanges par familles entières ou travaillant dans le maquis à l'écorchage des chênes-lièges qui, dénudés, révélaient leur tronc lisse passé à l'ocre, ou au dessouchage de bruyères dont les troncs et les racines étaient achetés par les fabricants de pipes. Ils avaient quelques bêtes, des cochons à demi sauvages, des basses-cours clairsemées où la prédominance des poules dites « cou-nu » ajoutait encore, par leur silhouette déplumée, au dénuement.

Ainsi pasait-on successivement, en marchant de la mer vers la montagne, de la richesse à l'aisance, de l'aisance à la pauvreté, de la pauvreté à la misère.

En toute saison, le Chat pouvait deviner le temps qu'il faisait, dès qu'il ouvrait l'œil au petit matin, rien qu'à écouter le bruit de la mer contre le rivage, à quelques centaines de mètres en contrebas : l'hiver était marqué par l'écho des sonnailles, le printemps par le redoublement du chant des oiseaux et l'été par le crissement des cigales.

Il prétendait comprendre le provençal. Quant il allait avec son frère dans les fermes de la montagne, ils étaient accueillis avec une grande gentillesse (peut-être parce que accompagnés de la réputation du *professeur*), dans des pièces exiguës : l'hiver, quand toutes les issues étaient calfeutrées avec de la toile à sac spongieuse, l'odeur amère des chèvres et de la farine de maïs mêlée à la fumée imprégnait tout, lourde, agressive ; l'été l'air était saturé du bourdonnement des mouches ponctué par le bruissement des rideaux de perles de bois protégeant l'entrée. Son frère parlait de la guerre et ils aimaient beaucoup l'écouter parler.

Ils étaient toujours contre la guerre, contre toutes les guerres : certains déjà vaincus, pour s'être toujours battus sans victoires contre l'adversité et la misère qui faisaient leur vie, et tout le reste était, en comparaison, trop lointain. (Et pourtant, de chez eux, viendront en 1944 ces hommes du maquis des Maures, qui descendus des montagnes, joueront lors du débarquement allié de Provence un rôle décisif dans la victoire contre les nazis.) Antoine leur disait pourquoi la vie était devenue encore plus dure, comment les Allemands réquisitionnaient tout et comment Laval et les traîtres de Vichy en livraient davantage encore. Les Russes n'avaient-ils pas trouvé sur les arrières des Allemands, à l'occasion d'une offensive, des stocks de centaines de milliers d'hectolitres de vin — et de vin du Var, justement (là il exagère, pensait le Chat qui avait écouté Londres comme lui : il avait bien été question de vin, mais de vin de l'Hérault, bien sûr) ; alors qu'ici même, dans le Var, un comble, le vin était rationné ? Les Allemands s'enfonçaient dans l'immensité russe. Ils s'y perdraient, pris au piège, comme jadis Napoléon : les Russes défendaient le pays qu'ils avaient construit et qui était beau, ils seraient vainqueurs ; cette guerre-là n'était pas une guerre comme les autres. On ne laisserait pas les généraux faire la paix pour leur seul profit, celui de leurs semblables, celui de leur classe (il parla même une fois des « deux cents familles » qui avaient monopolisé en France tous les bénéfices du travail du peuple) ; les richesses seraient équitablement réparties entre tous les hommes qui les avaient produites : alors, seulement, aucune guerre ne serait plus jamais possible. Ils écoutaient avec d'autant plus d'attention et de plaisir les informations précises, détaillées qu'il leur donnait sur la marche de la guerre dans le monde, sur ses développements inéluctables, que dans ces logis les visiteurs étaient rares et que l'on n'y trouvait nul poste de radio et guère de journaux.

Un jour, en redescendant vers la mer, le Chat demanda à Antoine ce que devenait leur domaine dans cette grande vision de partage général. Son frère lui dit qu'il serait évidemment ouvert à tous et que ce serait un merveilleux jardin public, ce qui ne les empêcherait nullement eux-mêmes d'en jouir pleinement au même titre que tout un chacun. Le Chat n'était pas convaincu : et si les *congés payés* revenaient, comme ils en avaient inauguré la mode avant la guerre, semer des papiers gras sur les rochers, faire caca dans les « griffes de sorcières », casser les branches des mimosas rares au temps de la floraison, sous prétexte d'harmonieux bouquets, et razzier toutes les raquettes de cactus et les plantes grasses pour en faire des boutures ? Et si l'on se mettait à construire à tire-larigot des hôtels, comme le Latitude... (« je ne sais jamais combien c'est, le chiffre de cette latitude-là ») de Saint-Tropez ? Son frère le rassura. Rendu propriétaire et responsable, collectivement, de tous les biens de la terre, le peuple se conduirait, pour cela comme pour le reste, avec maturité et sagesse : c'étaient les bourgeois qui saccageaient la nature par leurs constructions grotesques, gaspillant sans autre souci ce dont ils n'avaient pas payé eux-mêmes le juste prix, celui du travail. Ceux-là, s'ils ne comprenaient pas, il faudrait être sans pitié. Mais ensuite les gens sauraient avoir le respect des plantes rares comme de toutes les belles choses, on dégagerait au contraire des crédits pour de nouvelles plantations, de nouvelles greffes, on chargerait des hommes comme leur grand-père de mener enfin à bien l'acclimatation des pamplemousses, et le *laboratoire* deviendrait un vrai petit musée que chacun enrichirait encore de ses propres découvertes. Bref, toute la côte ne serait qu'un immense jardin dans lequel chacun veillerait sur le bien de tous comme sur son bien propre. Au reste, le plus urgent n'était pas là. Les choses ne pouvaient durer ainsi, telles qu'il les voyait là, de façon exemplaire : quelques gros propriétaires prenant leurs aises dans la plaine — et à Courdoulières même, il n'y en avait qu'un seul : c'était presque féodal ! —, et des familles vivant de miettes à l'entour. Il fallait changer cela. Le nez sur cette évidence, le Chat ne pouvait qu'être d'accord.

Ils étaient à la Valerane en novembre 1942, quand la zone libre fut envahie. Ils avaient prolongé les congés de la Toussaint car les communications restaient interrompues autour de Toulon. La connaissance maniaque de la flotte française était une spécialité du Chat : il possédait une collection de modèles réduits en plomb gris, chacun dans une boîte jaune au couvercle de cellophane, des principaux navires de guerre en service ; plus qu'une collection, c'était un trésor que chacun des siens avait à cœur d'enrichir périodiquement.

La flotte de Toulon se saborda le 23 novembre. Trois jours plus tard, ils avaient comme hôte à la Valerane un oncle, capitaine de vaisseau, qui commandait un croiseur et venait de l'envoyer gaillardement par le fond. C'était un navire de cinq mille tonnes construit en 1937, l'un des plus modernes et des plus rapides croiseurs légers du monde. Le Chat l'avait visité, ébloui, lors d'un passage à Toulon.

Il fut étonné de voir là son oncle. C'était un soir de vent d'est, de pluie, de mer déchaînée, de grand remue-ménage dans les branches des palmiers, et ils étaient tous rassemblés autour du feu. L'oncle était apparemment content de lui. Il portait encore, un peu déboutonné seulement, son bel uniforme de Pacha à cinq galons. Il raconta comment, lorsque l'amiral Laborde avait transmis l'ordre de sabordage de Vichy, il ne savait pas, aucun officier de la marine à Toulon ne savait si ce sabordage était dirigé contre les Anglais ou contre les Allemands.

— Vous ne pouviez pas appareiller ?

— Pour où ? Avec quel carburant ? De toute façon, la passe était minée : nous étions bloqués dans la rade.

— Minée par qui ?

— Mais par nous, bien sûr. De toute manière, dit-il encore, nous avons obéi aux ordres : c'est là l'important. Aveuglément : c'est un des plus beaux exemples d'honneur et de discipline militaires.

Sur le quai, ses marins, déployant une dernière fois à bout de bras la flamme du navire, avaient chanté *la Marseillaise,* obligeant ainsi les soldats allemands qui avaient cerné la darse à rester au garde-à-vous, fous de rage, tout au long des trois couplets. Il semblait considérer cela comme une victoire : que pouvait-on espérer de plus après la défaite et après Mers el-Kébir ?

Le Chat n'en revenait pas, lui dont les parents s'étaient toujours moqués quand il disait qu'il voulait être marin et commander un bateau : ne savaient-ils pas, lui répétaient-ils, qu'en cas de naufrage le capitaine reste le dernier à bord et coule à la dunette de son navire ? Tel était, lui avait-on ainsi inculqué, le code de l'honneur et de la discipline, ces deux mots qui sont toujours inscrits de part et d'autre des bateaux de guerre. Belle légende, alors...

Les grands-parents parlèrent de la nouvelle tournure de la guerre, maintenant que les Américains avaient débarqué en Afrique du Nord. L'oncle évoqua sa démobilisation forcée et s'inquiéta de son avenir : ne vaudrait-il pas mieux chercher une occupation dans le civil ?

— Eh bien ! dit alors à mi-voix Antoine dont le Chat avait remarqué le silence inhabituel, eh bien ! décidément, si les militaires ne font pas leur métier... Et il monta se coucher en faisant résonner chaque pas, de tout son poids, sur les marches craquantes du long escalier de bois.

Le Chat le suivit dans sa chambre. Il le trouva debout devant la fenêtre ouverte sur la nuit et les mille bruits de la tempête.

— Un militaire, payé pour faire la guerre et qui se défile quand il faut se battre.

— Oui, dit le Chat. Il a coulé son croiseur.

Il sortit la maquette du placard, la posa sur ses genoux et la regarda, assis sur son lit sans bouger, en grelottant. Sa collection, tous ces bateaux, masses grises effilées ou trapues aux tourelles mobiles, dans leurs boîtes jaunes, lui apparut comme un cimetière d'épaves, dérisoire, grotesque. Coulés le cuirassé *Strasbourg, le Suffren, la Marseillaise* et *la Galissonnière.* Et même le vieux *Jean-Bart,* rebaptisé *l'Océan,* si vermoulu et si pourri qu'ils avaient dû l'achever en lui crevant la coque à coups de canon depuis les autres navires, comme à l'exercice, comme à la foire, parce qu'il ne voulait pas sombrer…

Son frère finit par fermer la fenêtre ; la pluie vint fouetter les vitres.

— Un pauvre type. Décidément ils sont nombreux comme lui. Après la guerre, il faudra être sans pitié pour ceux-là.

Dans les jours qui suivirent, ils virent arriver l'armée italienne. Quand Noël approche, la pluie fait s'épanouir, des sous-bois qui ont reverdi, toutes les odeurs des plantes de la montagne. C'est l'époque des grandes bourrasques de vent d'est, des cavalcades de nuages noirs plus bas que les sommets des Maures, parfois même au ras de la mer, s'accrochant dans les hauts arbres pleins de bruits furieux, et des vagues déchaînées laissant sur les plages dévastées des épaves surprenantes. La montagne dégorge l'eau sur toutes ses pentes, le long des chemins ravinés, la terre saoule se dilue en grandes flaques jaunes pailletées d'argent. Ces jours de tornades, où le vent brasse tout dans un désordre magnifique, ciel, terre, arbres, mer, le Chat y repensera vingt ans plus tard, bien loin, sous les Tropiques, lorsqu'il vivra le temps des cyclones : il sera de ceux qui guettent plusieurs jours à l'avance les signes avant-coureurs : le ciel qui se plombe, le silence qui se fait, le sang qui bat plus fort aux tympans bouchés par la chute brusque de pression : « Tu es un *ciclonero* lui diront ses camarades, dans la montagne. C'est comme ça, chez nous : il y a souvent, dans les familles, un fou comme toi, qui a la tempête dans le sang et qui ne peut s'empêcher de sortir, humant l'air, lorsqu'il sent qu'elle arrive… »

Certains soirs, le parfum sucré des fleurs des sous-bois gorgés d'humidité et des plantes du maquis envahissait tout le domaine, flottait sur le rivage et montait jusque dans la maison, pénétrait dans le grand salon enfumé. C'est par un de ces soirs sauvages que les Italiens arrivèrent, sans fanfares ni défilés. Ils se glissèrent discrètement le long de la côte pour prendre position dans la zone d'occupation obtenue par le Duce. Les soldats durent arriver à pied, la nuit tombée, sous la pluie, et l'on vit s'allumer un peu partout, dans la propriété, sur le cap des Batteries et près des plages, au milieu des eucalyptus et des rochers, de grands feux clairs : ils installaient leurs bivouacs. Les officiers apparurent le lendemain ; ils descendirent du petit train et réquisitionnèrent quelques villas cossues. Ces officiers-là portaient des uniformes magnifiques, des chapeaux, surtout, ornés de plumes étonnantes, d'aigrettes et de plumets. Ils ne se mêlaient guère à la troupe et menaient grande vie entre eux. La piétaille était composée de paysans piémontais, des *alpini* mélancoliques : ils étaient verdâtres des pieds à la tête, et comme marqués par une indéfinissable usure, avec leurs feutres pointus, fatigués, garnis d'une plume tristement effilochée ; pas lavés et mal rasés, ils grelottaient dans leurs grandes capes rapiécées. Il n'était pas jusqu'à la crosse de bois de leurs fusils, dont ils ne se séparaient jamais — même quand à la messe, le dimanche, dans la chapelle du domaine, ils venaient communier à la queue leu leu, s'agenouillant à tour de rôle et s'empêtrant dans leur harnachement —, il n'était pas jusqu'à cette crosse de bois qui ne parût gagnée par la moisissure du temps. Plutôt qu'une armée victorieuse, ils évoquaient par leurs silhouettes des brigands d'opérette sortis de quelque conte d'Alexandre Dumas illustré par Gustave Doré, et, pour qui clignait un peu des yeux, leur fusil devenait un tromblon très acceptable.

Sans tentes, ils passaient leurs nuits frileusement roulés dans des couvertures autour de leurs bivouacs, et restaient à grelotter des journées entières en traînant à de vagues occupations. On les entendait chanter et la légende voulait que leur air favori commençât par : *« Mama, voglio tornare a casa. »* Ils étaient affamés et faisaient bouillir dans leurs marmites des choses imprécises. On en vit rentrer, un soir de maraude, portant, attaché par les pattes, comme des explorateurs ramenant un tigre d'une chasse dans la jungle, un pauvre chat étique, baptisé « chat sauvage ». Personne n'eut le cœur assez dur pour les traiter vraiment en ennemis. Il y eut certes des altercations bruyantes quand, au matin, des gens découvrirent dévastés les champs de pommes de terre et de choux-fleurs, les orangers, mais même alors le ton resta celui de la dispute méridionale, voire de l'engueulade familiale contre des gamins chapardeurs. Ce fut à ce moment que le Chat s'aperçut, comme tous les gens du pays, que les Italiens parlaient parfaitement le provençal. Ou plutôt, plus raisonnablement, que son provençal dont il était si fier, après avoir été parlé par deux générations d'immigrés, était devenu communément un très proche parent du piémontais...

Aussi beaucoup de familles accueillaient-elles les *alpini* sans difficultés, avec une gentillesse teintée de condescendance, voire d'un léger mépris : on en retrouvait chez les Martinelli, les Andreis et les Mascarello, qui se réchauffaient au coin de la cuisinière ou tapaient la carte des journées entières avec le *padrun* en évoquant avec nostalgie la proximité d'un débarquement américain : « Dès qu'ils seront là, la guerre sera finie. » Ils parlaient des leurs, de leur terre et de leur village : étonnés et inquiets de ce vers quoi on les envoyait. On se moquait gentiment d'eux, des braves couillons : ne racontait-on pas qu'ils n'avaient qu'un seul canon qui était promené tout le long de la côte, de Saint-Raphaël à Toulon, pour les besoins de l'entraînement des troupes ? Ainsi, lors de son passage à Courdoulières, l'avaient-ils installé sur la pointe des Batteries d'où ils avaient, toute une journée, bombardé le récif de la Formiguette, petite tache noire surmontée d'un mât à deux milles au large : car, expliquait-on, le haut-commandement l'avait pris pour un sous-marin américain.

A la fin novembre, quand la mer se calma, ce fut le passage du *bargin.* Un patron pêcheur du Lavandou, le patron Ravello, et ses hommes vinrent à bord de leur lourde barque à rames aux petites heures de la nuit mouiller un long filet lesté au fond à quelques centaines de mètres au large de la grande plage de Courdoulières. Au matin, le village était sur la plage pour aider l'équipage à haler le filet. La remontée dura plusieurs heures. Le Chat, levé avant l'aube, descendit seul et prit son rang dans une équipe. Les premiers poissons n'apparurent que vers midi, masse vivante aux mille reflets : la pêche miraculeuse. Tous les trésors de la mer.

C'était, ce matin-là, un jour de soleil très clair, où l'air est si transparent que chaque détail devient parfaitement distinct : les îles semblent être venues du large s'amarrer à quelques brasses ; signe que le mistral va se lever.

Peu de temps après la journée du bargin, il quitta son royaume. Puis ils rentrèrent à Paris. Puisqu'il n'y avait plus de zone libre, son père ne voyait plus de raisons de maintenir la famille séparée. Une nuit glaciale de février, dans l'obscurité du compartiment de chemin de fer où ils étaient entassés, il entendit un haut-parleur annoncer en allemand puis en français que — *Achtung ! Achtung !* — ils étaient à Châlons, que c'était la ligne de démarcation et qu'il fallait préparer ses papiers : *Ausweis*.

*

A leur réveil, ils font, à même le plancher de pin de la pièce que le soleil vient brûler à travers la fenêtre ouverte, le compte des tickets répandus : il y a plus d'un millier de cartes d'alimentation vierges, une masse de feuilles confondues.

— Après la guerre, dit son frère, je crois que je serai d'une honnêteté parfaite. A force de faire des cambriolages comme ça, je serai saturé. Je n'aurai plus envie de voler : je me sentirais ridicule.

— Tu m'en laisseras ? demande le Chat.

— Je te laisse deux suppléments de pain pour J 3 et T. Tu détaches les tickets à l'avance pour le boulanger : c'est sans problème.

— Mais pour les autres : comment mettez-vous les tampons ?

— En écrivant à l'encre noire, à l'envers, sur du blanc d'œuf dur ou une pomme de terre crue, on fait des tampons « État français. Mairie de... » aussi moches que nature. Je te montrerai.

— J'ai reçu une lettre de Gabriel..., commence le Chat, toujours à plat ventre sous la fenêtre, pris dans une résille de poussières d'or qui dansent au soleil.

— Je sais. On en a tous reçu une. Remplie de conseils, de

bénédictions, de considérations sur le passé et l'avenir. Des lettres-fleuves. Il s'ennuie, il est déprimé, je crois même qu'il déraille un peu.

— Il dit qu'il faut que tu fasses attention. Que les choses vont durer longtemps.

— Il te dit ça : à toi ? C'est clair : il déraille.

Le Chat respire un bon coup. Il entend vaguement la voix du curé de Magny qui bourdonne dans sa tête et il se raccroche à cet air connu ; il prend son élan :

— Je ne sais pas comment les choses vont tourner ici, mais...

— Mais tu ne sais rien du tout. Moi, je sais.

— Alors dis-moi.

— C'est simple. Les Anglais et les Américains piétinent. Les Allemands les ont stoppés devant Caen ; ça peut durer très longtemps. Comme en Italie : tu te rappelles, l'an dernier, la propagande allemande : l'escargot remontant l'Italie, *it's a long way to Rome.* Mais aujourd'hui, on y est, à Rome. Et en attendant, les Russes, eux, avancent ; les boches ne pourront pas éternellement faire face de tous les côtés. La seule manière de hâter la rupture du front, c'est de rendre tout le reste de la France intenable pour l'armée allemande. Il faut qu'aucun soldat allemand ne se sente plus en sécurité nulle part.

— Ce n'est pas encore le cas, l'interrompt le Chat qui ne peut s'empêcher de faire valoir ses connaissances toutes neuves. J'en ai vu un dimanche dernier derrière Champmercy qui enfilait une fille et je t'assure qu'il était tout à fait en sécurité.

— D'abord, pas de grossièretés, dit Antoine d'un ton pincé. En tout cas on a commencé à saboter leurs liaisons avec le front. Tu sais, pour empêcher qu'on fasse dérailler les trains, ils réquisitionnent maintenant les vieux qu'ils mettent tous les cent mètres le long des voies, avec un brassard. S'il y a un attentat, ils les prennent en otage. Il y a quand même des attentats. Les vieux rejoignent le maquis. Et tous les jours il y a des camions qui sautent : c'est facile de fixer une charge de plastic.

— Et les armes ? Ton pistolet ?

— Pour en avoir davantage, il faut les prendre une par une sur les boches. Et en tuer. Je le ferai, s'il le faut. Des officiers.

Seulement des officiers. Des nazis… il faudrait pouvoir faire le tri. Et on ne s'en tiendra pas là. Il y a des endroits, surtout dans les montagnes, où les maquis sont si bien implantés que du jour au lendemain ils peuvent libérer une région entière. Les maquis pourront organiser des régions autonomes sans que les alliés aient besoin d'y mettre les pieds. Il y a déjà, là-bas, une administration de la résistance, une police de la résistance.

— Mais alors, dit le Chat enthousiaste, de Gaulle pourra bientôt s'installer dans les Alpes, le Massif central ?

— On n'aura pas besoin de De Gaulle. Le peuple est capable de s'organiser seul. Inutile de remplacer Pétain par de Gaulle ni la police de Vichy par une nouvelle police qui ne serait pas très différente. Si les gens s'arment et se battent pour chasser les boches et les collabos, ce n'est pas pour se remettre ensuite à obéir à des chefs qu'on leur imposera et à leur police, comme si rien ne s'était passé.

— C'est bizarre, dit le Chat, que tu sois si sûr que les gens vont s'armer et se battre, tous, comme ça. Regarde, cette nuit : on a eu de la chance, non ? On aurait pu tomber chez d'autres que ces vieux-là, et alors ?

— Le vieux te l'a dit lui-même. Les autres ont peur. Ils ne bougent pas. On ne risquait rien.

— A trois maisons d'ici, il y a un milicien. On le sait, qu'il est milicien : il a donné son uniforme à repasser à Mme Chevrier. On aurait pu tomber chez lui.

— La France est surtout pleine de « juste-milieux ».

— C'est quoi, ça ?

— On appelait comme ça, autrefois, les gens qui attendaient pour bouger que cela penche d'un côté ou de l'autre. Tiens, notre famille, c'est une taupinière de « juste-milieux ».

— Après tout, rêve le Chat, ce n'est peut-être pas si mal d'être « juste-milieu ».

— Toi, tu n'es qu'un bourgeois.

— Moi, un bourgeois ? Le Chat suffoque. Mais toi, alors, qu'est-ce que tu es ? Et puis, et puis… Il a un sursaut de dignité : Et puis je vais te dire, moi, je ne suis pas un bourgeois. Non, je suis un *paysan !*

Son frère rit. Ils sont toujours dans les poussières d'or.

— En tout cas, continue le Chat bien décidé à ne pas se laisser dévier de la ligne droite, en tout cas, pour l'instant, le plus simple serait de tous les tuer. Par exemple, une énorme bombe sur l'Allemagne, et hop ! d'un seul coup le problème serait réglé.

— Ça ne réglerait rien. Tu mélanges tout. Il ne faut pas confondre les hitlériens et le peuple allemand, je te l'ai dit vingt fois. Et les Vichyssois, les miliciens, les fascistes, les trafiquants du marché noir, les dénonciateurs, la LVF, les flics français qui arrêtent les juifs et qui torturent : une bonne bombe sur la France pour les tuer tous, eux aussi ? Et même si on arrivait à les fusiller tous, proprement, sans bavures, tu crois que ce sera fini, qu'il n'en arrivera pas d'autres derrière, de nouveaux, d'aussi dégueulasses ? Non : ce qu'il faudrait, au contraire, ce serait ne pouvoir tuer personne. Être assez forts pour se permettre ça.

— De toute manière, dit encore Antoine, de toute manière, il y aura tellement à faire. Ce sera long. Mais dans vingt ou trente ans, par exemple…

— Oui. Mais en attendant, est-ce qu'il y aura de nouveau des marchands de frites au coin des rues ? Je n'arrive pas à y croire. Comment c'était, autrefois ?

Il adore faire parler son frère des nourritures merveilleuses d'avant la guerre. Ce sont là des conversations passionnantes : son frère lui explique des choses étonnantes, les sabayons, les laits de poule, les crèmes renversées, les chapons au lard, les paupiettes de veau et le saumon fumé. Mais surtout, parmi les dix manières d'accommoder les pommes de terre, mythiques, fantastiques, sublimes dans leur gloire lointaine : les frites. Dorées, croustillantes, dures mais fondantes, comment imaginer que ce mets exquis et disparu ait pu être vendu sur les trottoirs dans des cornets en papier ?

Un char passe sur la route, fait trembler les vitres et laisse derrière lui un épais nuage noir qui brouille un instant les jeux du soleil dans les feuilles des tilleuls.

— Alors, reprend le Chat quand le vacarme s'est assourdi, alors Gabriel a raison. Il y aura encore beaucoup à faire. Il faut que tu fasses attention.

— Je fais attention. Bien sûr, je suis prudent. Pour les autres.

Pour toi. Pour les parents. Mais pas trop, quand même, pour moi. Parce que sans ça… Tu sais ce que m'a dit l'oncle François ? « Je t'approuve totalement, mon garçon. Moi-même, je suis à fond pour de Gaulle. Et je t'assure que si je le pouvais, je ferais de la résistance. Comme toi, certainement. Seulement, j'ai une femme et des enfants. J'ai des responsabilités. Je dois faire attention : ah ! si, comme toi, j'étais libre ! » Et c'est vrai que moi, je suis libre. Et pourtant : si tu savais comme j'aurais voulu passer le concours de l'École cette année. Mais si je faisais attention, si j'imitais cet imbécile, je suis sûr que jamais, de toute ma vie, je ne pourrais plus me sentir libre.

— Pourquoi ne pars-tu pas au maquis ?

— Je vais le faire. Bientôt.

*

Il y a dans les bois, derrière le carrefour du roi de Rome, une carrière de sable et de meulière abandonnée, encore tout équipée de rails et de wagonnets rouillés. Cela fait longtemps que le Chat veut y mener son frère. Ils y passent l'après-midi : c'est un jeu fantastique de remonter les wagons en haut de la pente puis, après une légère poussée, de sauter dessus en fantasia et de se laisser glisser à toute allure jusqu'au plat qui précède la plaque tournante centrale. Mais son frère lui explique qu'il ne faut pas en rester là : ce qu'il faut c'est construire, avec les rails abandonnés, une ligne qui prolonge la voie à travers le bois ; et en une heure, ils ont déjà aligné une dizaine de mètres, sur laquelle ils font filer un wagonnet. Ce serait formidable, rêve le Chat, un train clandestin, connu de lui seul, circulant à travers la forêt…

— On continuera quand je reviendrai, dit son frère.

Vers cinq heures, ils sont rentrés et le Chat charge ses brocs vides sur la brouette pour aller à la pompe. Son frère l'accompagne à pied en poussant son vélo. La patronne de la ferme lui a donné, pour sa mère, un de ses pains blancs qui ressemble à de la brioche :

— Tu reviendras pour la moisson. Dépêche-toi.

— Je ne sais pas. J'ai d'autres projets.

— Il faut que tu reviennes. On a besoin de toi.

Ils font cent mètres sur la route et le Chat lui dit :

— Tu as oublié quelque chose.

— Oui, mon pistolet, sous le lit.

Ils retournent sur leurs pas et rient de leur distraction.

— N'empêche, dit encore le Chat. N'empêche, tu devrais faire attention.

Ils repartent sur la route. Le Chat range sa brouette le long de la pompe et fait à son frère un bout de conduite. Ils saluent poliment les trois dames agenouillées au lavoir, en contrebas de la route. Ils prennent la côte qui monte au flanc de la vallée vers Montainville. Le soleil est à la cime des grands arbres du château et caresse les prés fraîchement fauchés. L'odeur des foins humides chauffés tout au long du jour monte sur le chemin. C'est le calme : plus d'avions, plus de tanks. Le silence d'un soir d'été doré, beau, doux comme devraient être tous les soirs d'été. Le plus beau, le plus doux, peut-être, de toute la vie du Chat.

— Au revoir, dit son frère. Maman viendra lundi.

Il monte sur son vélo et pousse sur les pédales, en danseuse, pour disparaître en haut de la côte, dans le bois. Le Chat redescend lentement la pente en mâchonnant des brins d'herbe sucrés.

Le lundi, sa mère est là. Et le jour suivant, la Gestapo sonne à la petite porte sous les tilleuls.

4. Surprise-party rue de l'Abbaye

Le bel été : toujours le soleil qui chauffe les pavés de la cour, la corbeille de capucines, et qui joue dans les branches et les vignes vierges. Il est trois heures : la cloche de la petite porte sous les tilleuls sonne et c'est le Chat qui va ouvrir. Ils sont deux en haut des marches et, derrière, un troisième nonchalamment assis sur l'aile de la traction noire arrêtée le long du mur.

Complets sombres et cravates de soie artificielle. *Korrect.* Le grand brun aux joues bleutées passe devant, traverse la cour vers la maison, sans rien dire. Le gros reste devant le Chat.

— Tu es bien Luc Ponte-Serra ?

Le ventre qui se noue, une vague de fond qui irradie, comme une pieuvre, jusqu'au bout des membres.

— Ta mère est là ? Nous sommes la police allemande.

Il s'approche de lui et lui caresse le bras nu en souriant.

— Et ton frère, mon garçon, tu sais où est ton frère ?

Cette caresse sur le bras est horrible. Elle le marque pour toujours. Il n'y a rien à faire. Cette caresse sur le bras est un cauchemar. Elle dure peu de temps et elle laisse sa trace pour une éternité. Le Chat se rétracte en lui-même comme une boule très dure. C'est cela qu'il faut faire : se tapir au fond de son corps, tout au fond ; un nœud que personne, que rien ne doit plus jamais pouvoir atteindre ni défaire : serré, serré. Et s'il y arrive, alors peut-être qu'il va devenir merveilleusement insensible.

Et en même temps qu'il entend l'homme gras reposer la question avec beaucoup de patience et de gentillesse, comme s'il lui tendait un bonbon, en même temps qu'il sent la main blafarde qui remonte le long de son bras, en même temps qu'il perçoit nettement l'odeur écœurante de la brillantine qui lui plaque les cheveux, il pense clairement :

— Celui-là est trop poli pour être honnête. En tout cas ils n'ont pas eu Antoine.

Après, à l'intérieur de la maison, il se produit une certaine confusion, surtout quand apparaît en haut de l'escalier la silhouette dégingandée du demi-idiot de la famille des réfugiés. Ils se ruent brutalement sur lui et, un instant, ils pensent avoir trouvé le frère du Chat. Les femmes sont sorties de la cuisine, avec les enfants ; et le grand-père au pilon est à leur tête, moustache hérissée, prêt à la charge. Ils demandent les papiers de tout le monde et refoulent les réfugiés dans la cuisine.

Ensuite ils perquisitionnent. Sans énergie démesurée. Ils ouvrent les armoires et les tiroirs. Ils s'étonnent poliment du salon éventré et ne touchent que du bout des doigts les reliures des livres qui pendent en lambeaux dans la bibliothèque.

— La maison a été occupée par des sous-officiers allemands pendant un an, dit sa mère.

Ils ne répondent pas. Ils parlent peu. Ils ont l'air de s'ennuyer.

Dans la chambre du Chat, ils trouvent, dans la table de nuit, toute une liasse de sa collection de tracts qu'ils feuillettent distraitement : *le Courrier de l'air, la Voix de l'Amérique, Témoignage chrétien.* Ils ne voient pas, dans le tiroir, les cartes de pain. Un autre tiroir ouvert, et ce sont les douilles vides qui s'entrechoquent dans un bruit de sonnailles, et l'enveloppe pleine de limaille d'aluminium.

— Jolie collection, ce garçon, dit l'homme gras sans sourire.

— Oh vous savez, dit sa mère, oh vous savez : les enfants ramassent n'importe quoi.

— Quand avez-vous vu votre fils Antoine pour la dernière fois ?

— Dimanche de la semaine précédente, je crois. Elle se trouble et cherche.

— Ici ?

— Oui, à Marles.

— Mais vous n'êtes à Marles que depuis hier.

— C'est vrai. Je me trompe de semaine.

— Vous voyez, dit le grand, de l'air sévère et écœuré d'un instituteur qui réprimande un cancre irrécupérable, vous voyez : vous commencez déjà à mentir.

L'homme gras renchérit :

— Savez-vous ce qu'il a fait, votre fils, madame ?

— Non.

— Eh bien, annonce-t-il avec emphase, eh bien il a assassiné un père de famille allemand.

Et il a l'air de se délecter autant de son effet que du bonbon à la menthe qu'il suce avec satisfaction.

Le Chat entend son frère : « Il faudrait pouvoir faire le tri. Seulement des officiers. Des nazis. » Après tout les nazis, eux aussi, sont certainement pères de famille. Et puis il n'avait qu'à rester chez lui, celui-là. Et puis...

— Il faudra nous suivre à Paris, madame. Vous pouvez prendre quelques affaires. Vous serez interrogée là-bas avec votre mari.

— Et cet enfant ?

Un court silence.

— Quel âge as-tu, mon garçon ? Quatorze ans ?

— Non, treize ans et demi.

— A peine et demi, corrige sèchement sa mère. Il aura quatorze ans dans six mois. Vous ne pouvez pas.

— Il viendra avec vous à Paris. Nous déciderons là-bas. Tout cela, ce ne sont que de simples formalités, madame.

Ils la laissent dans sa chambre. Le Chat reste un instant près d'elle.

— Quand ils te relâcheront, lui dit-elle, le visage serré, et si tu reviens ici avant moi, je laisse cinq cents francs dans ce tiroir.

— Prends la provision de sucre, dit le Chat. Il va chercher, dans le placard aux provisions, le paquet d'une livre de sucre en morceaux : le trésor du placard. Il le met d'autorité dans sa valise : enfin il a fait quelque chose d'utile. D'efficace.

L'homme gras attend sur le perron de la cuisine, face au jardin en pente, et il scrute les buissons et les arbres avec une nonchalance que le Chat trouve affectée. « Il doit chercher encore. Il n'a pas renoncé à trouver Antoine. En fait, il a peur. Il n'ose pas descendre et aller regarder lui-même derrière les arbres. » Il rêve que son frère sort en courant de derrière le sapin bleu qui fut planté pour sa naissance, pistolet au poing, et qu'il abat l'homme gras qui tombe en saignant comme un porc. Mais peut-être l'homme de la Gestapo ne fait-il que humer l'odeur des seringas : « Je suis là, frémissant, ému aux larmes par les fleurs et les prés », peut-être pense-t-il vaguement aux vers de Goethe qu'il récitait au collège quand il avait l'âge du Chat ?

— Approche, mon garçon.

Le Chat se tient à distance parce qu'il ne veut pas subir une nouvelle caresse.

— Il y a longtemps que tu as vu ton frère ?

— Très longtemps. Très.

— Tu ne sais vraiment pas où il est ?

Sa mère descend avec sa valise. L'homme gras s'arrache avec regret à sa contemplation de la nature en fête. Adieux bruyants au bataillon de réfugiés en larmes. Ils défilent devant les clapiers où les cochons d'Inde, plus affamés que jamais, lancent de grands couinements désespérés. Sur la route, le chauffeur est toujours là, à mâchonner des tiges de boutons d'or. Le gros pousse le Chat le premier, derrière, puis il fait monter sa mère, ferme la porte à clef et s'assied de l'autre côté : le Chat se trouve complètement coincé contre lui, car l'homme, pour caser son embonpoint, doit ouvrir largement les genoux et sa cuisse vient se coller à la jambe nue. Il sent à nouveau l'odeur de la brillantine. Un groupe de jeunes gens, des garçons en culottes courtes et des filles aux jupes claires, en vadrouille vers Port-Royal, débouchent du tournant. Ils ont des gerbes de genêts jaunes passés en travers de leurs sacs à dos. Et ils chantent :

Un caballero
n'est pas un po-ète
Un caball-ê-ro
n'est pas une femme

Ils prononcent fâ-â-â-me, qu'ils font traîner. Un Junkers-52 passe lourdement au-dessus d'eux. La portière claque. La chanson est couverte par ces bruits. Ils démarrent.

— Nous allons rue des Saussaies, dit l'homme gras.

Il se laisse aller sur la banquette avec un soupir de satisfaction.

— Belle journée. *Schöner Sommer ! Als ob es keinen Krieg gäbe... Ach ! Frankreich !* s'extasie son compère assis à côté du chauffeur. Comme s'il n'y avait pas la guerre.

— Ah ! quel bon restaurant vous avez à Marles.

C'est ainsi que le Chat et sa mère apprennent qu'ils sont arrivés à Marles dès midi. Passant devant chez Canard, ils s'y sont immédiatement renseignés : où se trouvait la maison de Mme Ponte-Serra ? Y habitait-elle en ce moment ?

Rassurés, ils ont décidé de déjeuner au calme sous la tonnelle et ils sont restés jusqu'à trois heures à savourer le charme champêtre de la cuisine de Mme Canard qui a, patriotiquement, profité de l'occasion pour leur servir à des prix vertigineux ses provisions secrètes. C'est ce qui leur donne cet air de mansuétude : ils planent encore dans les hauteurs de la gastronomie française.

*

Ils se perdent deux fois du côté de Palaiseau, dans un dédale de rues défigurées par les bombardements. Ils demandent leur chemin à des passants, mais ceux-ci, interpellés de loin, repartent aussitôt en tournant le dos et en courbant les épaules dès qu'ils entendent et qu'ils voient à qui ils ont affaire. Un jeune homme obligeant, avec une francisque à son béret, leur donne enfin des indications détaillées qui les conduisent, après avoir beaucoup sauté sur des pavés disjoints, entre des pavillons lépreux, sur un chemin de terre qui se perd dans les champs de petits pois du côté d'Arpajon. A qui se fier ? Plus tard, dans une ruelle de Bourg-la-Reine, une vieille dame, sommée de leur indiquer la direction de la porte d'Orléans, déclare avec dignité :

— Je ne peux pas vous répondre : il y a une alerte. Et elle se met à trotter à toute allure dans l'autre sens.

— *Scheisse. Nichts als Lügner !* murmure le chauffeur. Merde. Tous des menteurs.

Enfin les voici place de la Concorde. Plus loin des chevaux de frise barbelés en chicane, des guérites de béton, une rue étroite et vide, puis des policiers français en képis, des gendarmes verts casqués à colliers de chien ; l'auto passe sous une voûte obscure, longue comme un tunnel et s'arrête sous la verrière d'une cour sombre, enfoncée entre les murs d'une hautre bâtisse noire, profonde comme une fosse aux ours. Rue des Saussaies. *Geheimstaatspolizei :* Gestapo.

Les deux hommes les laissent entre les mains de policiers en faction. Des policiers français en uniforme ? A partir d'ici, sa mémoire vacille : un nuage gris et collant flotte sur ses souvenirs, gris comme tous les couloirs qu'il va traverser ensuite, gris et collant comme les escaliers, les bureaux, les bancs de bois. Plus tard il interrogera des survivants, des gens plus assurés, plus responsables que lui, qui sont passés par là : y avait-il des policiers français en uniforme dans la cour de la rue des Saussaies, quartier général de la Gestapo, en juillet 1944 ? Les uns disent que c'est impossible, les autres assurent que oui, mais pas en uniforme, ou alors peut-être... il faudrait vérifier.

Brouillard où la suite des événements s'emmêle, sans qu'il puisse en situer l'ordre avec certitude. Succession d'images et de bruits confus, comme sur un écran brouillé. Au fond, peut-être a-t-il rêvé tout cela : en vérité n'est-il pas resté, debout, seul, seul avec sa peine et son angoisse, dans l'encadrement de la petite porte sous les tilleuls, à voir disparaître au tournant la traction-avant qui emmenait sa mère ?

Un rêve ? Passages dans des bureaux aux portes qui claquent, allées et venues de personnages qui s'interpellent en allemand, pas sonores, bruits des bottes sur les planchers disjoints ; ou, au contraire, glissements silencieux des secrétaires, des souris grises effacées sur les moquettes. Présence autour de lui d'individus dont le nombre imprécis change sans cesse, masse confuse qu'il ne distingue pas bien, qui se gonfle et se dégonfle, tantôt hostile, tantôt indifférente, mais comment savoir au juste ?

D'abord, certainement, l'interrogatoire d'identité. On l'a poussé dans un petit bureau devant une espèce de professeur chauve en uniforme qui lui demande son âge, en français, et lui redemande à trois reprises comme s'il n'avait pas fait attention à la réponse les fois précédentes, en scrutant par-dessous ses lunettes sa *carte d'identité scolaire* (celle qui porte la photo qui date de Toulon, il allait avoir dix ans, il a l'air là-dessus d'une gentille grenouille à la bouche fendue en tirelire avec des yeux immenses : il la déteste, cette photo).

— Alors tu as quatorze ans ? Et il compte sur ses doigts.

— Non. Treize ans et demi. Enfin, dans un mois.

Il compte toujours sur ses doigts.

— *So*. Treize ans et cinq mois, *nicht wahr ?*

— Mais vous voyez bien, s'énerve sa mère, vous voyez bien qu'il est né le 25 février 1931.

— Je vois. Je vois. Il compte encore une fois sur ses doigts et dicte en allemand à une souris grise qui tape à la machine des choses que le Chat ne suit pas. Et puis il lui demande, les yeux vagues, sans avoir l'air de trop y croire :

— Et alors ton frère, mon garçon…

— Non, murmure le Chat, avant même d'avoir entendu la fin de la phrase. Non. Je ne sais pas.

Ensuite, il est probable qu'il a attendu seul pendant des heures sur un banc gris, dans un couloir gris, au linoleum usé sur lequel claquent à nouveau des pas affairés, face à une porte grise capitonnée qui s'est refermée sur sa mère. La nuit tombe et s'allument des ampoules rares, nues, tristes. Le temps s'arrête. De derrière les cloisons et les portes qui s'entrouvrent parviennent des rafales de machines à écrire. Un jeune homme en veston vient fumer une cigarette à côté de lui.

— Tu es bien jeune, mon garçon.

C'est un Français.

— Je voudrais aller aux cabinets.

— Il faudra *leur* demander. Ça n'est pas moi qui décide.

Vient un moment où on le pousse à nouveau dans un bureau très grand où règne une douce lumière. Il voit son père, assis, il n'ose pas aller l'embrasser, il n'ose pas lui parler, il reste debout près de la porte, comme oublié. Derrière le bureau se tient un homme en civil aux cheveux gris parfaitement taillés et ramenés en arrière. Une souris grise, l'interprète, lit un papier d'une voix très forte et avec un affreux accent. Un soldat tape à la machine.

— … les lois du Reich allemand… Suspect d'activités terroristes.

— Veuillez relire et signer, monsieur le professeur, dit l'homme aux cheveux gris.

Son père se lève et le Chat voit bien que sa main tremble, ce qui l'étonne et le trouble. Cela lui fait mal, horriblement, de voir cette main trembler. Il regarde le Chat et lui sourit faiblement.

— Vous allez relâcher cet enfant.

L'homme sourit à son tour et fait un geste vague en direction du Chat.

Plus tard encore, le Chat est dans le même bureau, son père n'est plus là, et l'homme aux cheveux gris se penche par-dessus sa table et il sourit toujours. Le Chat est assis et il sent derrière lui, autour de lui, la présence d'un groupe d'hommes silencieux, debout, qui l'observent de toute leur hauteur et qui forment un mur confus, compact et hostile, une méchanceté obscure, lourde comme du métal, en attendant quoi ? Un signe ? Comme le coup d'envoi d'une partie de rugby dont il serait le ballon ? Comme une meute à l'arrêt ?

Mais non, il doit encore rêver, car les hommes ne sont plus là. Ont-ils jamais été là ? Et il n'est pas seul, sa mère est à ses côtés et l'homme aux cheveux gris lui demande, comme si c'était la première fois, comme s'il était le premier :

— Et ton frère, mon garçon ?

Mais il n'a pas à répondre, car sa mère parle, parle, d'une voix claironnante, presque mondaine, comme si elle était dans le salon d'une vieille tante un peu sourde :

— Mais non cet enfant ne peut rien savoir il était à la campagne et cela fait des semaines qu'il est à la campagne et il a été malade il a fait une bronchite avec un point de pleurésie...

Elle énerve prodigieusement le Chat.

— *Herr Doktor...*

Voilà qu'on pose sur la table un grand carton. Des documents. Encore une photo bien ancienne : une photo de son frère qu'il connaît bien, elle date de 1939, celle-là, elle a été prise quand il est revenu de son séjour dans un collège anglais, il a une cravate écossaise avec un gros nœud de travers et une raie parfaite, c'est encore un gamin.

L'homme en uniforme qui a apporté le carton reste debout. Un bel homme, les yeux clairs, le visage ouvert. Il s'empare d'une liasse de feuilles.

— Votre mari reçoit *ces choses-là*.

Il lit. Il bute sur les mots. Il avance par glissades saccadées :

— *L'Université libre*. 1942 : « Les patriotes agissants, les francs-tireurs, symboles vivants d'une France qui se retrouve, qui est vigoureuse et toujours jeune, sauront faire expier leurs crimes, au coin de chaque rue, de chaque chemin, aux oppresseurs du peuple de France et à leurs valets de nationalité française… Tous debout ! Le temps de la résistance passive est terminé. Il faut passer à l'action offensive ! »

Il marque une pause.

— Ici, reprend-il, il y a une faute. Ils ont écrit « passé » : « il faut passé ». Parfaitement : *é, accent aigu*. L'« Université libre » : pauvre langue française. Pauvre France !

Il énumère d'autres tracts du *Front national, Libération, Défense de la France, Bir-Hakeim, les Étoiles, les Cahiers du Témoignage chrétien*.

— « Prépare à la vengeance un lit où je naîtrai… » Et cette mention à la main : « Recopiez et faites circuler. »

Il soupire.

— Oh vous savez, claironne, obligeante la mère du Chat, oh vous savez, mon mari lit surtout la *Pariser Zeitung*. (C'est vrai : « Inutile de lire la *presse traduite,* disait son père. Mensonge pour mensonge, autant aller directement aux sources. ») Nous recevons n'importe quoi. *La Gerbe, Je suis partout*. Même une souscription pour *l'Émancipation nationale*. On n'est pas maître de ce qu'on trouve dans son courrier, vous comprenez ? quand on figure dans le *Tout-Paris* et le *Bottin mondain*.

Herr Doktor aux cheveux gris se polit les ongles d'un air ennuyé. Il est question ensuite d'une plaque de vélo qui a appartenu à Antoine. Elle est là, lourde et jaune, sur le bureau. Puis d'une nouvelle photo qu'on présente à sa mère. Elle la regarde d'un air absent. Le Chat qui l'observe en biais reconnaît, comme elle certainement, la figure du colosse aux yeux pâles et aux cheveux blonds bouclés, un ami d'Antoine, qu'elle hébergea avec un autre, une nuit d'hiver où ils se croyaient dénoncés. (Ils avaient l'air inquiets et harassés. C'est à lui — se l'est-elle assez reproché par la suite ! — qu'elle refusa avec obstination de prêter un pyjama propre. « Mais maman, voyons, avait tenté Antoine. Ah ! non, ça suffit, avait-elle tranché, je veux bien prendre tous les risques, ce sont tes affaires, ce sont tes amis, mais je ne veux pas, en plus, avoir encore du linge sale sur les bras. »)

— Je ne sais pas, dit sa mère, plus bas. Mon fils a beaucoup d'amis. Je ne les connais pas tous.

Herr Doktor sort de sa rêverie et intervient sans élever la voix :

— Cela n'a pas d'importance, madame. *Nous,* nous savons. Un terroriste. Comme votre fils. C'est lui qui a donné le nom de votre fils. Il est ici.

Et *plus tard,* est-ce qu'on apporte vraiment ce corps immobile sur une civière que l'on pose à terre entre les chaises, comme une chose ? D'une couverture brunâtre émerge seulement un visage boursouflé, les cheveux blonds collés au front et les yeux pâles, fixes, très vagues, à peine vivants.

— Lui, il vous reconnaît n'est-ce pas ?

Silence. Les yeux pâles sont perdus, très loin. Aucun mot ne vient de la civière. Aucun signe. Rien.

Est-ce dans la même pièce qu'a lieu, *après,* quelque chose qui doit être une confrontation générale ? Il y a beaucoup d'agitation, des hommes discutent très fort en Allemand et il est tout le temps question du *alte Professor,* ils désignent du doigt le père du Chat, et ils se retrouvent tous debout près du corps abandonné et inerte sur la civière : son père, la femme de ménage cueillie au petit matin avec un filet à provision et le demi-pain de la journée, en robe courte aux couleurs vives, un garçon habitant l'immeuble qui a eu la malchance de se trouver dans l'escalier au moment où les agents de la Gestapo arrivaient et le concierge de l'immeuble pour faire bon poids. La machine à écrire crépite, la souris grise traduit des procès-verbaux.

Le bel homme en uniforme se penche vers le *Herr Doktor :*

— *Herr Doktor. Der alte Professor... Wir können nicht...*

Il soupire :

— *Der alte Professor. Alle Lügner.*

Il dit que ce sont tous des menteurs. Même le vieux professeur. Il a l'air d'en être profondément désolé.

Pour le Chat, il n'y a pas de procès-verbal. Pas de signature.

Et puis, *encore plus tard :* les voici à nouveau sur le banc poisseux du couloir gris : tous les trois, lui entre son père et sa mère. Ils ont relâché la femme de ménage, le concierge, le jeune homme qui passait. Entend-il son père qui leur parle ?

— Il vont vous relâcher aussi. Toi et le Chat. J'en suis sûr.

— Et toi.

— Oh moi, c'est autre chose. De toute façon.

Il parle bas :

— Antoine est en sûreté. C'est l'essentiel.

Et plus bas encore. Un murmure.

— Ce garçon, sur la civière, il va mourir.

Il regarde le Chat.

— Ils ont bluffé. Il n'a pas parlé. Personne n'a parlé.

— Non, dit le Chat. Personne.

Il voit la main de son père posée sur celle de sa mère : elle ne tremble plus. *A ce moment,* le calme se fait ; et puis on vient les chercher.

— Adieu, Luc, lui dit son père.

Il se reprend et sourit, en se souvenant :

— Non, pas adieu. Au revoir.

— Bien sûr, dit le Chat.

Est-ce *alors* qu'il est poussé, seul, derrière une porte qui se referme ? Où est-il ? Dans la pénombre d'un cabinet de toilette abandonné qu'éclaire un peu de lumière jaunâtre à travers un verre dépoli, très haut ? Il s'accroupit sur le carrelage, contre un mur, sous le lavabo. Il passe toute la nuit à attendre. Il pense à Antoine.

Au petit matin, c'est un Français en civil qui le fait sortir dans le couloir où le jour est revenu. Il lui apporte un verre de café sacchariné. Air connu :

— Tu es bien jeune, mon garçon.

Toujours le brouillard et l'attente. *Enfin,* il doit être poussé vers le professeur chauve qui lui rend sa carte d'identité.

— Tu es libre. On va te ramener chez toi.

Ce sont les deux hommes de la Gestapo qui l'ont arrêté hier qui viennent le rechercher. L'homme gras tend la main vers lui et il essaye de l'éviter.

— Eh bien, mon garçon, tu vois...

A nouveau la voiture, et les rues, le ciel, c'est la fin de la matinée. Les brouillards de la nuit sont-ils installés pour toujours dans sa tête, familiers et terribles, noyant ses pensées et ses gestes ?

A Marles, dans la vieille maison, le chœur des réfugiés est là, au complet, toujours éploré. Les policiers font encore un vague simulacre de perquisition ; mais ils regardent leur montre : ils ont l'air pressé.

— Tu es libre, lui dit l'homme gras. Tu reverras bientôt ta mère. Dès que nous aurons retrouvé ton frère. Un terroriste ne peut pas aller bien loin. Tout est surveillé. Son signalement, partout. Nous allons mettre la main dessus. Très vite. Nous avons tout ce qu'il faut pour cela. C'est comme s'il était déjà pris. Alors peut-être que nous nous reverrons encore, mon garçon.

Les portières claquent. Ils retournent chez Canard. Ils ne sont probablement revenus que pour cela.

Non. Il ne reverra plus cet homme. Pendant des années, il continuera à sentir la trace de sa caresse visqueuse sur son bras, il pourra évoquer avec une précision parfaite sa silhouette et son visage, les taches de son clairsemées sur sa figure blanchâtre, sa bouche de nourrisson, ses cheveux noirs et ondulés ramenés en arrière, leurs reflets roux, la puanteur de la brillantine, il rêvera de le retrouver et de le tuer, là, sur place. La plus fulgurante, la plus totale haine qu'il connaîtra de toute sa vie. Et puis un jour, beaucoup plus tard, un beau jour, il s'apercevra avec une immense surprise que son visage s'estompe, qu'il ne serait plus très sûr de le reconnaître, qu'il serait assez embarrassé s'il le retrouvait, qu'il n'a plus vraiment envie de le tuer, que la haine peu à peu est partie, laissant un grand vide que rien n'est venu combler, qui l'étonnera et le laissera définitivement désemparé, comme si on lui avait retiré sa dernière certitude. Et désormais il ne pourra plus vraiment haïr personne ni même, simplement, détester, oui *vraiment,* car s'il ne ressent plus de haine pour celui-là, pour qui pourrait-il donc en ressentir ? Et il se sentira à la fois soulagé et un peu infirme...

Le Chat se retrouve seul devant la route où passent encore des jeunes qui chantent. Le même soleil. La même douceur. Décidément il a rêvé. Peut-être est-ce vrai que la traction-avant emportant sa mère vient seulement de disparaître au tournant. Il est seul. Seul.

Les réfugiés lui disent qu'ils ont prévenu sa tante à Paris ; celle-ci leur a dit que, s'il revenait seul, il aille immédiatement chez elle. Il voudrait lui téléphoner aussi, mais il ne veut pas aller chez Canard. Il ne restera pas à Marles : Antoine ne reviendra jamais à Marles. A Paris, peut-être. Ses copains de la ferme, René et les deux frères, l'attendent silencieux sur la route.

— Antoine a rejoint le maquis, leur affirme-t-il avec autorité.

Oui. Antoine a rejoint le maquis. C'est sûr. Absolument sûr. Et lui n'a plus rien à faire ici. Il met quelques affaires dans son vieux sac, sa précieuse collection de tracts et aussi les deux cartes d'alimentation à peine entamées : elles feront un joli cadeau pour sa tante, il n'arrivera pas à Paris les mains vides. Les cinq cents francs dans le tiroir de sa mère.

— Mon pauvre enfant, mon pauvre enfant, gémit la grand-mère des réfugiés. Et il subit à nouveau l'étreinte de son tablier poisseux.

— Tes parents, quel malheur !

Un peu plus tard, elle lui annonce d'un air de vague reproche :

— Un cochon d'Inde est mort cette nuit. Un mâle.

*

Le voici donc qui sonne à la porte de l'appartement de sa tante en haut de l'escalier sombre d'un immeuble bourgeois du septième arrondissement. Il a pris le train à Saint-Rémy, il a marché entre Palaiseau et Massy-Verrières, là où la ligne est coupée, à travers les décombres des maisons et les rues éventrées, pour contourner la gare hors de service ; ils étaient des centaines à marcher comme lui, se hâtant, dans les deux sens. Il a ramassé quelques nouveaux tracts qui jonchaient le sol, pour sa collection.

— Ah ! mon pauvre petit Luc…

Il faut raconter l'histoire devant la tante, l'oncle et les deux cousins, plus âgés que lui, mais l'histoire vient mal, une seule question l'intéresse ;

— Est-ce qu'on a des nouvelles d'Antoine ?

— Non. Et puis ton frère, ton frère : il se débrouillera certainement. Pour l'instant, ce n'est pas lui qui compte.

Il se rappelle son cadeau. Il fouille dans son sac, sort en vrac sa collection de tracts pour atteindre plus vite le fond et brandit les feuilles d'alimentation.

— Tenez. Ce sont des tickets. J'ai pensé que ça vous serait utile. Que ça vous ferait plaisir.

La tante tend une main hésitante sans bien comprendre.

— Quoi ?

— Des tickets de pain. Des suppléments J 3. Ce sont des vrais. C'est Antoine… Je m'en suis déjà servi. Ça marche très bien.

Silence. Succès complètement raté.

— Mon pauvre petit Luc, dit la tante.

Ici on ne l'appelle plus le Chat. Personne ne l'appelle le Chat en dehors de chez lui. Le Chat, c'est fini.

— Mon pauvre petit Luc, tu es fatigué, tu es sale à faire peur. Tu vas prendre un bain. Il n'y a pas de gaz, mais j'ai gardé l'eau des artichauts, elle est encore tiède, ça te fera un fond de baignoire. Ensuite tu mangeras.

Il va barboter dans une eau verdâtre déversée d'une marmite. C'est vrai que sa chemise est collante et raide. Il met des vêtements de ses cousins. Il mouille ses cheveux, renvoie sa mèche en arrière et se fait une raie devant la glace.

— Nous t'attendons dans le bureau, Luc.

L'oncle est psychiatre. Il dirige un service dans un grand hôpital de la région parisienne, l'hôpital de Chevigny, et partage son temps entre celui-ci et Paris. Son vaste bureau aux belles boiseries, tapissé de livres reliés à son chiffre, bien rangés, sert aux consultations. En son absence, quand il venait voir ses cousins, Luc y a souvent joué avec eux à s'ausculter avec le stéthoscope, à se gonfler le sphygmo sur un bras à grands coups de poire en caoutchouc — le merveilleux petit chuintement quand on décompresse, qu'il se dégonfle et que l'aiguille du compteur s'affole —, à traquer les réflexes de leurs genoux avec le petit marteau rond caoutchouté et à chercher dans les énormes livres de médecine les images en couleurs les plus excitantes de spectaculaires maladies vénériennes, les seules images de sexes qu'il leur soit donné de contempler. Mais, aujourd'hui, il n'y a pas de jeu dans l'air. L'oncle est assis derrière son bureau, la tante est sur le côté ; il manipule le petit marteau avec nervosité et le fait tressauter sur les feuilles d'alimentation étalées devant lui. Il faut encore essayer de raconter l'histoire. Mais que dire de plus ?

— Les tracts : il faut les brûler. Nous allons le faire immédiatement, dans la cheminée. C'est de la folie.

L'oncle est un héros de la guerre. De la précédente, la Première, la Grande, qu'on appelle aussi la Dernière guerre. Il a *fait la dernière guerre* : peut-être estime-t-il avoir assez donné.

— C'est de la folie, répète-t-il, désemparé. Pourquoi as-tu gardé tout ça ?

Ils font flamber les tracts. La cheminée fume. C'est ridicule, ce feu par cette chaleur.

Luc n'a pas à chercher la réponse très loin. Il prend l'air innocent :

— Oh vous savez, les enfants ramassent n'importe quoi.

Mais le tribunal n'est pas disposé à l'indulgence.

— Enfin, tu te rends compte, si les Allemands avaient trouvé ça ?

Oui il se rend compte. Tellement compte qu'il ne voit pas comment leur expliquer que les Allemands, ils les ont trouvés, ces tracts, qu'ils n'en ont pas fait une maladie comme son oncle, qu'ils ont certainement autre chose à faire, qu'ils ont simplement dit que c'était une jolie collection, qu'ils cherchent des choses beaucoup plus importantes, des résistants qui ont des armes et qui leur tuent leurs pères de famille, nazis de préférence mais pas forcément, c'est à voir, et que c'est bien autre chose que des minables histoires de vieux tracts. Mais peut-être, après tout, qu'ils ne parlent pas des mêmes Allemands ?

— Et ces tickets, ces tickets.

Ils les ont pris du bout des doigts et les examinent avec

méfiance comme s'ils craignaient le déclenchement d'un piège secret, d'un ressort disposé pour se rabattre soudain sur leurs doigts comme sur des souris trop curieuses.

— Où les as-tu eus, ces tickets ?

— C'est Antoine qui les a récupérés dans une mairie pour la résistance et comme je l'ai aidé il m'en a laissé en cadeau.

— Mais ce sont des tickets volés. C'est très dangereux.

— Non. J'ai acheté du pain avec à Chevreuse. Ça ne peut pas être dangereux.

Est-ce qu'il faut vraiment tout leur expliquer ? Ce sont des « titres spéciaux J 3 », c'est-à-dire des feuilles supplémentaires qui ne sont pas collées sur la carte ; les tickets sont détachables par des pointillés, comme des timbres ; dans les boulangeries, on les donne toujours déjà détachés, en même temps que l'argent. Alors ? Quoi de plus simple ?

— C'est dangereux, répète la tante. Elle soupire d'un air de regret. L'oncle, lui, scrute la feuille. Céder à la tentation ?

— Et le tampon ? Il est illisible, le tampon.

Luc a un mouvement d'orgueil :

— C'est Antoine qui l'a fait avec une pomme de terre.

Maintenant ils épluchent soigneusement, d'un air dégoûté, toutes les minces marges inutiles qui entourent les tickets et les déchirent en mille morceaux.

— Bon, pense-t-il avec soulagement. Ils vont quand même s'en servir. Mais quelle histoire !

— Ton frère, vraiment, ton frère… Mais enfin qu'est-ce qui lui a pris ? Qu'est-ce qu'il a fait au juste, ton frère ?

Décidément, pense Luc, j'en ai marre des interrogatoires.

Il ne répond pas. Sa tante lui sourit. Son sourire la fait ressembler à sa mère. Il sent passer en lui, un instant, quelque chose de très doux. Elle est toute rousse, les cheveux tirés en arrière, les yeux gris-vert, le nez pointu — vraiment un peu trop pointu, trouve Luc. Mais elle a souvent des expressions de sa mère.

— Maintenant, dit-elle, il faut oublier tout ça. Ce n'est pas une vie pour un enfant. Ce n'est pas un monde pour toi. Tu es bien jeune.

— Treize ans et demi, précise Luc. Enfin tout juste.

— Tes parents seront bientôt libérés. C'est un mauvais moment à passer. Ce ne sera pas long : il y a des gens qui font des démarches.

— Et Antoine ?

— Ne t'occupe pas d'Antoine. Lui... Tu ne vas pas rester ici. Ce serait dangereux. Ils ont été perquisitionner aussi chez ta grand-mère. Demain, tu iras chez des amis. Tu seras au calme.

— Qu'est-ce qui est dangereux ?

— Mais tout. Tu ne peux pas comprendre.

Non. Il ne peut pas comprendre. Est-ce lui qui serait dangereux ? Ce serait stupéfiant. Pour qui ont-ils peur ? Pour lui ? Pour eux ? On va le cacher. De qui va-t-on le cacher ? Il sait bien que les Allemands ne reviendront pas puisqu'ils ne retrouveront jamais Antoine. Antoine est le plus fort.

Seul avec ses cousins, il essaye encore de raconter, mais ça ne vient pas. Ses cousins sont gentils, ils lui montrent chacun leur chambre : le plus grand dessine au pastel des paysages fantastiques qu'il a épinglés sur ses murs, l'autre élève une souris blanche qui pue. Et puis, quand il sent soudain que dans tout son corps quelque chose est tout près de se dénouer qui remonte à sa gorge et reste bloqué là et le paralyse, quand il sent qu'il va peut-être enfin se mettre à pleurer, s'ouvrir, éclater, que les larmes sont là, qu'il est *au bord des larmes*...

— Qu'est-ce que tu as ?

— Tu ne peux pas comprendre.

Il n'aime pas sa voix et ces mots qui sonnent faux. N'est-il pas en train de forcer la note, de jouer les mélos ?

— Tiens, ricane le cousin, le petit gros. Tiens, voilà Luc qui fait des simagrées.

Alors tout se remet en place. Tout au fond de lui, les nœuds se resserrent, le bloc compact d'acier lourd se ressoude. Il ne pleurera pas. Il ne pourra pas pleurer. D'ailleurs c'est vrai, c'étaient des simagrées ; il n'avait aucune envie de pleurer, il voulait seulement se rendre intéressant, se faire plaindre : ça n'a pas marché, c'est tout. Il trouve dans la salle de bains une grosse poire à lavements et il asperge ses cousins de longs jets d'eau à travers les couloirs. Ceux-ci le pourchassent. C'est un jeu excitant. Sa tante intervient et lui donne une paire de claques : méritée. Il trépigne de rage et il se lance, tous bras et jambes en action, contre l'aîné des cousins. On l'enferme avec beaucoup de difficultés dans une chambre du fond et il entend, à travers les battements de son sang qui lui martèlent la tête, le cousin qui commente sentencieusement à travers la porte :

— J'ai peur des colères de Luc. Je suis plus fort que lui, mais quand il pique ses crises, j'ai peur. Je crois qu'il y a des moments où il devient fou.

Tapi à la tête du lit, il a honte. Mais il y a, au cœur de cette honte, une forme de satisfaction heureuse : il leur fait peur. Tant mieux. Il s'endort.

*

Mais quelques heures plus tôt son frère a téléphoné pour savoir s'il était là.

— Il vient d'arriver, a répondu sa tante.

— Je viens.

— Je ne veux pas que tu montes. Je t'attendrai en bas.

Elle a raccroché immédiatement.

Elle l'a donc attendu devant la porte cochère. La rue était presque déserte. Il est arrivé en boitant.

— Je veux voir Luc.

— Non. Je ne te recevrai pas chez moi. C'est trop dangereux. Tu n'aurais jamais dû téléphoner. C'est de la folie.

— Justement. Je ne peux rester ici, dans le passage.

Ils sont entrés sous le porche. Au pied de l'ascenseur, elle a répété :

— Tu ne monteras pas. Je te l'interdis. Luc est un enfant. Je ne veux pas qu'il te voie. Il faut qu'il oublie tout cela. Maintenant, ce qu'il lui faut, c'est reprendre la *vie de famille*.

Il a haussé les épaules :

— Décidément, aujourd'hui, tous les gens que je vois...

Il n'a pas achevé. Il a tourné le dos. Il est reparti dans la rue ensoleillée, toujours boitant douloureusement, malade de fatigue et de peine vers d'autres rendez-vous avortés. A-t-il même pris l'argent qu'elle avait descendu pour lui ? Tout cela, Luc ne le saura que beaucoup plus tard et encore de manière peu précise, par recoupements.

Le 14 juillet 1944 avait marqué, à Paris, le début d'une période que l'on peut considérer comme celle de l'insurrection nationale. Ce fut une journée de manifestations éclatées dans toute la ville : cent mille manifestants, peut-être, à Belleville, à Maubert, rue Saint-Antoine. « Cette journée doit être une journée de guerre contre les boches », avait proclamé le parti communiste. Ce fut une grande journée du parti. Il n'était plus question d'en rester là : « Que le sang impur des soudards arrose le pavé parisien. » Le parti estimait que, face à la perspective d'une lutte encore très longue, de combats violents, meurtriers et prolongés sur un front dont on ne pouvait savoir si les alliés parviendraient à le rompre ni quand, la pression de l'occupant sur la population se ferait de plus en plus insoutenable : faute de réagir à temps, la résistance risquait d'être anéantie. La seule issue était pour elle d'imposer un rapport de force différent, de faire sentir à l'occupant le poids de sa présence et de son organisation. De se faire respecter. Mais Paris manquait à peu près totalement d'armes, et jusqu'à la fin, contrairement à d'autres régions de France, n'en reçut pas. Après avoir organisé des groupes de protection des manifestations, Antoine participa à des actions multiples contre les *Soldatenheim*, des sabotages de camions, des récupérations d'armes sur des sous-officiers isolés. Il avait enfin pu disposer durablement de ce qu'il appelait sa *trousse à outils*, le pistolet qu'il avait montré au Chat. Elle changea tout pour lui. Il s'écarta des discussions sur les principes de l'unité d'action et les dosages politiques. « Enfin je vais pouvoir travailler », avait-il dit. Et il avait travaillé. Peut-on imaginer qu'il fut, au moins un bref instant, soulagé, libéré, presque *heureux* ? Ce n'est pas sûr. Il était lucide : il nota que l'action pouvait être une drogue. Ou du bromure.

En l'espace d'une semaine il a, en compagnie d'un seul camarade à chaque fois différent, agressé et tué à bout portant dans la rue, en plein jour, trois officiers. La troisième opération a mal tourné. C'était une fin d'après-midi. Ils étaient en vélo. Ils ont vu l'officier sortir d'une Soldatenheim de la rue de la

Faisanderie. Ils l'ont dépassé. Ils sont descendus de vélo à l'angle de la rue. Ils ont armé leurs pistolets et se sont séparés. Antoine est venu à sa rencontre. Il n'avait pas eu le temps de le dévisager, à peine celui de voir l'uniforme noir et le visage qui était sa cible. Peut-être a-t-il eu, comme les autres fois, cet ultime moment d'hésitation, ce *blanc* total d'une fraction de seconde quand on sent avec un indicible étonnement que tout est encore en suspens, quand on a l'impression que ce n'est pas vrai, pas possible, qu'on n'y arrivera jamais, qu'on ne le fera pas : encore deux, trois pas et il n'y aura rien de changé, la vie continuera à couler sans heurts. Il ne se sera *rien* passé. Il a sorti son pistolet et tiré deux coups à un mètre à peine, à hauteur de la tête. L'homme s'est écroulé. Il a vidé son chargeur sur le corps. Il s'est forcé encore à ne pas s'enfuir immédiatement, à se pencher et à récupérer l'arme de l'officier. Alors seulement il a couru vers son vélo, les oreilles tintantes, presque sourd des coups de feu. Un groupe de soldats de la Wehrmacht a débouché en courant, sans bien comprendre encore. Il leur a jeté son vélo entre les jambes. Il a tourné le coin de la rue, il a couru de toutes ses forces jusqu'à une ruelle, escaladé la grille garnie de hautes piques d'une impasse privée et atterri dans un massif de buis, la jambe douloureuse : il s'était fait une entorse en retombant. Il avait la certitude d'être dans un cul-de-sac. C'en était un : la seule issue était le portail grand ouvert sur la rue. Il est difficile de savoir exactement comment il s'est sorti de là. On peut imaginer avec vraisemblance qu'il a essayé de reprendre son souffle et qu'il a essayé un procédé souvent utilisé, déjà, par lui et par d'autres de ses camarades : qu'il s'est coiffé d'un béret basque et s'est agrafé une francisque qu'il portait avec lui, qu'il a boutonné son blouson bleu — un bon petit jeune du Maréchal —, et qu'il est ressorti au bout d'un quart d'heure par le portail, sans boiter malgré la douleur. Il n'y avait personne. Il a vu, au bout de la rue de la Faisanderie, un groupe compact et agité de soldats. Des motocyclistes sillonnaient les rues avoisinantes. Au coin, des habitants du quartier et des agents de police français les observaient, à distance très respectueuse. Il a posé les questions d'un passant. Un policier lui a répondu : deux terroristes venaient d'abattre un officier allemand. L'un d'eux était déjà pris. On était sur les traces de l'autre : il s'était enfui du côté du bois de Boulogne. Le quartier était bouclé. Il est resté le plus longtemps possible à stationner au milieu des badauds et des policiers, se mêlant étroitement à eux. L'attente a été interminable. Peu à peu, les gens se sont dispersés. Une ambulance a enlevé le corps, plusieurs voitures allemandes sont passées puis reparties en trombe. La nuit est tombée. Il lui a bien fallu partir à son tour quand, l'heure du couvre-feu approchant, les policiers sont rentrés vers leur commissariat. Il les a suivis, comme s'il était naturel de faire un bout de chemin avec eux, bavardant sur la dureté des temps, l'absurdité du terrorisme et la sage nécessité de ne se mêler de rien. Ils ont ainsi passé, avenue Henri-Martin, un barrage allemand. Il ne les a lâchés que rue de Passy, avec d'aimables au revoir. Il était sorti de la zone immédiatement dangereuse. Ont-ils été complètement dupes ? Les temps étaient troublés et incertains, l'avenir déjà prévisible.

De là, tirant sa jambe enflée, il a gagné par des rues obscures le centre de Paris sans rencontrer d'autres barrages. Il est arrivé peu avant minuit chez un camarade dont il savait qu'il pourrait l'héberger et l'aider à alerter tous ceux qui, dans l'organisation, pouvaient être compromis par l'arrestation de son compagnon et la découverte possible de sa propre identité. Et de là encore, il est reparti, toujours à pied vers le domicile familial, ne tenant le coup qu'à force de volonté, de désespoir, d'orgueil. Il y est arrivé vers deux heures du matin. Comme toujours, à cette heure, son père travaillait. Il lui a raconté. Son père ne lui a fait aucun reproche. Peut-être a-t-il pensé qu'il avait prévu cet instant depuis longtemps et qu'il n'avait pas su le prévenir ; qu'il n'avait pas su assez aider son fils, le mettre en garde, le modérer.

Il a dit à son père que les Allemands risquaient d'arriver chez lui d'un moment à l'autre. Qu'il fallait partir. Son père a dû regarder la masse des documents, des fiches, des feuilles manuscrites inachevées entassées sur l'immense table de travail, sous la clarté douce de l'abat-jour vert. Il a dit qu'il ne fuirait pas. Il ne fuirait pas devant les boches. Ils le trouveraient là. Ce ne serait pas la première fois. Ils l'avaient déjà arrêté il y avait trois ans. Ils avaient, de toute manière, depuis longtemps, d'autres charges contre lui. Il allait alerter des amis, dans l'immeuble, qui, dès l'aurore, téléphoneraient à Marles, chez Canard, pour faire passer un message à mots couverts à leur mère : ainsi ménagerait-il toutes les chances qu'elle et Luc soient totalement en sûreté ; et au cas où le message ne leur parviendrait pas, lui arrêté, la Gestapo ne s'intéresserait certainement pas à eux. Mais Antoine, lui, devait partir. En aucun cas il ne devait se laisser prendre. Il le lui demandait. Il ne fallait pas leur donner cette victoire, cette joie. Et en aucun cas il ne devait se laisser aller au découragement. Il n'avait pas de reproches à se faire. Ce n'était qu'au cas où il se laisserait prendre, qu'il pourrait se faire des reproches. Il restait responsable devant ses camarades et son organisation. Il devait aller jusqu'au bout du combat qu'il avait choisi. C'était comme un ordre, le dernier qu'il pouvait lui donner. Ils s'étaient battus, chacun de son côté, à leur manière, et ils allaient continuer en suivant leur voie, de leur mieux.

Mais peut-être, après tout, n'a-t-il pas dit tout cela. Peut-être n'a-t-il parlé que de questions pratiques, tant étaient inutiles les mots.

Antoine a fait hâtivement place nette dans sa chambre. Il a brûlé des papiers, aidé par son père. Puis il l'a laissé attendre le jour au milieu de ses travaux interrompus, à mettre de l'ordre dans ses propres affaires. Il est rentré chez son camarade au petit jour et s'est effrondré, épuisé. A-t-il dormi ? Dès la fin de la matinée il a appelé au téléphone l'appartement familial. Une voix étrangère lui a répondu qu'il était bien chez le professeur Ponte-Serra et qu'il veuille bien annoncer qui il était. Il a raccroché et il a commencé à courir Paris. Il a tenté d'alerter d'éminents collègues de son père. « Jeune homme, lui a-t-on dit en substance un peu partout, ne vous énervez pas. Vous êtes bien agité. Il peut s'agir d'un malentendu. Nous joindrons les autorités allemandes. Certains d'entre nous n'y manquent pas de relations. Mais pourquoi n'y allez-vous pas vous-même ? En tout cas, il serait préférable de ne pas repasser nous voir. » Par quelques rapides contacts, après d'éprouvantes procédures d'approche, il s'est assuré que les consignes de sécurité avaient été correctement appliquées dans son groupe. Il se sentait traqué dans Paris, à la merci de la première rafle, du premier contrôle venu, qu'il ne pourrait esquiver, et même ses faux papiers ne lui semblaient pas une protection suffisante car son signalement avait certainement été diffusé largement. Il n'avait plus rien à faire dans la ville. Il pouvait essayer de rejoindre, vers l'Ouest, un camarade qui était retourné dans son pays d'origine pour tenter de gagner les gens à l'idée d'un soulèvement proche. C'était la direction du front. En cette fin de juillet, pour la première fois, les lignes allemandes semblaient ne plus pouvoir contenir la poussée des Ire et IIIe armées US vers Coutances et Avranches.

Mais il ne voulait pas partir avant d'avoir eu des nouvelles de sa mère et de Luc, et sans connaître le sort de son compagnon arrêté. Au soir de ce premier jour d'errance, il a réussi à rencontrer la cousine au nez rouge qui, déjà au courant, l'a informé de l'arrestation de tous les siens. Elle était nerveuse et elle a abrégé la rencontre. Il a compris alors qu'en dehors de quelques camarades, comme celui qui l'avait hébergé, il était condamné à ne voir que des gens qui avaient peur, et il le lui a dit brutalement.

Avant d'aller au rendez-vous avec sa tante, il a préparé un mot pour Luc, au cas où il ne pourrait le voir. « C'est le moment de savoir être le Chat-qui-va-tout-seul. Silence et patience. » Pris de court par la hâte de sa tante à le voir disparaître, il n'a même pas pu le lui donner.

L'idée l'a obsédé que, s'il se livrait à la Gestapo, on relâcherait ses parents. Mais il comprenait aussi que c'était invraisemblable. Ce que son père lui avait dit était juste. Et son père lui avait dit de continuer à se battre ; qu'il avait confiance en lui.

Il a encore appris que son compagnon qui avait été arrêté avait été ramené, torturé et inerte, sur une civière, rue de la Faisanderie et qu'il avait été fusillé à l'endroit exact de l'attentat. Le corps avait été laissé sur place avec un écriteau : *J'ai tué un offizier de l'armée allemande.*

Non. Il fallait rompre l'étau. Il n'avait plus rien à faire à Paris.

*

Luc passe la nuit dans le bureau de son oncle. Il couche sur le divan qui sert aux consultations. L'odeur de la pièce est agréable, faite de tabac, de cuir et du parfum indéfinissable de la lampe à alcool Berger que son oncle fait brûler après le passage de ses malades.

Au matin, il part s'installer chez des amis de la famille, rue de l'Abbaye. C'est une haute maison ancienne, au fond d'une cour pavée à laquelle on accède par une longue rue austère aux façades sombres. Il y règne, dès la fraîcheur de l'escalier monumental de pierre à la rampe en fer forgé, un calme apaisant. Il y a ainsi, dans ce quartier, de vieilles demeures secrètes, qui furent des bâtiments de l'ancienne abbaye de Saint-Germain-des-Prés ; elles abritent des jardins paisibles. Derrière celle-ci, les hautes fenêtres s'ouvrent sur une pelouse où l'on peut jouer au croquet, sous le marronnier. Il va rester là cette fin de juillet et les premiers jours d'août. L'appartement est immense et compliqué, suite de pièces ensoleillées qui se commandent et de couloirs qui sinuent entre des placards. L'amie de sa mère est douce, les enfants sont plus âgés que lui : le fils écoute des disques de swing sur un gros phonographe électrique — merveille du progrès, que l'on appelle un pick-up —, quand il n'y a pas de coupure de courant.

Le mari est un haut fonctionnaire aux Finances. Il parle avec beaucoup de détachement des choses de ce temps. Il attend sans impatience l'arrivée des Anglais et des Américains. Ils mettront de l'ordre dans les affaires, ils sauront prendre les choses en main, les esprits se calmeront. Il est petit, rond, les cheveux blancs rares plaqués sur son crâne rose, le yeux très pâles, presque albinos, derrière d'épaisses lunettes. Il a connu une heure de gloire le 11 novembre 1918. Il avait été mobilisé dans les aérostiers. Ce jour-là, il a été hissé dans son ballon garni d'immenses drapeaux tricolores dans le ciel des Champs-Élysées, aux acclamations d'une foule enthousiaste et innombrable. Ayant ainsi fait la *dernière guerre*, il était trop vieux pour être mobilisé dans l'actuelle et il s'en trouve bien. Il sait prendre l'air entendu de ceux qui, montés au faîte de l'honneur, en sont revenus sans en être grisés et n'ont plus rien à apprendre de la vie : ils en connaissent tous les secrets et en confient quelques-uns à l'occasion. Il porte sans affectation sur tous ses vêtements, même sur sa veste d'intérieur, le mince filet rouge de la Légion d'honneur. Il rentre tous les jours vers midi et demi, et l'on déjeune à une heure autour d'une grande table où le service est dressé par la bonne, cristal, argenterie et assiettes blanches à chiffre doré. Ici, on mange bien. Pas de vert de bettes, de cardons, d'artichaut bouilli ni de gâteau de carottes. Il semble que, depuis quatre ans, toute l'énergie familiale se soit concentrée sur la nourriture et les moyens d'en acheter. « Encore une que les boches n'auront pas », soupire avec une satisfaction victorieuse le chef de famille lorsqu'il achève des ris de veau onctueux ou une exotique pintade ramenée à prix d'or par de précieuses filières. Et c'est bien la victoire qui se lit dans son regard ému. C'est un combat quotidien, c'est la guerre, la vraie, la seule qui vaille la peine, avec ses mauvaises passes et ses moments héroïques. Le ravitaillement au marché noir, c'est en toute bonne foi, sa résistance. Luc ressent confusément quelque honte au souvenir des peines quotidiennes de sa mère, de ses exploits qui lui paraissent bien minables, la longue traque sur la piste de la margarine ou du café vert sans tickets, l'attente inquiète d'un lapin quémandé à la ferme un mois à l'avance, les queues qu'elle faisait à Toulon dès quatre heures du matin pour *toucher* des oreilles de cochon — souvenir faste —, ses économies sur la peau de lait, ses purées de rutabagas et de raves. Il lui vient des doutes : tout semble si naturel ici.

Sa femme n'élève jamais la voix. Dès le premier jour, elle a mis calmement les choses au point, de façon péremptoire, autour de la grande table, devant les crosnes à la sauce blanche :

— En tout cas : moi, si j'étais ta mère et si mon fils m'avait fait ce que lui a fait Antoine, je ne le lui pardonnerais pas.

Et le fils, qui a deux ou trois ans de plus que Luc et qui n'en peut mais, ne dit rien, le nez dans son assiette. Il n'y a là aucune méchanceté. Simplement la sereine affirmation du bon sens élémentaire. C'est bien cela : elle est sereine dans ses certitudes. Le soir, elle vient border Luc, tendrement, dans son lit : il est un petit garçon sage.

Les soirées sont merveilleusement tranquilles. Plus les jours passent, plus un calme extrême s'étend sur ce quartier de Paris. Après le dîner, on sort en famille pour une lente promenade par les rues qui mènent à la Seine. Il n'y a plus de voitures, plus de circulation, à peine quelques cyclistes, et les promeneurs sont nombreux et paisibles. On salue les connaissances, on échange les dernières nouvelles de l'avance alliée. Chaque soir, près du quai Voltaire, on croise le vieux Raymond Duncan et ses disciples, adeptes du retour à la simplicité des anciens Grecs, tous vêtus de péplums qu'ils ont tissés eux-mêmes, pieds nus dans des sandales à lanières, qui vont paisiblement respirer la fraîcheur. Les Allemands n'apparaissent plus dans ces quartiers. On dit que des troupes transitent à travers Paris, la nuit, par le métro. Les arrêts de courant de plus en plus fréquents ont pratiquement arrêté toute vie active. Le métro ne fonctionne presque plus. Ce sont les grandes vacances.

Parfois, avec le fils de la maison, il va dans les piscines qui sont sur la Seine, Deligny ou le Bain royal, sous les Tuileries. Ils se laissent flotter dans l'eau tiède mais il y a trop de monde pour se sécher sur les planches au soleil. En flânant le long du quai, ils s'attardent à suivre la course des bouchons des pêcheurs à la ligne qui sont nombreux, avec tout leur attirail, leurs pliants, leurs musettes, leurs boîtes à asticots et le panier métallique accroché à une ficelle qui baigne dans l'eau où l'on voit s'agiter, en un bref éclair, les poissons qu'ils ont déjà pris. C'est un petit monde intemporel, calme et clos, fait de bavardages lents et mesurés qui ne laissent pas la moindre place au monde extérieur : échanges de recettes sur la composition des appâts, réflexions sur la malignité des poissons, souvenirs d'autres pêches, d'autres années, d'autres rivières.

Des garçons de son âge s'affairent le long des quais en pente douce, de l'eau jusqu'aux genoux, avançant pas à pas en remuant les pierres disjointes. Et il voit qu'ils chassent des écrevisses qu'ils jettent dans un sac, crissantes, d'un gris translucide. Ainsi, plusieurs après-midi de suite, revient-il entre le pont des Arts et le Pont-Neuf et, lui aussi, il se déchausse et s'acharne à retourner chaque pierre. Mais il n'a pas le coup de main. Quand il déplace un moellon, celui-ci soulève un fin nuage de vase qui brouille l'eau claire du fleuve. Parfois il entrevoit, qui lui file entre les jambes, une rapide ombre grise : trop tard. Il se fait des amis qui exhibent leurs prises. Ils se moquent de lui :

— Tu devrais laisser ton orteil devant les pierres et attendre qu'elles viennent te mordre.

Il n'attrape rien. Il rentre rue de l'Abbaye mouillé et content.

*

Il se sent bien là. Comme dans un nuage. Floconneux : à la fois présent et un peu ailleurs ; il ne sait pas bien où. Il suit, comme tous, les combats du front sur un assemblage de cartes Michelin épinglées dans le vestibule. Et puis, pendant les longs après-midi de quiétude, comme il s'impatiente devant les épingles qui fixent le front sans avancer assez vite, il commence à dessiner pour lui ses propres cartes imaginaires, à l'encre de Chine et en couleurs sur de grandes feuilles : ce sera un pays connu de lui seul, une île bien sûr, avec sa capitale, ses ports, ses villages, ses fleuves, ses voies ferrées. Quand il a terminé, il y fait débarquer ses armées pour en faire la conquête, et là le front bouge, au gré de ses impulsions stratégiques et de la puissance invincible de ses unités d'élite. Ainsi penché sur son île, il peut laisser filer des journées entières. Le soir, lorsque le siège est mis devant une ville forte, il revient sur terre pour se mettre lui-même à la tête de ses troupes, partir à l'assaut de la chambre voisine et il pilonne sur son lit à coups d'oreiller le grand garçon abasourdi qui se défend, sur le dos, en lui lançant de puissantes ruades : il bat alors en retraite sous le choc de l'artillerie lourde.

— On s'occupe de tes parents, lui répète chaque jour le maître de maison. Ta mère est à Romainville, dans la prison pour femmes. Ton père est à Fresnes.

— On ne peut pas aller les voir en prison ?

— Non. Pour l'instant, ils sont au secret. Il sera bientôt possible de leur envoyer des colis. Mais ce sera peut-être inutile. *On* est intervenu. Ils seront certainement libérés.

Luc ne sait pas qui est ce « on ». Mais l'autorité et la certitude du ton — le ton de celui-qui-sait — lui en imposent. Il en vient même à craindre que, sortie rapidement, sa mère ne lui réclame des comptes à propos des cinq cents francs qu'il a déjà dilapidés avec largesse. Il a notamment acheté un *élytroplan*, un planeur bizarre qui porte plantée verticalement en son centre une sorte de flèche empennée et que l'on lance avec un élastique : il l'a envoyé se perdre dans les hautes branches du marronnier où le vent le berce depuis plusieurs jours sans le décrocher.

Ils sont *au secret*. A bien y réfléchir, ce mot de « secret » n'est pas de bon augure. Il essaie d'imaginer la prison. Pour son père, ce n'est pas trop difficile. Il se souvient du récit qu'il a fait de sa détention en 1941 et il peut arriver à le voir seul dans sa cellule de Fresnes, le guichet et l'œilleton dans la porte, la tinette, les bruits des marmites que l'on trimbale à heure fixe dans les couloirs, les pas et les appels, les voix des prisonniers qui résonnent dans la cour, tentant de faire passer des messages d'étage à étage, de quartier à quartier, et qui arrivent par la lucarne haut placée, les cris des gardiens allemands, *« Ruhe ! »*, pour les faire taire, et les coups frappés contre la tuyauterie pour d'autres tentatives de communication. Il sait qu'on lui a certainement enlevé ses lacets et sa ceinture. (En 1941 ils l'avaient relâché sans les lui rendre et il était rentré de Fresnes à chez lui en tenant son pantalon.) Il sait qu'il doit s'obstiner à marquer sur le mur le passage des jours, comme lors de sa détention précédente, quand il s'astreignait à y inscrire chaque matin un nouveau vers de l'*Odyssée* en grec. Mais pour sa mère, c'est autre chose. On lui a dit que Romainville est un fort. Il imagine des cachots sinistres, aux murs de pierre humides. Lui a-t-on au moins laissé la livre de sucre ?

*

Aux premiers jours d'août, ses hôtes donne une *surprise-party*. Elle est très animée. C'est la fin de l'après-midi, la soirée doit se terminer tôt à cause du couvre-feu. Une quarantaine de personnes bavardent dans les grandes pièces, toutes fenêtres ouvertes sur le soleil et la brise chaude. Des jeunes gens très chics dansent sur les airs de swing du pick-up. (A l'heure du repas du soir, le courant électrique est toujours rendu pour un temps.) Les garçons sont en bras de chemise, le col ouvert. Le disque qui revient le plus souvent est celui de cette chanson :

J'ai vendu mon âme au diable
Mon pouvoir est formidable
Je n'ai qu'à faire un vœu
J'ai tout ce que je veux.

Les boissons circulent, tout ce monde a l'air détendu et sans souci, tout ce monde est très attentionné avec Luc qui regarde les danseurs, intimidé. Des gens qu'il ne connaît pas viennent lui dire quelques mots gentils. Certains hochent la tête d'un vague air de condoléance et presque tous lui répètent d'un air bon enfant que ses parents seront certainement bientôt libérés.

Près d'une fenêtre, loin du pick-up, les messieurs mûrs parlent des événements avec compétence et mesure.

— Je suis heureux de voir mon fils à l'abri. Je lui ai trouvé un emploi inattaquable de comptable. Sinon c'était partir au STO ou être réfractaire : autant choisir entre la peste et le choléra.

— Il y a des maquis sérieux.

— Vous plaisantez. Les communistes sont partout. Et les gaullistes. Et toute une pègre, qui en profite.

— C'est surtout une pitié de voir comme ces jeunes sont mal encadrés. Ce maquis qui a été liquidé dans les Alpes. Ils ne pouvaient pas faire le poids. Ils ne font pas le poids. C'est une question de commandement. La résistance manque de cadres valables. On ne s'improvise pas officier. Je sais de quoi je parle. Je suis capitaine de réserve. En 40...

— Attendons les Anglais.

— Ce de Gaulle...

Un homme jeune aux cheveux roussâtres, chemise ouverte, vient s'asseoir près de Luc et lui raconte qu'ils sont cousins.

— Tu ne me reconnais pas ? Moi je te connais.

Il lui parle amicalement. Il a la voix assurée, l'air attentif, dynamique et engageant d'un boy-scout attardé ou d'un chef de patronage ; des yeux pâles bordés de cils rares, un sourire mouillé.

— Ton père est à Fresnes ? Il ne faut pas t'inquiéter. Je connais le régime de Fresnes. Il est supportable. J'y ai passé un mois.

Il lui donne des détails que Luc connaît déjà : l'horaire, le café clair, les gardiens allemands.

— Mais ton frère, vraiment : qu'est-ce qu'il a bien pu faire pour déclencher cette catastrophe…

— Et vous, vous y étiez pourquoi, à Fresnes ?

Le garçon fait un geste vague :

— Oh !… rien, murmure-t-il.

— Mais pourquoi ? insiste Luc. Pourquoi.

Il hésite puis force son sourire au niveau supérieur, le sourire commercial du vendeur de chaussures avant la guerre :

— Rien. Faute de service.

Il se tortille, se lève et s'en va.

Faute de service ? Qu'est-ce que cela peut bien vouloir dire ? Luc va se renseigner auprès de la maîtresse de maison.

— Comment, tu ne sais pas ? Mais c'est ton cousin Bernard Maury. Il était à l'École des mines : élève ingénieur. Alors il s'est engagé dans l'organisation Todt. Ceux qui construisent le mur de l'Atlantique. Mais oui, avec l'uniforme allemand. Bien sûr. Oh ! il ne s'en vante plus ! Faute de service ? Eh bien, ça veut dire qu'il a dû faire une bêtise quelconque, comme dans toutes les armées du monde. Ou alors qu'il a piqué dans la caisse. Mais, après tout, la caisse des boches…

Luc laisse les danseurs. Il a un peu mal au cœur. C'est la limonade saccharinée. Il retourne s'absorber dans les contours de la carte de son île.

*

Dans les premiers jours d'août, les armées américaines dépassent Avranches et rompent définitivement le front allemand qu'elles prennent à revers, tandis que les Anglais continuent à clouer le gros des forces allemandes devant Caen. La IIIe armée américaine, l'armée Patton, fonce vers Alençon, la VIIe armée allemande se trouve enfermée dans une énorme poche. Sur la carte, les épingles valsent plusieurs fois par jour. Il commence à arriver à Paris, dit-on, de curieux équipages, des troupes en retraite en voitures hippomobiles ou en camions. Et vers le 10 août, alors que toute la maisonnée est attablée pour le déjeuner, le maître de maison, jovial, dit à Luc :

— Cette fois, c'est sûr. D'ici huit jours, tes parents couchent chez eux. Tous les prisonniers politiques vont être libérés pour le 15 août. Le consul de Suède a mené des négociations avec les Allemands et un accord vient d'être signé.

Il sourit, et boit une gorgée de bourgogne dans son verre en cristal et s'essuie les lèvres de sa serviette blanche. Il a l'air si sûr de lui, si tranquillement satisfait que tout semble très simple. Luc est joyeux.

— Et puis les Anglais ne vont plus tarder, maintenant. Paris sera ville ouverte. Il suffit d'attendre.

Il suffit d'attendre. Et d'écouter Radio-Londres. Le 10 août, les cheminots lancent le mot d'ordre d'une grève qui va se développer dans les jours qui suivent : « Pour faire reculer le boche, grève ! » Et le 15 août, les agents de police parisiens, devant l'intention des Allemands de les désarmer, se déclarent en grève. Même ceux de la rue des Saussaies, certainement.

Luc ne retournera pas fouiller les pierres branlantes sous le pont des Arts. Il peut désormais, lui annonce-t-on, rentrer chez sa tante attendre le retour imminent de ses parents. Il peut aussi aller voir Lady Ponte-Serra. On n'avait pas voulu qu'il y aille plus tôt : toujours la prudence. Il n'était pas prudent, paraît-il, qu'il se fît voir dans l'immeuble familial. Mais la vieille dame n'a pas admis qu'on la prive ainsi de son petit-fils, du seul membre de sa famille qui lui reste. Elle l'a dit énergiquement à la tante, au téléphone. Il semble qu'elles aient eu des mots blessants et définitifs ; car les voici dorénavant brouillées, refusant de se parler, si ce n'est pour échanger quelques brèves phrases à son seul propos.

Luc va à pied chez sa grand-mère. Il marche par les rues calmes, le long de la Seine, vers le Trocadéro. Devant le palais Bourbon et les Invalides, les chevaux de frise sont en place ; de grands portiques en fonte, fermés de barreaux, sont déployés, scellés les uns aux autres, lourds barrages antichars, barrant l'accès aux points stratégiques de la défense allemande. En dehors de ces points, pas de soldats visibles dans la ville. Place du Trocadéro, il voit déboucher une voiture découverte avec quatre officiers à son bord. Des explosions sèches claquent, la voiture tangue, dérape, continue sa course à pleine vitesse en zigzaguant sur ses pneus éclatés — les quatre têtes casquettées, très droites et très dignes valdinguant d'un bord à l'autre comme des mannequins —, puis disparaît sans ralentir dans le tunnel de verdure des marronniers de l'avenue Jean-Chiappe en faisant fuser, sous ses jantes choquant la chaussée, des gerbes d'étincelles. Mais plus loin, entre les arbres de l'allée cavalière, des soldats allemands en rupture d'unité, adossés à leur bicyclette, débitent à la sauvette, aux domestiques des habitants riches du quartier attirés par l'aubaine, des mottes de beurre qu'ils ont raflées dans les campagnes, dans lesquelles ils taillent avec leur poignard-baïonnette.

Il a vu, dans les rues, des gens s'arrêter devant des papiers placardés : feuilles de journaux de la résistance, qui relatent le soulèvement et les massacres du Vercors, les atrocités d'Asq, de Tulle, d'Oradour. A Tulle, le 10 juin, les SS ont pendu tous les hommes valides aux réverbères de la grande rue, devant la population rassemblée. Récits des tortures de la Gestapo, des yeux arrachés, des testicules brûlés, des crânes éclatés. Mais la France se soulève. La France se libère. Les gens s'attroupent, lisent en silence, et repartent sans s'être parlé, presque sur la pointe des pieds.

Il monte l'escalier de l'immeuble et passe, au quatrième, devant la porte de l'appartement familial. Une bande de papier brun la barre, tenue par deux sceaux de cire rouge et oblitérée d'un large tampon où figure la croix gammée sous l'aigle déployé. Sa tante l'a prévenu. Elle l'a chapitré : il ne faut pas l'arracher. Il la contemple, paralysé. Il sent qu'il a tort de ne pas déchirer ce bout de papier grotesque. Quel risque y a-t-il ? Décidément...

A l'étage au-dessus, c'est l'appartement de sa grand-mère. Dans la pénombre de ses volets clos pour tempérer, comme jadis au Caire, la grande chaleur, la petite vieille dame le bourre d'un épais gâteau de potiron que sa bonne a donné à cuire, après une longue queue, chez le boulanger, et lui raconte comment elle a reçu la Gestapo.

— Ils ne sont pas restés longtemps. Le chef m'a demandé où était Antoine. Je l'ai regardé dans les yeux. Il a dû comprendre, car il a reculé. Ah ! oui ! Ils ont bien vu à qui ils avaient affaire. On a téléphoné à plusieurs reprises. Des voix inconnues demandaient ton frère. J'ai fini par décrocher le téléphone pendant toute une semaine. Maintenant, il paraît que tes parents vont être libérés grâce à ce consul de Suède. Mais Antoine. Où est le petit Antoine ? Ta tante ne me dit rien. Personne ne me dit rien. On se méfie de moi. Ils pensent peut-être que je suis vieille, que je pourrais bavarder. Bavarder, moi ?

— Antoine est au maquis, dit Luc avec autorité. J'en suis sûr. Il me l'avait dit. Il va revenir pour la libération.

— J'ai fait des drapeaux pour le jour de la libération. Vous les mettrez aux fenêtres de vos chambres. J'ai pu acheter du tissu. Le drapeau anglais, toutes ces bandes croisées, c'est très difficile. Mais surtout j'ai eu du mal avec les étoiles du drapeau américain. Je ne savais pas comment les découper. C'est ton ami Philippe, celui qui habite au deuxième, qui m'a montré. Regarde.

Elle s'arc-boute de tout son corps frêle pour pousser une commode, tire un carton à chapeaux, déplie les rectangles d'étoffes tricolores cousues, et il voit que les étoiles américaines sont des étoiles à six branches dessinées en superposant deux triangles isocèles inversés : Philippe porte l'étoile jaune depuis trois ans.

— Mais le drapeau russe ?

— Ah ! non, quand même !

— Antoine voudrait certainement un drapeau russe. Il est facile à faire.

Luc salue une vieille connaissance : le chat bleu de la Vallée des Rois qui veille dans une vitrine au milieu des statuettes et des verres irisés, accroupi, très droit sur ses longues pattes de devant, le museau tendu.

Comme dans tout immeuble bourgeois, ici les appartements comportent deux entrées ; on accède à l'*entrée de service* qui ouvre sur la cuisine, par un escalier aussi lépreux que l'escalier principal est impeccablement entretenu. Luc explique à sa grand-mère qu'il descend au garage, en sous-sol, pour voir si la bicyclette de son frère y est. Il passe par la cuisine et prend, sans rien dire, les clefs de l'appartement du dessous qui y sont toujours accrochées. Il descend par l'escalier de service : comme il l'espérait, à l'étage au-dessous il voit que la porte est vierge de tout scellé : travail bâclé... Il entre. Il marche sur la pointe des pieds. Passé la cuisine, le voici dans la grande antichambre sombre. Odeur de la maison fermée, du *chez soi* quand on rentrait à la fin de l'été après une longue absence. Il n'y a pas de courant. Il entrouvre la porte du bureau de son père et s'arrête, paralysé, au milieu des piles de livres renversées : non, il n'ira pas plus loin. Dans la chambre de son frère, la perquisition a laissé des traces plus visibles encore : le lit retourné, les rayons de la bibliothèque déversés sur le plancher, pêle-mêle Platon, Bergson, Aristophane, Spinoza et l'*Histoire de la révolution russe* de Trotsky sous la couverture de deux volumes du *Vicomte de Bragelonne*. Sur la table et autour, à terre, une pile de notes, des dossiers : la campagne d'Égypte et les débuts de l'expansionnisme français au début du XIXe siècle, éléments pour une théorie des quantas, la guerre de Sécession, débuts du capitalisme moderne aux USA, a noté son frère de son écriture serrée. Sur une feuille, le début du compte rendu d'une pièce de théâtre jouée à Paris l'hiver passé, *les Mouches* d'un nommé Sartre. Tout un cahier sur *la Chartreuse de Parme* avec, dessinée d'une plume très fine, la masse ombrée de la tour épaisse où Fabrice fut captif et, en coupe, l'emplacement de son logement, en bleu l'itinéraire de son évasion, la descente le long de la muraille abrupte, le passage du fossé, les jardins autour, les arbres, les champs. Et une autre feuille, des vers, toujours écrits de sa main. De qui sont-ils. De lui ?

« De l'arbre où ce n'est pas Merlin qui est prisonnier... »

L'armoire normande en merisier claire est béante. Une blessure fraîche, trace d'un arrachement brutal, marque les battants à la hauteur de la serrure, comme si les visiteurs, pressés, n'avaient même pas pris le temps de voir que la clef était dessus, qu'il suffisait de la tourner et avaient sauvagement fracturé la porte. L'intérieur est bouleversé, mais dans la confusion un œil habitué peut encore reconstituer les différentes strates qui témoignent de toutes les étapes d'une adolescence rapidement dépassée. Dans les couches inférieures qui remontent maintenant à la surface, il y avait les feuilles d'herbier en papier buvard où se cassent les fleurs desséchées, les cartons contenant des pierres classées par ères et par genre : primaire, granits et micas... tertiaire : calcaire métamorphique grossier. Son frère lui a dit souvent : « Tu peux emporter toute la Valerane sur toi dans une petite boîte : tu y mets un fruit d'eucalyptus, trois grenats, un coquillage, un brin de corail accroché à une algue sèche, une fleur de fausse-lavande, celle qui sent le suint de mouton, des grains de genévrier... » Toute la Valerane est là, dans sa boîte, avec en prime un hippocampe séché. Derrière la grosse boîte de mécano à tiroir qu'il a toujours enviée, sous les poissons japonais de papier ou d'étoffes multicolores aux écailles de fausse nacre accrochées comme des grelots, mi-banderoles, mi-cerfs volants, prêts à être déployés pendus à des fils tendus à travers leurs chambres, comme ils l'ont fait son frère et lui certains jours de fête, il trouve un morceau d'une espèce de pâte à modeler dont il ne met pas longtemps à soupçonner la nature ; c'est un pain vert, durci, grumeleux, presque cristallisé parce qu'il est resté trop longtemps à l'air, qui répand une odeur entêtante d'amande. Du plastic. Une bonne demi-livre. De quoi faire sauter... Qu'en faire désormais ? Il referme l'armoire. Il reste là sans bouger. Il ne pense même pas à aller dans sa propre chambre : il y a trop longtemps qu'il l'a quittée. Il attend. Quoi ? Autrefois, son frère, quand il rentrait, sonnait trois coups très brefs pour se faire reconnaître et il courait pour être le premier à lui ouvrir. Personne ne vient sonner.

*

Les jours suivants, il les passe chez sa tante qui garde les garçons cloîtrés. L'oncle est bloqué à Chevigny. Toutes les communications sont coupées autour de Paris. Ils ne sortent qu'une fois par jour, pour faire des courses rapides. Dans la ville, des affiches appellent à la « mobilisation générale ». Des rues proches des Invalides et du palais Bourbon, lieux de retranchement des Allemands, commencent à parvenir des bruits de coups de feu qui vont s'amplifiant. Au cours d'une de ses brèves sorties quotidiennes, la famille se trouve prise, rue de Bourgogne, dans les tirs croisés de combattants invisibles qui, à chaque extrémité, tiennent la rue en enfilade. La retraite familiale est précipitée. De l'appartement, ils entendent dans les rues proches les énormes Tigre et les Panther qui patrouillent et, à plusieurs reprises, le ronflement sourd d'un obus file au ras des toits pour aller exploser plus loin. La radio appelle les habitants à fermer soigneusement les volets et à se tenir dans le fond des appartements lors du passage des chars. Quand Luc est fatigué d'épier par les fentes des volets les allées et venues des tanks alternant avec des voitures chargées d'hommes en civil, brassards tricolores au bras, pistolets ou fusils de chasse au poing, il ne lui reste plus, en l'absence de courant et, donc, de radio, qu'à retourner à l'agrandissement, sur sa carte, de son pays imaginaire.

Les alliés sont encore loin. La poche allemande en Normandie n'est pas réduite, on se bat avec acharnement autour d'Alençon. Les Anglais remontent vers la Seine, du côté de Rouen. Tous les ponts de la Seine sont coupés, sauf ceux de Paris. Quelles que soient la rapidité et la puissance de l'avance alliée, il est difficile d'imaginer le temps qu'elle mettra : quinze jours ? Un mois ? Davantage encore ? Est-ce dès le 17 août que la radio est conquise par l'insurrection ? « Ici, Radiodiffusion de la nation française », clament, entre reportages et communiqués, des speakers à la voix jeune qui se relayent et qui, par moments, bafouillent de fatigue. Luc aime ces voix non officielles qui se succèdent au micro, souvent essoufflées, heureuses, surexcitées, parfois contradictoires dans la passion des informations qu'elles lâchent en rafales : c'est comme s'ils étaient des gens très proches, presque familiers, il aimerait être leur ami ; il guette le retour du courant pour courir jusqu'au poste les écouter. C'est en tout cas le 17 août qu'il apprend que tous les prisonniers politiques restant à Fresnes ont été libérés : l'intervention du consul de Suède a abouti. Pourquoi n'a-t-il pas de nouvelles de son père ? Le téléphone fonctionne parfaitement. Et les femmes de Romainville ? Qu'en a-t-on fait ? Mais la radio ne revient plus sur cette nouvelle. Appels aux armes, mises en garde adressées aux Allemands qui continueraient à fusiller les insurgés faits prisonniers et ne les considéreraient pas comme des combattants réguliers, exaltation de l'héroïsme des FFI, des combattants des barricades, des gardes républicains qui ont rejoint le combat, se succèdent. La radio commente les crimes des SS, les fusillés du bois de Boulogne, les torturés du Luxembourg. Elle donne la parole à cet homme qui, boulevard Saint-Germain, avait déjà dégoupillé sa grenade pour la lancer sur un camion ennemi quand il s'est aperçu à la dernière seconde qu'il s'était trompé, que le camion portait une croix de Lorraine, et qui a préféré se faire arracher la main sans la lancer.

Le 20 août, la radio annonce une trêve. De la fenêtre, Luc voit passer, au bout de la rue, des voitures qui transportent, assis dos à dos sur leur toit, un garde républicain et un soldat de la Wehrmacht qui ont l'air aussi embêté l'un que l'autre, tandis qu'un haut-parleur annonce le cessez-le-feu à tous les carrefours. La famille peut remettre le nez dehors.

Tout le monde est dehors. Une grande animation règne tout au long des rues plutôt austères du quartier. Rue du Bac, rue de Bellechasse, rue de Babylone devant la caserne des gardes républicains, on construit des barricades avec les pavés de bois descellés et les sacs de sable de la défense passive. Des garçons de l'âge de Luc participent à la construction, font la chaîne, et il voudrait les rejoindre. La tante refuse sèchement. C'est ridicule, dit-elle. Ils sont sortis pour voir, rien de plus. Luc s'obstine.

— Ne sois pas bête, lui disent ses cousins. A quoi ça t'avancerait ?

La fièvre. La fête : il y a là des hommes de tous âges, et des femmes aussi, avec des brassards tricolores, de armes hétéroclites, des revolvers, beaucoup de fusils de chasse à double canon, certains portent de vieux casques bosselés bleu marine de la défense passive. Quelques-uns, même, portent des pièces dépareillées d'uniformes français. Luc regarde tant qu'il peut tous ceux qu'il voit autour des barricades, ceux qui passent sur les ailes des voitures, accrochés aux portières, l'arme au poing. Non, il ne voit pas Antoine. S'il osait, il leur demanderait, il se renseignerait. Peut-être y en a-t-il qui le connaissent. Mais il n'ose pas. Et surtout, s'il osait, il laisserait la famille à son spectacle, il partirait vers le quartier latin, la préfecture, l'Hôtel de Ville, où il paraît que se trouvent des barricades plus importantes, où l'on s'est déjà beaucoup battu. Mais, décidément, il n'ose pas.

Le lendemain, les combats reprennent. Ce sont les SS, dit-on, qui n'ont pas accepté la trêve signée par la Wehrmacht. Le 24 août au matin on annonce qu'une colonne américaine de trente mille hommes et de trois cents chars marche sur Paris et se trouve déjà à Arpajon. A la tombée du jour, la famille massée devant le poste de radio entend annoncer l'arrivée de trois chars à la porte d'Orléans et puis quelqu'un crie que ce sont des Français. A neuf heures du soir, ces blindés sont devant l'Hôtel de Ville. La radio appelle à faire sonner toutes les cloches de Paris.

— Téléphonez au curé de l'église la plus proche si vous n'entendez rien. Et n'oubliez pas qu'il n'est pas nécessaire d'être curé pour sonner les cloches, après tout.

Luc exige de sa tante qu'elle téléphone au curé de Sainte-Clotilde. Comment se fait-il qu'elle cède aussitôt ? Elle est éperdue d'émotion. Le curé l'engueule : il est déjà au courant. Toutes les cloches de Paris sonnent ; et, tranchant sur toutes les autres, le gros bourdon de Notre-Dame. Le lendemain, les combats se succèdent dans tout Paris, puis c'est la capitulation. De Gaulle est arrivé. Paris est libre.

Au soir de ce 25 août, la grand-mère de Luc téléphone.

— Elle demande que tu ailles la voir demain, dit la tante. Faire traverser Paris à un enfant dans ces conditions, c'est de la folie. Mais puisqu'elle l'exige. Je trouve cela irresponsable. C'est de la folie.

— Est-ce qu'elle a des nouvelles ? demande Luc.

— Je ne lui ai pas demandé. Je suppose que si elle en avait, elle me les aurait données. Mais rien ne m'étonnerait d'elle.

C'est ainsi que tôt le matin, il se met une fois de plus en marche vers le Trocadéro. Devant la gare des Invalides, face à l'entrée du ministère des Affaires étrangères, il voit le premier char Sherman. Il est calciné, la tourelle éventrée, les chenilles éclatées. Sur le blindage, une main a marqué à la craie : « Ici trois soldats français sont morts pour la liberté. » Des gens regardent en silence. A l'entrée du pont Alexandre-III, dans une encoignure du parapet, une énorme flaque de sang achève de sécher sur le goudron en une croûte épaisse, presque noire. Un homme a dû être tué là, saigné à mort : est-il possible que tant de sang s'échappe d'un seul corps ? Il la contourne. L'esplanade des Invalides est ravagée. Et puis, de l'autre côté de la Seine, sur le Cours-la-Reine, le long du Grand Palais noirci, en partie écroulé, la verrière crevée par l'incendie, il les voit. Il traverse le pont désert en courant vers la file à l'arrêt de chars kaki, beaucoup plus petits que les chars allemands, d'automitrailleuses, de petites voitures hautes sur roues avec de grandes antennes ; chaque véhicule porte, étalée à l'avant, une large toile cirée violette, presque rose, bien repérable d'avion. Il rejoint une masse de gens qui s'agitent autour des blindés. Au-delà de cette foule, il distingue, sur les chars ou devant, des rangées de petites tentes déjà dressées sur la longue pelouse, des soldats en chemise ou en blouson à fermeture Éclair, la plupart sans casques, avec des calots rouges ou des bérets de marin à pompon. Il essaye de se faufiler jusqu'au premier rang où règne une bousculade.

— C'est vrai qu'ils sont français, c'est vrai, répètent des hommes stupéfaits et incrédules. Et des commentaires admiratifs fusent, sur l'abondance, la diversité, la richesse du matériel, la simplicité des uniformes et la qualité des chaussures. Des FFI armés, brassard au bras, circulent entre les blindés, ils parlent aux soldats d'un air affairé, complice et compétent. Les soldats font monter des filles sur les chars, leur montrent l'intérieur, elles les embrassent en laissant sur leurs visages de grosses traces rouges qu'ils n'effacent pas. Du haut d'une tourelle, un homme à calot rouge lance des objets dans la foule et Luc se rend compte que c'est là ce qui provoque le bouillonnement du premier rang. Des gens se ruent sur chaque chose qui tombe, se battent et se piétinent pour l'arracher. Et il voit que tout le long de la file des soldats font de même ; ils sont en train de distribuer au hasard des rations qui semblent inépuisables, paquets de cigarettes, chewing-gums, boîtes de conserve : des milliers de mains se tendent. Lui-même est pris dans le tourbillon, il se retrouve soudain au milieu des mains tendues devant un grand gaillard en train de verser le contenu d'un gros sac qui porte des inscriptions en caractères gothiques, c'est du tabac allemand disent les gens, et la moitié se répand à terre. Machinalement il fait comme tout le monde, s'arc-boute sur ses jambes écartées, résiste avec énergie aux assauts qui le déséquilibrent, il tend ses deux paumes jointes en forme de récipient et, comme il éprouve un vague besoin de se justifier, il essaye de crier plus fort que les autres :

— C'est pour papa.

Il bourre une poche de son blouson de tabac noir qui lui file entre les doigts et se dit qu'il est idiot, que son père ne fume pas, et puis que de toute manière...

Il se dégage de la bousculade, remonte la colonne et repart vers l'Alma et le Trocadéro. Les petites voitures dont il a déjà appris dans la foule qu'on les appelle des *gip* filent le long des avenues. Des gens sur les trottoirs crient, chantent, applaudissent et agitent des drapeaux sur leur passage. Sur la place d'Iéna débouche au pas de course une troupe confuse de prisonniers allemands, tous tête nue, mains croisées derrière la nuque, précédés et suivis de FFI en désordre et encadrés d'une ligne de soldats mitraillette à la main. Des trottoirs, des hommes et des femmes les huent, hurlent, mais sans bouger. Il y a quelque chose d'incroyable dans le spectacle de cette soudaine déchéance, cet évanouissement de l'ordre et de la prestance, ces uniformes déboutonnés, cette absence d'armes, ces pansements sales, ces visages apeurés, cette réduction à un pitoyable troupeau d'hommes au regard vague qui courent. Devant le porche du musée Guimet, le concierge, casquette galonnée sur la tête, médailles et rubans pendouillant sur la veste, crie au milieu d'un groupe approbateur :

— On est trop bon pour eux.

— Oui, dit sa femme. A la gare d'Orsay, des SS ont torturé douze FFI à mort, ils en ont gardé un treizième vivant, ils l'ont forcé à boire le sang de ses camarades dans un bol et ensuite ils l'ont tué à son tour. Ce sont des monstres. Il faut tous les tuer. Et pas n'importe comment. Il faut qu'ils payent. Qu'ils se sentent mourir. Pas de prisonniers.

— Pas de prisonniers, crie encore le concierge. Qu'on les

livre aux vrais résistants. Qu'on nous les livre. Vous verrez ce qu'on en fera, nous.

Au Trocadéro, d'autres chars, d'autres attroupements. Des marchands de journaux, des titres nouveaux, *Défense de la France, Combat, l'Humanité, le Figaro.* Plus loin, devant l'immeuble familial, il voit que le concierge harangue, lui aussi, des badauds. Il n'a pas envie d'entendre une nouvelle version du bol de sang, encore moins de risquer d'être pris à témoin, et il se faufile à l'intérieur sans être vu. Il monte chez sa grand-mère. Au passage, il voit que les scellés sont toujours là.

La vieille dame tout en noir se redresse de toute sa petite taille et ses yeux brillent.

— Je vais mettre les drapeaux à mes fenêtres. Cet après-midi, nous allons voir le défilé de la victoire. C'est pour cela que j'ai demandé que tu viennes.

L'une de ses nièces travaille dans un service d'ambulances dont les bureaux donnent sur les Champs-Élysées. Elle viendra les chercher en voiture.

— Il faudra bien regarder. Nous verrons peut-être Antoine.

— Mais mes parents ?

— Je ne sais pas. Je ne sais plus. Ils auraient dû être libérés avec tous les prisonniers de Fresnes. Maintenant on me dit que les Allemands ont pu faire partir un convoi de prisonniers vers l'Allemagne le 14 août. Je ne sais pas. Ta tante devrait savoir, elle. Elle ne me dit rien. Tes parents étaient peut-être dans ce convoi. Non, ce n'est pas possible.

Et son visage se tord.

— Non, dit Luc. Ce n'est pas possible.

*

Parce que, c'est vrai, tout le monde le lui a bien répété depuis plus de quinze jours : ce n'est pas possible. Il ne fallait pas s'inquiéter. Il y avait cette négociation en cours. Le consul de Suède, si généreux. Et puis la France entière en armes, les cheminots en grève totale depuis le 10 août, les nœuds ferroviaires harcelés, anéantis, les ponts coupés, le trafic paralysé : de toute manière les Allemands avaient d'autres priorités face à la rupture du front — des renforts à acheminer, la retraite à assurer — que de faire partir un convoi de prisonniers. La dernière fois que Luc a vu son hôte de la rue de l'Abbaye, c'était le 15 août et il a été ce jour-là plus assuré, plus informé, plus *au courant* que jamais :

— Maintenant, ce n'est plus qu'une question d'heures. Nous boirons tous ensemble le champagne de la libération. J'ai les bouteilles. Le consul a tout réglé. D'ailleurs les Allemands n'ont plus le choix. Avec l'atmosphère qui règne dans Paris depuis quelques jours, il ne serait pas pensable qu'ils puissent encore emmener un convoi de prisonniers. Ils le savent.

*

Pas possible. Pas pensable. C'est le 15 août, avant minuit, que le convoi transportant les prisonniers politiques est parti de la gare de Pantin. Les journées précédentes, ordres et contrordres s'étaient succédé dans la prison de Fresnes, épuisants. Enfin dans l'après-midi du 15 août les prisonniers ont été massés pour le départ dans la cour de la prison. Les hommes et les femmes se faisaient face. La mère du Chat était à Fresnes, contrairement aux informations sûres qui avaient été données à Luc et ses parents se sont vus, de loin, perdus dans la masse des prisonniers debout qui chantaient : « Oui, nous nous reverrons, mes frères. Ce n'est qu'un au revoir. » Ils ont été harangués et prévenus qu'à toute faute de discipline ils seraient privés d'eau et que des hommes seraient fusillés.

— Et vous savez ce que c'est que de manquer d'eau un 15 août ?

On les a fait monter dans des autobus parisiens vert et blanc, d'honnêtes autobus, vieux éléments familiers des temps révolus, et cela a dû faire un drôle d'effet à plus d'un. Chaque autobus était conduit par un chauffeur français, un employé de la TCRP, avec sa casquette, doublé d'un SS, mitraillette à la main. Le bruit a circulé parmi les prisonniers que ces chauffeurs avaient été menacés d'être emmenés dans le convoi s'ils refusaient de conduire leur autobus et que certains, même, avaient été roués de coups. Ils ont traversé Paris. La ville n'était guère animée, mais ils avaient oublié que cela puisse encore exister, des gens qui circulent librement dans une ville, ils en étaient presque stupéfaits. Les passants les regardaient avec étonnement et tristesse. Parmi ceux-ci, plusieurs hommes se sont découverts en les voyant. A la gare de Pantin, ils ont été entassés dans des wagons à bestiaux sans eau et sans tinettes. (Quelqu'un, dans le wagon de son père, a fait remarquer que c'était probablement une chance qu'il n'y ait pas de tinettes : les Allemands seraient bien forcés de les faire sortir régulièrement ; ils prendraient un peu d'air ; tandis qu'avec des tinettes dans le wagon, celles-ci, rapidement pleines, pueraient et déborderaient ; il connaissait ces choses-là, il avait déjà fait partie d'un transport. Il en avait une grande expérience. Un déporté, plus tard, l'écrira : « C'est plein de gens raisonnables, ces voyages ».) Les Allemands leur ont distribué une boule de pain. Puis des gens de la Croix-Rouge, catastrophés, un colis de nourriture qui contenait notamment du boudin en boîte. Les portes ont été verrouillées. L'attente a recommencé. La plupart d'entre eux n'ont pu suivre ce qui s'est passé à la queue du convoi. Est-il exact que des miliciens et leurs familles en fuite, chargés de bagages, des *souris grises,* ont tenté de prendre des wagons d'assaut et d'en déloger les déportés ? Ce train était pour eux celui du dernier espoir. Ils étaient fous de panique. En tout cas, dans leurs wagons, les prisonniers n'en ont rien su. Ils entendaient des cheminots, passant le long du convoi, qui leur criaient à travers les parois des wagons de ne pas perdre courage, qu'ils ne partiraient pas, que de toute façon le train ne passerait pas, qu'il ne pouvait pas dépasser Châlons. Ils ont encore chanté *le Chant des adieux.* Le train est parti avant minuit. Il avançait lentement, cahotant sur des voies disjointes, avec de fréquents arrêts. Les gardiens faisaient descendre régulièrement les prisonniers quatre par quatre pour qu'ils se soulagent, en rang, le long du convoi. Mais comme ces sorties étaient trop espacées, on a dû bientôt, dans les wagons, utiliser les cartons de la Croix-Rouge et des seaux à confiture. Il était impossible de s'étendre. Il y a eu les arrêts interminables sous le soleil chauffant à vif la fournaise des wagons, les attentes dans la nuit, les alertes. A un moment du voyage, le train est resté bloqué plusieurs heures dans un tunnel, dans l'obscurité totale, la fumée les faisait suffoquer. Finalement il a fait machine arrière. On les a fait descendre. On les a formés en colonne, les femmes devant, et ils ont marché trois kilomètres, jusqu'à Nanteuil-Saâcy. Les femmes avaient entendu dire que les hommes n'avaient pas de colis. Beaucoup ont laissé tomber les leurs par terre pour qu'ils puissent les ramasser. Des habitants qui les ont vus passer ont recueilli des messages. On les a fait remonter dans un nouveau train. Les wagons de marchandises étaient vieux, souillés de crottin de cheval et de charbon. On leur a donné de la paille : des bottes de blé non battu. L'espoir les soutenait toujours, ils s'accrochaient à cette certitude : ils ne dépasseraient pas Châlons. Ils ont dépassé Châlons. Avant Strasbourg les secousses des roues sur la voie bombardée et réparée en hâte sont devenues insoutenables : ils ne pouvaient toujours pas s'allonger. C'était la troisième nuit, celle du 17 au 18 août. En Allemagne, des civils s'attroupaient pour assister, hilares, au spectacle des femmes assouvissant leurs besoins, en rang, au pied des wagons. Dans le wagon de la mère du Chat une femme est devenue folle. Elle délirait et souillait d'excréments tout l'espace autour d'elle. A un arrêt, ses compagnes ont demandé qu'on l'évacue. « Que les Françaises crèvent », a répondu le chef de gare. Le 20 août, le train est arrivé à Weimar, les hommes ont été débarqués. Les femmes ont continué vers Ravensbrück. Le convoi a stationné longuement dans la gare de Berlin. A l'approche du camp, elles ont pensé que le cauchemar se terminait. Certaines ont changé de chemisier.

La nièce ambulancière, lorsqu'elle vient les chercher, annonce à la grand-mère de Luc que son fils et sa belle-fille ont été emmenés dans ce convoi.

— Ils n'atteindront pas la frontière, dit-elle. C'est impossible.

*

Luc et sa grand-mère sont au balcon du deuxième étage d'un immeuble du haut des Champs-Élysées, à une centaine de mètres de l'Arc de triomphe : debout, sur la pointe des pieds tous les deux pour voir au-dessus de la lourde rembarde de pierre, serrés parmi d'autres. Ils voient passer de Gaulle, au milieu d'une foule qui hurle de joie. Il avance, détaché d'un front mouvant et mélangé de civils et de militaires. Il agite les avant-bras comme un chef d'orchestre de ce geste ample et répété qui deviendra historique et familier. Derrière vient le défilé de la Deuxième DB, le déferlement des chars, half-tracks, chasseurs de chars, canons autotractés, les jeeps, les command cars, les camions GMC et même des voitures amphibies, portant des spahis, des légionnaires, des fusiliers marins — et parfois il en est un qui descend de son engin en marche et qui se met à courir vers la foule, les bras tendus, et on le voit, au milieu des remous, qui étreint quelqu'un — et, pour couronner le tout, quand le bruit assourdissant des blindés est à son paroxysme, un énorme Tigre allemand portant, peinte en blanc, une croix de Lorraine, écrasant tout le reste de la masse de ses cinquante tonnes, tandis que, derrière, suit le flot disparate des FFI en armes sur lesquels la foule déferlante se referme. Comment fixer un visage dans cette multitude ? Il a essayé.

— Je n'ai pas vu Antoine, dit-il à sa grand-mère.

— Quel désordre, dit celle-ci, légèrement réprobatrice.

Ils sont déjà redescendus dans la cour quand la fusillade éclate. Les coups de feu, les rafales de mitraillette jaillissent de partout et de nulle part — du sol ? des fenêtres ? des toits ? —, et rebondissent entre les murs de la cour qui font caisse de résonance. Des voix hurlent : « Abritez-vous, abritez-vous, ce sont des miliciens, des salopards sur les toits. » Tout le monde s'est réfugié sous les porches. Des FFI, l'arme au poing, se dissimulent derrière des piliers, la tête levée vers le ciel. La grand-mère de Luc, qui vient de s'asseoir sur le siège avant de la camionnette-ambulance qui doit les ramener, reste seule, abandonnée, au milieu de la cour. Dans le bruit de tonnerre et les pétarades il ne l'entend pas, mais il voit qu'elle crie, la bouche tordue par la peur, et il s'étonne qu'à quatre-vingt-six ans on puisse encore avoir si peur de la mort. Tout le monde a-t-il, toujours, peur de la mort ? Coincé par le reflux des gens paniqués, il ne peut pas bouger ; mais, surtout, il n'ose pas : il a peur, lui aussi. Il crie à son voisin, un grand garçon calme qui fume la pipe :

— Ma grand-mère est là-bas. Dans la voiture.

Le garçon répond quelque chose qui se perd dans le vacarme et hausse les épaules. Il sort sans se presser, traverse la cour toujours débordante des crépitements qu'amplifient et se renvoient les murs, il va ouvrir la portière de la camionnette, donne le bras à la vieille dame qui le suit à petits pas. Alors seulement Luc se sent pris de honte, il sort à leur devant, des gens crient encore, « Abritez-vous, abritez-vous », mais la fusillade décroît, semble se déplacer plus loin comme un orage poussé par le vent, d'autres sortent à leur tour.

Plus tard, quand ils sont de retour à la maison, la vieille bonne qui a été, elle aussi, assister au défilé, mais dans la foule raconte qu'elle a rampé comme tout le monde, des dizaines de milliers de personnes couchées sur la chaussée, faisant plus de cent mètres à plat ventre, pendant que le feu crachait de toute part. Pourquoi ramper ? Pourquoi se coucher, se demande Luc : vus des toits, les gens sont encore une meilleure cible couchés que debout, non ? Mais il n'y était pas. Il aurait probablement rampé comme tout un chacun. Ne serait-ce que pour ne pas se singulariser. Maigre comme il est, il aurait été bien abrité par les fesses de ses voisins.

— Je n'ai pas vu Monsieur Antoine, dit la vieille Gilberte. Le *petit* Antoine. Ils étaient bien gentils tous ces fifis, mais il y en avait tant.

*

Luc a son idée. Il téléphone d'abord à sa tante. Il lui annonce que sa grand-mère le garde à coucher. Elle approuve chaleureusement. Elle vient elle-même de ramper pendant une heure. Ensuite, il explique à sa grand-mère que sa tante exige qu'il rentre ce soir, après le dîner.

A la nuit tombante, dans la pénombre de l'immeuble privé d'électricité, il s'en va, après avoir pris encore une fois, dans la cuisine, la clef de service de l'appartement du dessous. Il part en direction du Cours-la-Reine. Il veut parler avec les soldats. Et, si possible, marcher plus loin encore, en voir d'autres, en voir le plus possible. Trouver Antoine. Avoir des nouvelles d'Antoine.

Mais chaque fois qu'il rencontre un groupe de blindés en arrêt, des soldats ou des FFI qui bivouaquent, il n'ose rien dire, muet et paralysé au milieu des attroupements toujours renouvelés de gens qui continuent à clamer leur enthousiasme. Il voit encore distribuer des paquets de cigarettes, il hérite de Camel et de Lucky Strike qui sentent le miel. A minuit, il se retrouve harassé sur le Cours-la-Reine. La foule s'est clairsemée, des soldats et des FFI bavardent en buvant du vin et en fumant, certains se glissent avec des filles sous les tentes. Il fait très doux. Il s'assied sur la chenille d'un char et reste là, dans l'ombre, silencieux. Une voix tombe de la tourelle :

— Hé ! le gosse ! qu'est-ce que tu fais là ?

— Je cherche mon frère, dit le Chat.

— Il est dans la Deuxième DB ? Ici, c'est les marsouins. (C'est joli, *marsouin*, pense le Chat. On en voyait jouer en bande, au large, par grand mistral, sous le soleil. Avec son frère, il suivait leurs jeux dans la grande lorgnette en cuivre. Un jour de tempête, il en est venu un s'échouer sur les rochers du cap. Ils l'ont retrouvé au matin, la mer s'était calmée, il vivait encore ; ils ont réussi à le repousser dans l'eau, il a plongé dans une grande gerbe qui les a éclaboussés et il a filé, sans les remercier.) Une ombre descend jusqu'à lui le long de la paroi du char, il distingue une moustache, des lunettes, un béret de marin.

— Non, dit le Chat, je ne sais pas. Il est parti de Paris il y a plus d'un mois, il était recherché par la Gestapo. Je sais qu'il est parti se battre. Alors forcément, il est revenu pour la libération. Je le cherche.

— Tu ferais mieux de rentrer chez tes parents.

— Mes parents ne sont plus ici.

Il a du mal à sortir ces mots-là. Ils tremblent un peu en passant dans sa gorge. Il se sent à la fois pitoyable et ridicule. *Sans famille* (le bon chien Capi). C'est un rôle auquel il n'est pas encore habitué. Il a du mal à y croire lui-même.

— Ils sont où, tes parents ?

— Ils ont été arrêtés par les Allemands. Je crois qu'ils les ont emmenés en déportation.

— Tu es juif ?

— Non.

— Tant pis... *Nobody is perfect.*

Le Chat devine un sourire qui se dessine sous la moustache.

— C'est parce qu'ils étaient de la résistance.

— Moi je suis juif.

— Vous êtes d'où ?

— Je suis parti de Paris avec mes parents en 1941. J'avais quinze ans. Je faisais des études musicales. Je préparais le conservatoire municipal. Tu te rends compte : aujourd'hui, mes doigts... Nous avons passé la ligne, toute la famille, du côté d'Autun. Nous avons marché longtemps dans la nuit. Nous étions tout un groupe. Mon père portait deux grosses valises, il peinait et je souffrais pour lui. Moi je portais ma sœur sur mes épaules. Elle a éclaté en sanglots de fatigue : elle ne pouvait plus marcher. Je me souviens que le passeur lui disait : « Ne pleurez pas mademoiselle, il ne faut pas pleurer, on pourrait vous entendre. » Il nous a laissés devant un grand champ, il nous a dit : « C'est là, je vous laisse, vous n'avez plus qu'à marcher devant vous, jusqu'à la route, vous la traverserez, il y a une patrouille toutes les heures. » Mon père lui a offert de doubler le prix, il n'a rien voulu savoir, il répétait qu'il avait respecté son contrat, que nous étions sur le bon passage. Les autres familles ont décidé de rebrousser chemin. Nous avons continué et nous sommes passés. Je n'ai jamais eu aussi peur de ma vie. Ensuite nous avons été chez des paysans, dans le Massif central, des protestants.

— Pourquoi n'êtes-vous pas resté, demande le Chat.

— C'est vrai. Nous étions bien. J'aurais pu rester. Pourtant je suis parti en 42, j'ai fait six mois de prison chez ces salopards d'Espagnols. Je suis heureux d'être revenu comme ça à Paris. Je suis retourné aujourd'hui chez nous, rue Vieille-du-Temple. J'ai vu les nouveaux locataires. J'ai vu la concierge. D'abord ils ne m'ont pas reconnu. En voyant mon uniforme, des gens sortaient avec du champagne. Quand j'ai dit qui j'étais, la concierge a eu l'air incrédule, ému et gêné. J'ai cherché nos voisins, il n'y en avait plus aucun que j'aie connu, j'ai demandé de leurs nouvelles et j'ai compris.

Il marque un temps.

— J'espère que ton frère est revenu à Paris, comme moi. Ça vaut quand même la peine, la libération.

Une autre voix part, près d'eux.

— Qu'est-ce qu'il faisait ton frère ?

L'éclair d'un briquet qui fait briller une mitraillette, des brassards, les visages mal rasés de deux civils, des FFI.

— Tu veux une cigarette, le gosse ?

Il allume avec assurance sa première cigarette américaine qui lui semble très douce.

— Il était étudiant. Il a fait des attentats. Contre des officiers.

Il ne sait plus bien quoi dire. C'est une histoire qu'il n'a encore jamais essayé de raconter. Il n'avait pas encore imaginé qu'il pourrait, un jour, en parler, à d'autres, librement, comme cela. Et jusqu'ici ce n'était même pas encore une histoire, son histoire. Il ajoute, au hasard :

— Il avait un pistolet.

— Il était gonflé, ton frère, dit le garçon à la mitraillette. Et il a eu de la chance : des armes... Nous, à Vanves, jusqu'à la semaine dernière, pour un groupe de quinze, on n'a eu qu'un seul vieux flingue. Un Manhurin. On se le prêtait. Il fallait le changer tout le temps de planque. Les parachutages, ça n'a jamais été pour nous. Il fallait récupérer sur les Allemands. La seule fois que j'ai essayé, avec des copains, ç'a été la Bérésina. D'abord le premier qu'on a coincé, dans la rue, il se méfiait : c'est lui qui a sorti son flingue et on s'en est tiré de justesse. Et quand finalement on a coincé un SS à la sortie d'un Soldatenheim, les camarades étaient surexcités, ils lui ont cogné dessus à coups de barres de fer qu'ils cachaient dans leurs manches, il criait comme un porc qu'on égorge, sa petite amie couinait aussi fort que lui, il essayait de se protéger la tête avec les mains, les barres de fer lui cassaient les mains, et le sang partout : une boucherie. Pour finir, le connard, il n'avait pas d'arme, son étui était vide. Tu parles d'une honte. Heureusement que les autres Allemands qui voyaient ça, de loin, ont eu encore plus peur que nous. Mais ce pauvre type... Après tout, à l'heure qu'il est, il est peut-être content d'être peinard à l'hôpital.

— C'est vrai, dit l'autre, que des armes on n'en a jamais reçu. On n'était peut-être pas très populaires, plus haut. En juin, on a quand même eu du plastic. Avec des jeux de crayons de détonateurs. Une couleur différente suivant la durée de mise à feu. Le seul problème c'est qu'il n'y avait pas de mode d'emploi : impossible de savoir à quel délai correspondait chaque couleur. Ça pouvait sauter dans dix secondes comme dans une heure. Quand on mettait ça sous le réservoir d'un camion, tu parles d'une corrida. Une fois, en en posant un, voilà que je m'aperçois qu'il y avait déjà un pain de collé, un copain était passé avant moi. J'ai salement cavalé.

— On a voulu s'engager dans la Deuxième DB, cet après-midi. On est un groupe FTP. On ne veut pas se séparer. Pas d'engagements en groupe : rien que des engagements individuels. Cas par cas. Comme s'ils se méfiaient. Qu'est-ce qu'on a ? On n'a pas le genre qu'il faut ? On a une maladie honteuse ?

— Ici c'est select, dit le marsouin. L'élite. Au début, au Maroc, ce n'était pas pareil.

— A Paris, il y a déjà des gens qui disent que la guerre est finie. Les étudiants que je connais, ce qui les inquiète, c'est de savoir s'il y aura des examens de rattrapage en octobre. Nous, on voudrait vraiment voir comment tout ça va se terminer. Je ne veux pas lâcher. Je veux y être. Et puis après, quand ce sera vraiment la paix...

— Tu reprendras tes études ?

— Je ne sais pas si je pourrai. J'espère qu'il y aura autre chose à faire que de reprendre ses études. Qu'on ne se sera pas battu pour recommencer les mêmes chansons. Qu'on pourra changer les choses. Sinon, j'irai ailleurs. Changer d'air. Respirer de l'air pur. Avec des camarades, nous avons un projet. Un grand projet : une radio très puissante qui émettra pour le monde entier. Chaque peuple fera connaître aux autres son histoire et ses richesses. Avec ça, plus de guerre possible. Nous l'appellerons Radio-Sucre. Parce que nous l'installerons dans la capitale la plus haute du monde, et cette capitale, c'est Sucre, en Bolivie, au milieu des Peaux-Rouges.

— Tu es sûr que c'est la capitale la plus haute du monde ? demande le Chat.

— Non. Mais ça n'a aucune importance. Radio-Sucre sonne bien, c'est ce qui compte.

— Moi aussi, dit le marsouin, moi aussi je voudrais aller jusqu'au bout. Après je ne sais pas. Il sera peut-être temps d'aller voir ce qui se passe en Palestine. Expliquer à ces cons d'Anglais que si on s'est battu contre les nazis, c'est bien pour qu'on foute la paix aux juifs, une fois pour toutes. Une vraie terre. Une liberté nouvelle. Alors après, seulement : la musique.

Des grésillements ; une voix déformée par la radio appelle, à l'intérieur du char. Le marsouin remonte. Le bruit d'un mouvement confus se propage tout le long de la colonne.

— On part à cinq heures, direction Saint-Denis, dit-il en redescendant. Il va falloir mettre de l'ordre dans les tentes. Virer ces demoiselles.

— J'espère qu'on suivra, dit l'un des FFI.

— Le gosse, dit encore le marsouin, tu vas nous donner le nom de ton frère. Et ton adresse. Tiens-moi mon briquet.

Une épaisse odeur d'essence. La flamme éclaire un petit carnet déchiré. Des photos entre les pages, photos de filles, surtout. Des feuilles griffonnées. Le Chat dicte son nom.

— Comme l'historien, remarque l'étudiant FTP. C'est un parent à toi ?

— C'est mon père, répond le Chat. Ou, aussi, mon grand-père.

— Et toi, ton prénom ?

— Luc. Mais mon frère m'appelle le Chat.

— C'est joli. Tu as de la chance. Tiens, le Chat, garde mon briquet. Prends-en soin. J'espère qu'on se retrouvera. Tu me présenteras ton frère. On en aura des choses à se raconter. Voilà mon nom à moi ; je te l'ai écrit sur ce papier. Julius Kleinberg. Et rentre chez toi.

Il dit au revoir aux FFI. Il leur donne ses paquets de cigarettes. Il aimerait bien ne pas les quitter. Il était bien avec eux. Vraiment en famille. Il aurait voulu les suivre. Jusqu'en Allemagne. Jusqu'en Amérique : jusqu'à Sucre, chez les Peaux-Rouges, au-dessus des Andes. Jusqu'en Palestine.

Il remonte dans l'obscurité presque totale vers le Trocadéro. Çà et là des bouffées de phonographe, des chants, des rires. Rires de femmes, en cascades, surtout. Un autre convoi stationne avenue Kléber. Du trottoir vide lui parvient, très proche, une voix d'ivrogne qui monologue en vociférant :

— Alors je lui ai dit, tu me fais pas peur, des salopards comme toi, j'en ai vu d'autres, les boches ils m'en ont fait assez baver, je vais te montrer. Tu sais ce que je lui ai fait, à mon boche ? La tête dans l'étau et la scie à métaux. Ah ! il a gueulé ! Jusqu'au bout. Il a bien fini par se taire, le salopard. Moi j'ai pas eu peur. J'ai pas peur. Je lui ai montré.

Le Chat a peur et il change de trottoir.

*

Il est à nouveau dans le grand appartement désert. Obscurité totale. Paris est entièrement privé de lumière. Il est passé par le garage, il a monté à tâtons l'escalier de service. Il tâtonne encore, de pièce en pièce. Le paquebot est abandonné à quai par son équipage et ses passagers. Peut-être même à la dérive. Il se dit qu'il ne prendra plus jamais le large. Il ne retrouvera pas les ports lointains et familiers, la chaleur, la lumière, le mouvement.

Il n'y a jamais eu de petit avion sur le toit : chimères et contes d'enfants. Il veut gagner sa chambre mais une fois encore il passe dans celle de son frère, gagne le lit en butant sur les objets qui jonchent le sol, et s'y pelotonne sans se déchausser, aux aguets, cherchant à saisir le moindre bruit, un simple signe de vie, quêtant une odeur familière, celle de toutes les années de son enfance, qu'il retrouve un instant en plongeant le visage dans les draps et l'oreiller. Il ouvre grands les yeux dans le noir. Il ne sent aucune présence. Il peut toujours imaginer que rôde l'homme à la cuillère qui traverse les pièces en silence, sans musique, pour y ramasser les dernières parcelles de vie qui traînent encore et les verser dans sa marmite.

Il doit être plus de deux heures. Les sirènes, toutes les sirènes du quartier sonnent l'alerte. Puis dans le silence reformé vient s'inscrire le grondement d'avions volant assez bas. Le Chat reconnaît clairement le ronflement très particulier, cette espèce de pétarade basse et assourdie, des Junkers-52. La fenêtre est balayée un instant par des projecteurs. Des rafales de mitrailleuse, puis les coups rapprochés, très secs, d'un canon à tir rapide, éclatent assez loin : rien à voir avec la violence fracassante des batteries de DCA allemandes auxquelles il a été habitué. Puis, plus loin encore, vers l'est, comme si cela venait des confins opposés de la ville, un grondement d'orage qui doit être celui des bombes. Un avion passe, encore isolé. Et à nouveau le silence. Les Allemands ont bombardé Paris.

Quand il sort, au matin, l'avenue Henri-Martin est sillonnée par un convoi de chars et de camions américains qui foncent sans s'arrêter. Les gens forment une haie très épaisse, ils applaudissent, tendent les mains. Une boîte de conserve kaki jetée d'un char tombe juste à ses pieds. Surpris, il la ramasse avant tout le monde : *cheese*.

Chez sa tante, ses cousins lui montrent leur moisson de la veille : une variété impressionnante de paquets de cigarettes, des plaquettes de chewing-gum à la menthe et à la banane, et même du chewing-gum dentifrice. Il est vexé de ne pouvoir rivaliser : il est minable. Le tabac allemand s'est évadé de sa poche décousue, il n'en reste plus qu'une poudre noirâtre. Seule la boîte de fromage qui révèle un intérieur rose, onctueux, parfumé au lard fumé lui attire l'estime de sa tante. Le briquet, c'est une autre affaire. Il le sent dans la poche de sa culotte, contre sa cuisse. Il ne le montre pas.

Le bombardement allemand a touché le quartier de la Halle-aux-Vins. La famille est descendue aux abris, comme tous les gens de l'immeuble. Sa tante lui demande si sa grand-mère l'a fait descendre dans la cave et il répond avec assurance que non — il sait d'ailleurs qu'il n'a entendu aucun mouvement de transhumance dans la maison. Elle s'agite, irritée, et dit que c'est irresponsable.

— Mais pendant toute la guerre, on n'est jamais descendu aux abris.

— Ce n'est pas la même chose. Cette fois, c'étaient les Allemands.

Dans les jours qui suivent, il monte avec ses cousins sur le toit en pente ; ils s'accroupissent derrière les cheminées et observent la ronde des avions américains dans le ciel de Paris, gros transports Dakota, petits appareils d'observation Piper-Cub. Ils sortent dans les rues et, une fois, ils rencontrent près de chez eux, longeant craintivement les murs, une femme tondue, enveloppée dans un imperméable dont elle retient le haut fermé d'une main crispée, le visage gris, défiguré par les larmes et la morve qui ruissellent, suivie à distance d'hommes qui la traitent placidement mais avec persévérance de salope et de putain.

— Venez, dit la tante énervée aux trois garçons qui restent plantés là. Ne regardez pas. Ce n'est pas un spectacle pour vous.

Il trouve que, décidément, il y a des moments où elle est marrante, la tante.

*

Une semaine plus tard elle leur apprend, joyeuse, que Chevigny est libéré, qu'elle a des nouvelles de son mari et qu'ils vont tous y partir. Les trains ne remarchent pas, ils vont prendre un camion qui part le matin de la porte de la Chapelle et charge des passagers.

Tous ces jours, il a encore cherché son frère dans Paris. Il sait maintenant qu'il n'est pas là ; il a dû aller ailleurs, plus loin, dans un de ces maquis du Centre ou des Alpes, dans les montagnes, ces zones libérées dont il lui racontait que la résistance avait déjà pris le contrôle avant même la chute de Vichy. On a appris la nouvelle du débarquement de Provence et il se dit qu'Antoine remontera peut-être du Sud avec les libérateurs. Il sait aussi que ses parents sont dans des camps en Allemagne, et sa tante lui répète que les prisonniers politiques y sont bien traités.

Un matin, au petit jour, il monte avec la famille et une dizaine d'ombres frileuses dans une grosse camionnette bâchée à gazogène, et chacun s'installe comme il peut sur des caisses et des ballots. Il reste assis à l'arrière ouvert sur la route qui file sous lui, il ferme les yeux et se raconte qu'il est dans un blindé, qu'il fonce avec ses troupes vers l'Est et qu'il va rejoindre son frère. Et après... Eh bien ! après, ils sont tous les deux sur la route de Battambang à Siem Réap, ils avancent vers Angkor entre les files de banians, peut-être même sur le dos oscillant de l'éléphant Bahadour Shah. Et après, encore... Le gros marchand de bonbons de Chevigny qui fait le voyage avec eux lui enfonce violemment un coude dans les côtes. Ils sont à Creil et s'arrêtent pour une pause dans un paysage lunaire d'entonnoirs profonds où stagne une eau jaune, au pied des ruines des rampes de lancement des V 1 dirigées vers Londres. Le long des gravats des maisons écroulées qui n'ont pas encore été déblayées poussent déjà des mûres, qu'ils cueillent en attendant que le chauffeur ait fini de fourgonner dans son gazogène agonisant.

5. L'asile et la grenade

On ne dit pas l'hôpital, ont dit l'asile. Mais on ne dit jamais les fous, on dit toujours les malades — même si l'on n'en pense pas moins. Et l'on ne devrait pas dire gardien, mais infirmier : on l'oublie souvent.

Chevigny est une grosse bourgade, avec un hôtel de ville moyenâgeux restauré par Viollet-le-Duc sur la rue principale grossièrement pavée qui monte, bordée de commerces, vers une collégiale d'un gothique finissant, épais, paysan. Toute la vie de Chevigny tourne, directement ou indirectement, autour de l'asile. Les six mille habitants de Chevigny sont concernés, même de très loin, même quand ils n'y travaillent pas, par ce complexe qui répartit quelque neuf mille pensionnaires entre les bâtiments centraux et leurs annexes lancées en tentacules aux abords de la ville.

Luc connaît bien Chevigny pour être venu à plusieurs reprises y passer quelques jours, aux vacances, avec son frère. Il est habitué à la maison du docteur, son oncle, un grand pavillon de brique à deux étages, au fond de son jardin. Elle donne sur la ruelle étroite qui conduit à l'entrée principale de l'asile : large portail épais de métal plein à deux battants, flanqué d'une porte étroite pour les piétons et d'une conciergerie. L'asile est entouré d'une très haute muraille. De l'autre côté de la ruelle, un autre mur aveugle clôt la prison de la sous-préfecture : de la fenêtre de sa chambre, il peut voir au-delà de ce mur, juste en face de lui, des figures s'encadrer dans les fenêtres basses à barreaux de la prison, bâtiment carré au crépi rongé construit il y a quelques cent ans. Il peut voir aussi, au-delà du portail de l'asile, les allées de macadam grises et de gravier, les étroites pelouses chauves plantées d'arbres sévèrement taillés et les longs bâtiments vétustes qui les bordent. Tout de suite après l'entrée, sur la gauche, s'étend une rangée de petites constructions basses délabrées, des sortes de niches accolées les unes aux autres dont les portes arrachées s'ouvrent sur des murs qui s'écroulent : ce sont les anciens cabanons où l'on enchaînait les forcenés, aujourd'hui abandonnés pour des raisons humanitaires. Les allées qui se croisent à angle droit sont vastes et vides. Quelques petites taches bleues, des *malades* en uniforme, s'y déplacent lentement comme des limaces, ou stationnent, figées, au seuil des bâtiments. Dans la ruelle, sous sa fenêtre, les heures sont chaque jour scandées par les mêmes bruits : passage des relèves du personnel, troupes pressées des travailleurs de l'asile qui se croisent en s'interpellant et empruntent la porte étroite. Le portail, lui, ne s'ouvre que pour quelques fourgons de livraisons, parfois une ambulance ou une camionnette de la gendarmerie, et, surtout, pour le corbillard traîné par un cheval et conduit par un seul homme : c'est, à cette époque, le plus fidèle passant du portail : il lui arrive de franchir plusieurs fois par jour les murs de l'asile. Il n'est pas besoin d'aller regarder pour reconnaître avec certitude le ferraillement des roues, le pas du cheval et le bruit du portail que l'on ouvre.

Car on meurt beaucoup, en 1944, à l'asile de Chevigny, comme dans beaucoup d'hôpitaux psychiatriques et d'asiles de France. Déjà pléthorique en temps normal, parce que dépotoir où se déversent tous les départements du nord et de l'ouest de Paris, il a encore considérablement accru sa population du fait de l'évacuation d'asiles plus éloignés, et notamment de celui de Rouen. Pour les autorités, face à la pénurie et à la disette générales, les fous ne font pas partie de la population utile. Mais cela, Luc ne le comprendra que beaucoup plus tard. Pour l'instant le corbillard qui passe et repasse est un élément du décor quotidien. Tout est calme. Il ne connaît du monde de l'asile que la vie paisible dans cette maison de brique ombragée de marronniers. Une domesticité nombreuse, serviable, paisible, œuvre sans hâte. L'entretien, aux frais de l'asile, d'un vaste potager et d'une basse-cour bien fournie, la fourniture quotidienne par l'administration de longs pains frais marqués de l'initiale du docteur par une arabesque de pâte en relief sur le plat de la croûte, contribuent à un bien-être sans heurts. Les domestiques sont tous des malades de confiance. Vêtus de bleu, toile ou gros drap suivant la saison, une lourde jupe très longue pour les femmes, le crâne tondu pour les hommes, des gros godillots ou des sabots aux pieds, ils regagnent l'asile leur journée terminée. Édouard, le jardinier qui soigne les lapins avec amour, les saigne et les écorche avec dextérité, est connu pour son extrême gentillesse avec les enfants. Les garçons l'adorent. Il égorgea, paraît-il, sa femme et ses enfants, vers 1932, dans un accès de jalousie et de delirium tremens ; encore a-t-il fallu pour le savoir que, très fortuitement et assez malencontreusement, le père de Luc le reconnût lors d'une visite à Chevigny, car il servait, à l'époque du crime, dans un château des environs de Marles. Ses antécédents se sont perdus dans le brouillard du temps et le docteur lui-même n'en a qu'un vague souvenir. Rosine, la cuisinière, est une vieille paysanne normande ridée, mi-sorcière mi-personnage de chromo, qui a pris Luc en affection. Nul ne sait plus pourquoi elle est à l'asile, y compris elle-même qui semble l'avoir depuis longtemps oublié. Cela doit faire des dizaines d'années : peut-être était-elle, à l'époque de son internement, une jeune femme avenante et robuste. Comme elle vient de Caen, son dossier ne l'a pas suivie et le docteur le voudrait-il qu'il ne saurait retrouver le motif de sa présence chez les fous. Mais ce qu'elle sait avec certitude, elle, et l'oncle le confirme à Luc, c'est qu'elle ne sortira jamais. Sa vie s'est définitivement confondue avec l'asile. Elle y mourra. La loi est ainsi faite qu'il faut, pour sortir de l'asile, que quelqu'un de sa famille la réclame. Mais que sait-elle de sa famille depuis tant d'années ? Et qui se souvient encore d'elle ? Ceux qui l'ont vue entrer ici, qui ont peut-être signé les papiers, sont morts depuis longtemps. Qu'importe qu'elle soit, comme dit le docteur « étonnamment normale », qu'elle soit surtout une vieille femme seulement un peu fatiguée de l'existence, mais dont la générosité ferait en d'autres lieux et en d'autres circonstances une merveilleuse grand-mère ? Après tout, dit-il encore, elle est ici comme elle serait à l'hospice des vieillards. Elle y est mieux, elle y a ses habitudes. C'est le seul monde qu'elle connaisse aujourd'hui : l'en arracher serait cruel. Et cette famille, dans laquelle elle sert, elle s'y est attachée.

Seule la femme de ménage laisse apparaître quelques signes d'originalité. Cette grande bonne femme osseuse aux gestes brusques, le nez en bec d'oiseau flairant toujours le vent, s'appelle Mme Bataille et porte ce nom comme un titre. Elle se coiffe de chapeaux agressifs où se mêlent victorieusement la paille vernissée relevée de façon conquérante, les fleurs artificielles et les rubans exotiques violets. Elle a des éclipses. Elle disparaît une semaine ou deux. Luc apprend que ces disparitions correspondent à des phases d'*agitation* pendant lesquelles elle se prend plus activement pour Napoléon que le reste du temps. Cela lui semble ridicule et peu croyable : les fous qui se prennent pour Napoléon sont, il le sait, l'un des poncifs obligés d'une foule d' « histoires drôles » : mais de là à admettre qu'il en existe pour de vrai, et, qui plus est, une femme, son oncle a beau le lui affirmer, il a l'impression qu'on se moque de lui, que ce n'est pas si simple. Et le mot *agitation* est vague pour lui. Que fait-elle et que lui fait-on pendant ces périodes de réclusion ? Il ne vient, de l'autre côté des murs de l'asile, qu'un silence ponctué de bruits parfaitement anodins. Il a peu d'occasions de franchir le portail. Il lui est néanmoins arrivé d'aller faire une commission pour son oncle, jusqu'à son bureau, ou de chercher du pain à la boulangerie centrale. Il a parcouru les allées, côtoyé sans trop de gêne les personnages vêtus de bleu qui se meuvent gauchement, comme s'ils vivaient à un autre rythme, avec d'autres gestes, dans un temps, un espace différents, rappelés parfois à l'ordre par des gardiens robustes, au visage florissant sous la casquette (ils ont droit à la ration T : travailleurs de force). Il a traversé de grandes salles désertes et lépreuses où s'alignent des baignoires verdâtres reliées entre elles par tout un système de tuyauterie. Il s'agit, lui dit-on, d'anciennes installations d'hydrothérapie. Sont-elles encore en usage ? Non, s'il en juge la crasse, la peinture écaillée, les tuyaux qui pendent à moitié arrachés, les vitres crevées, la décrépitude.

C'est son oncle, le docteur Pierrard, qui a émis en 1936 le premier diagnostic concluant à l'internement du fameux docteur Petiot. Celui-ci n'était pas encore le tueur de juifs, le super-

Landru de la rue Lauriston. Il avait été tout simplement pris en flagrant délit de vol à l'étalage à la Librairie Gibert, boulevard Saint-Michel. Le docteur Pierrard avait été formel : aboulie, découragement, état dépressif avec des manifestations d'anxiété, déséquilibre psychique paraissant ancien, avec instabilité et bizarrerie, déséquilibre constitutionnel non délirant, individu sans scrupule et amoral : ainsi défini, Petiot constituait un danger suffisant pour la société pour que le docteur Pierrard conclue sans réserve à son internement psychiatrique. Il ne fut pas suivi. D'autres experts le jugèrent aussi normal qu'il l'avait jugé anormal. De toute manière, le docteur Pierrard était sceptique et honnêtement pessimiste : il admettait volontiers avec naturel et bonhomie qu'il était difficile de trouver le point de partage précis entre la normalité et la folie, si tant est, ajoutait-il, qu'il en existât un. (Beaucoup de ses proches n'hésitaient pas à dire, d'ailleurs, comme il est de coutume pour la plupart des psychiatres, qu'il était lui-même passablement frappé.)

Lors de ses précédents séjours, Luc a eu l'occasion d'entendre son oncle parler de son métier à Antoine. C'était le plus souvent le long monologue désabusé d'un homme surmené.

— Nous devrions soigner. Il y a un médecin-chef pour six cents malades. Je fais de l'administration.

Antoine avait parlé des découvertes récentes de la psychologie. L'oncle avait haussé les épaules et ricané.

— On découvre certainement des choses prodigieuses. Mais nous n'en avons pas le mode d'emploi. L'électrochoc est un instrument admirable. Je m'en sers beaucoup. Mais tout ce que nous savons, c'est qu'un courant très violent envoyé dans le cerveau y produit un bouleversement fantastique qui peut casser net la logique du délire. C'est une intervention mécanique. Le reste est une loterie. On ne peut pas doser l'intensité d'un choc, on ne peut pas en prévoir les effets. Nous tâtonnons. C'est le brouillard. Je t'emmènerai assister à des électrochocs, si tu veux. Ça t'intéressera.

Pour Luc, l'électrochoc, ce sont des visions de cauchemar. Il a tendance à le confondre avec la chaise électrique en Amérique : des camarades, au lycée, étaient friands de détails sur la chaise électrique : il voit le siège métallique monstrueux, les mains et les jambes du condamné prises dans d'épaisses menottes, la calotte de fer et les électrodes sur le crâne tondu, des hurlements de bête forcée.

— Si nous réussissions à savoir où nous allons… Il faut tout essayer. Je voudrais appliquer ce qu'il y a de positif dans chaque technique nouvelle. L'insuline. Et Freud. Mais tout ce que me demande l'administration, c'est de tenir les fous tranquilles. Et honnêtement, qu'est-ce que je pourrais faire d'*autre* ?

Autour de lui, la famille attendait poliment que le monologue s'éteigne. On pensait qu'il était un grand modeste : ses malades l'adoraient ; il était un expert renommé.

Tout cela passait un peu par-dessus la tête de Luc. Il avait essayé d'en parler à Antoine. Celui-ci lui avait répondu d'un air triste : « C'est un vaincu. »

Rien n'a changé.

Parfois, lorsqu'il rentre de l'asile, vers la fin de l'après-midi, l'oncle va se mettre au piano dans le salon désert, et Luc, du jardin, entend une avalanche de notes éclater comme la gerbe d'un grand feu d'artifice. Il dit à ses cousins que c'est beau et que son oncle joue vraiment bien. Ils se moquent de lui et répondent que c'est toujours le même air de Wagner, que c'est son *morceau*, le seul qu'il sache par cœur.

*

Les cabinets du premier étage recèlent des trésors qui font marcher l'imagination de Luc. De part et d'autre de la cuvette et de la chasse d'eau, les étagères débordent de dossiers éventrés en désordre qui laissent échapper, de chemises déchirées, des masses de feuilles dactylographiées jaunies. Certaines d'ailleurs, en pelure, dûment découpées en petits carrés, servent de papier hygiénique. Ce sont les rapports d'expertises psychiatriques d'affaires *classées* qui ont été relégués là en guise d'archives. Il suffit de tirer une feuille au hasard : des mondes fascinants s'entrouvrent, à travers une prose biscornue encore qu'assez répétitive. Ainsi Luc peut-il apprendre que X, dix-huit ans, a commencé à se masturber régulièrement à l'âge de dix ans (est-ce une circonstance aggravante ou au contraire atténuante, se demande-t-il : il n'a pas de réponse et entrevoit avec terreur qu'il doit s'agir d'un symptôme de prédisposition au crime et à la folie), qu'il a eu des rapports sexuels *dès* l'âge de seize ans mais qu'à douze ans déjà il a connu avec des camarades quelques expériences « à tendance homosexuelle caractérisée », et qu'il ne peut obtenir d'érection complète qu'en imaginant qu'on lui découpe la verge en rondelles (il s'agit là de l'un des cas favoris de Luc et de ses cousins qui l'évoquent souvent avec des ricanements prolongés). Que Z est sujet à des crises de mélancolie profonde qui le poussent à fréquenter assidûment des prostituées (évidemment Luc ne s'arrête pas aux détails : ainsi, ce sont peut-être les crises qui sont *profondes* et non la mélancolie, et c'est peut-être la fréquentation des prostituées qui les occasionne et non l'inverse, mais enfin, ce qui compte, c'est l'ambiance générale, non ?) ; et qu'Y, vingt et un ans, qui a *avoué* être sujet à une éjaculation précoce, est atteint d'une névrose d'échec le maintenant dans des états d'instabilité qui peuvent expliquer ses penchants à la délinquance tout en le laissant néanmoins « *accessible à une sanction pénale* », formule qui revient en conclusion de la plupart des rapports, comme un *amen* à la messe. A, prostituée de vingt-deux ans d'une « grande faiblesse de caractère » n'a jamais connu l'orgasme, après avoir subi une défloration douloureuse : elle présente un clitoris anormalement réduit et est en proie à une manie obsessionnelle de revanche sur le sexe masculin : tendance à la psychose qui la rend inapte à toute vie sociale et crée un risque latent de dangerosité justifiant, en ce qui la concerne, une cure en hôpital psychiatrique. Et ainsi de suite, par centaines de cas... Voici donc Luc qui découvre les secrets de ces mondes inconnus, et qui avance, incertain, perplexe et rigolard sur les fils ténus de la normalité et de la perversité, dont il distingue de moins en moins les contours au fur et à mesure qu'il se perd dans ces lectures confuses.

*

La libération est passée sur Chevigny rapidement, comme une grande marée. Évanouies vers l'Est les troupes américaines.

Le ressac a abandonné, comme la mer qui se retire laisse sur la plage des objets épars, quelques chars éventrés aux carrefours des routes de campagne qui entourent la ville, des traces de mitraille et des crevasses béantes sur la laide carcasse du collège, tandis que dans la citadelle campe une troupe de FFI goguenards ; on les voit parfois, armés d'une mitraillette pour dix, qui poussent dans la grande rue, à coups de pied au cul, des prisonniers allemands dépenaillés, tristes et abrutis, vers de vagues travaux d'utilité publique.

On suit à la radio la poursuite de l'offensive alliée — la Moselle est atteinte, le 10 septembre Nancy est libérée —, la progression rapide des armées débarquées le 15 août en Provence, l'insurrection de Varsovie : mais quand les Russes viendront-ils aider la résistance ? Ils marquent le pas sans entrer dans la ville. A Chevigny, le signe le plus vivant de la continuation de la guerre, c'est le passage jour et nuit sur la grande route, au pied du bourg, des camions américains qui foncent à tombeau ouvert, vers l'Est, phares allumés, sans jamais s'arrêter : c'est la Red Ball, l'une des artères vitales qui alimentent le front. Parfois, quand les garçons reviennent de la pêche aux épinoches, ils essayent de faire du stop : ils font des signes, mais les chauffeurs leur renvoient seulement de grands gestes amicaux sans jamais ralentir. « Ils sont idiots, décrètent les cousins. Pourquoi ne s'arrêtent-ils pas ? Ils ne doivent pas comprendre ce qu'on veut. » Et ils font de nouveaux essais, sans plus de succès. « Ça ne leur coûterait pourtant pas grand-chose. »

Le changement du sous-préfet, la mutation du substitut du procureur (qui redevient « de la République ») inquiètent un peu l'oncle pour la bonne tenue du club d'échecs où, une fois par semaine, des habitués reconstituent des parties célèbres. On a vu apparaître au grand jour un lot de résistants authentiques : ils se font *homologuer*. La ville a son héros. Un héros posthume, ce qui est commode : c'est l'électricien de la grande rue qui travaillait pour Londres : il avait un poste émetteur et lorsque les Allemands sont venus l'arrêter, vers la fin de juillet, il a tenté de s'enfuir par le toit : ils l'ont abattu d'une rafale. Sa femme a été arrêtée, emprisonnée à Fresnes et déportée. (Et c'est ainsi qu'à

Fresnes, la mère du Chat s'est retrouvée un jour, à la fin de sa période de mise au secret, dans la même cellule qu'elle : elle a pu savoir que quelques jours plus tôt, à peine, son beau-frère le docteur était justement à la boutique pour donner son poste à réparer ; elle a été un peu surprise, presque choquée de se rendre compte qu'au-delà des murs de la prison la vie quotidienne des siens suivait sa routine, et aussitôt, d'ailleurs, elle s'est étonnée de son étonnement : après tout, devait-elle s'attendre à ce que leur vie quotidienne fût bouleversée ou même s'arrêtât parce qu'elle était en prison ?)

Lorsque Luc et ses cousins sont d'humeur à s'entendre, ils se donnent les noms des Pieds Nickelés dont ils ont des piles d'albums : Filochard, Ribouldingue et Croquignolle. Luc est Croquignolle parce qu'il est le plus maigre et qu'il a un grand nez. Ils vont souvent chez le fils de l'huissier. Celui-ci fascine Luc parce qu'il débite à jet continu d'une voix horriblement traînante de Parisien à qui on ne la fait pas des histoires de bananes, de couilles, de bittes, de queues, de bordel, de boxon et de roubignoles. Ce qui enchante vraiment Luc, c'est le dialogue du fils de l'huissier avec son père, tel qu'il le leur rapporte :

— Tu vois, a dit le père à la libération, tu vois mon fils, on avait raison en 40 de dire qu'on n'était pas vraiment vaincus.

— C'est vrai, papa : vous n'étiez que dix-neuf culs.

Les greniers de l'huissier contiennent eux aussi des trésors abandonnés, épaves d'anciennes saisies : petits billards d'arrière-salle de café au drap rongé, avec leurs billes d'ivoire craquelées et leurs queues noircies, poêles de faïence vernissée, animaux empaillés ; et surtout d'excentriques machines à musique, ancêtres du phonographe, mécaniques à cylindres ou à disques métalliques hérissés d'aspérités qui font vibrer, quand ils tournent, de fines lames sonores : boîtes à musique très perfectionnées qui chantent, remontées, tous les grands airs du répertoire. Luc ne s'en lasse pas. Il en ramène certains dans sa chambre et les fait jouer, essayant d'en modifier les notes en pliant et en coupant les lames, d'en conjuguer plusieurs. Ils rêve d'autres instruments qu'il créerait de ses propres mains pour construire, en restant leur seul maître, de vastes symphonies : orgues à eau, plus mélodieux que l'*orgue à chats* de son père, où l'eau en circulant ferait couler des sons cristallins ou graves ; harpes de cristal, comme ces coupes que l'on fait vibrer à l'infini en filant très vite un doigt mouillé sur leur contour, à la fin des repas ; et guimbardes à élastiques, tendues dans les courants d'air, vibrant au gré des vents. Il y intégrerait le merle siffleur qui gargouille quand on souffle dans le petit tuyau en caoutchouc relié à son ventre plein d'eau, et peut-être les moulins à prières des moines tibétains dont lui parlait son père. Mais qu'est-ce exactement qu'un moulin à prières ? Il a déjà oublié. Et personne à Chevigny ne lui viendra en aide. S'agit-il de ces banderoles multicolores qui font claquer dans le vent, aux carrefours du bout du monde sur les Hauts Plateaux, des caractères écrits qui, se déployant, répètent dans le ciel, à chaque rafale, à l'infini, toujours les mêmes mots : « Ôme pad-mê ôm ! » ; ou bien de petites crécelles métalliques, comme ces moulinets d'enfants, qu'il suffit de tourner pour reproduire interminablement les mêmes notes aiguës ? De tout cela, et de bien d'autres appareils encore, il fera une *symphonie des choses* et peut-être même y mêlera-t-il des phonographes qui feront intervenir des chants de vrais oiseaux et tous les bruits de la nature qui s'enchaîneront comme les gammes d'une grosse flûte de Pan. Ou bien alors il distribuera aux quatre coins des paysages, aux cols des montagnes, le long des chutes d'eau, à la pointe des caps, des instruments qui joueront tout seuls, au gré des caprices du temps et des choses, ses orgues à vent et à eau, mais aussi clochettes et grelots, sonnailles des troupeaux, et des gongs qui rythmeront et ordonneront le fond continu et multiple des chants des vagues, des bruissements des feuillages. Et justement : les percussions...

— On ne s'entend plus, crie la tante, qui monte, à bout de nerfs. Ce n'est pas une maison de fous ici. Sors plutôt jouer avec tes cousins.

*

Ils ont bientôt trouvé le meilleur des jeux. C'est un jeu très répandu, cette année-là, dans les campagnes françaises. Une exploration très discrète de la bâtisse du collège dévasté les a mis sur la voie : cheminant dans les galeries aux verrières crevées, ils trouvent dans une classe, entassé sur le sol au milieu des gravats, un stock important de balles de fusils Lebel. Ce sont de lourds paquets ficelés, en papier d'emballage épais, vert, rouge ou gris ; chacun contient vingt paquets plus petits de même papier et de même couleur, de dix balles. A part, un amoncellement de chargeurs de mousquetons vides en tôle noire, pour trois ou cinq coups, et de bandes rigides pour fusils-mitrailleurs, à vingt-cinq coups. Ils ne manque plus que les armes elles-mêmes. Des casques allemands jonchent le sol. Les paquets verts contiennent des balles d'un métal blanc, brillant, qui semble du nickel — ce sont les plus belles, elles ont quelque chose de riche ; les paquets rouges contiennent des balles noires, mates et presque rugueuses ; et les gris des balles de cuivre roux qu'ils qualifient d'« ordinaires ». Les douilles de cuivre sont toutes identiques : contrairement aux douilles des Mauser allemands qui sont droites, elles s'élargissent vers le culot qui forme un large disque aux bords saillants autour de la pastille qui contient l'amorce.

Ils font de multiples voyages, se cachant du concierge du collège, pour transférer une partie du stock. Chacun installe sa provision dans le grenier de la maison. Récupérer ensuite la poudre des douilles est facile mais, à la longue, un peu fastidieux. Il faut introduire la balle dans le trou d'une serrure de porte où elle se bloque et, tenant la douille à pleine main, la faire jouer à plusieurs reprises, en forçant, latéralement et verticalement : la balle finit par se dessertir, et il n'y a plus qu'à laisser filer la poudre noire de la douille dans le récipient où elle s'accumule. Quelles que soient la nature et la couleur des balles, la poudre est uniformément composée de minuscules pastilles luisantes : lorsque boîte ou sac sont pleins à ras bord, il est agréable de plonger la main dans cette masse obscure, coulante et fraîche.

Des douilles une fois vidées, on ne peut pas faire grand-chose. Le fils du boucher, qui a une réputation de tête brûlée et qui tient à la soigner, est passé maître dans l'art d'assener un coup, bien ajusté, d'un mince marteau sur le culot de la douille tenue verticalement d'une main : le marteau percute l'amorce, le coup de feu claque, la douille s'éjecte de la paume refermée et saute en l'air, très haut. Il n'a pas d'imitateurs. La poudre, par contre, se prête à de belles mises en scène. Ils partent dans la campagne, vers une sablière en lisière de forêt et ils y construisent des monticules, parfois de vrais châteaux, qu'ils farcissent de poudre. Ils disposent des coulées qui leur permettent d'allumer le feu à distance ; ils suivent la progression éclair de la flamme bleue et jaune qui chuinte (ils font parfois des concours de vitesse, chacun a sa coulée), jusqu'à l'explosion finale, sourde, qui fait voler le sable dans une grande lueur.

Les garçons de Chevigny ont des sources d'approvisionnement diverses dont ils ne se communiquent pas le secret. Cela introduit une heureuse émulation. C'est ainsi que le fils du boucher exploite un gisement d'obus de 78 connu de lui seul. Sa méthode consiste à scier le col de la grande douille de cuivre avec une scie à métaux pour en extraire le contenu : de longs macaronis tordus. La scie chauffe le cuivre, et pour éviter tout risque on refroidit celui-ci pendant le cours de l'opération : chaque garçon à tour de rôle vient uriner sur la blessure du métal ; ainsi le fils du boucher peut continuer à scier.

Luc et ses cousins trouvent dans un fossé, au milieu des aubépines et des orties, un amas de bandes de mitrailleuse lourde garnies de petits obus de calibre 20 probablement abandonnés là par un char en détresse. Les bandes sont constituées d'une alternance d'obus pointus, noirs, cernés de bleu, et d'obus jaunes dont le bout argenté est plat, camard. Ils rejettent ces derniers dont ils décident qu'ils sont explosifs ou incendiaires, mais dans tous les cas dangereux. Ils ramènent les autres à la maison. Pour desceller l'obus de la douille la technique la plus simple, puisqu'ils ne disposent pas d'étau pour le marteler à l'aise par le travers, est d'empoigner la douille et de cogner le corps de l'obus contre la grosse branche d'un cèdre : du jeu finit par se produire et l'on parvient alors à arracher l'obus et à vider la poudre qui est faite de petits bâtonnets noirs. En en bourrant des tubes d'aspirine, on peut alors fabriquer des fusées qui, disposées sur une rampe de lancement en sable et mises à feu par une traînée de poudre, filent vers la cime des arbres. Cela demande un bon dosage et du savoir-faire, car mal rempli ou disposé sur une pente non adéquate, le tube explose parfois sur place et le plaisir est gâché.

C'est Luc qui cumule le plus grand nombre de ratages et les autres l'insultent : il est trop maladroit.

Les choses commencent à se gâter lorsque les cousins décident de faire une farce à leur père en disposant de la poudre au fond de sa pipe. Ils savent que, distrait, perdu dans ses pensées, il bourrera sa pipe sans rien voir, tassant consciencieusement le tabac par-dessus la poudre. C'est bien ce qui se produit, devant les spectateurs qui retiennent leur souffle et se cramponnent à leur chaise. Il allume sa pipe, tire une bouffée, et une grande flamme jaillit. L'oncle fait « Oh ! ». Il reste un instant interloqué, regarde sa pipe avec étonnement et, ne trouvant plus rien dans le fourneau, revient au cours de ses pensées mélancoliques en le rebourrant sans s'étonner davantage. C'est une déception. Le lendemain, les cousins recommencent en forçant la dose. Cette fois, le résultat est atteint : la flamme fuse jusqu'au plafond, l'oncle, aveuglé, lâche sa pipe puis, reprenant ses esprits, entre dans une grande colère et exige des explications. On est bien obligé de parler de poudre, mais d'une pincée, une simple pincée : on lui assure, on lui jure que l'on n'en possède pas d'autre. Il gesticule et profère les pires malédictions.

Puis cela se gâte pour de bon. Le fils du boucher veut régler son compte de façon trop expéditive à un obus de 105 récalcitant sous les yeux de sa petite sœur admirative : il le coince dans un étau, sur l'établi de son père, et lui assène de grands coups de masse. La charge explose, le fils du boucher a les deux mains arrachées et on le transporte à l'hôpital de Creil. Il meurt le lendemain.

— C'était un fou, disent les cousins. Ça devait arriver. Il a toujours été comme ça.

Est-ce un hasard ? Ce soir-là en tout cas, à l'heure où tout Chevigny commente la folie du fils du boucher et son châtiment, l'oncle monte au grenier et découvre le premier stock de balles et de poudre en vrac, mal dissimulé près de la porte. C'est le stock de Luc. Les cousins ont disposé leurs réserves plus loin, mieux abritées, et l'oncle, vacillant sous le choc de sa découverte, ne cherche pas plus avant. Toute la colère familiale se concentre donc sur la tête de Luc. Les cousins prennent des airs vertueux. Il est sommé de débarrasser sur l'heure la maison de son arsenal.

Il en charge un grand sac à pommes de terre dans la nuit tombante. Il connaît, pas très loin, derrière le mur de l'asile, l'emplacement d'une maison ruinée dont il ne reste que quelques pierres et la bouche d'un puits très profond qui bée à ras de terre, sur laquelle il s'est penché en rêvant à des souterrains secrets datant du Moyen Age. Il s'accroupit sur le bord de l'ouverture, il envoie les paquets un à un, il entend, très lointain, le bruit amorti de leur chute. Il laisse ensuite filer la poudre : un, deux kilos ? Il jette enfin un tas de macaronis d'obus de 78. Au moment où il ne lui en reste plus qu'une poignée, une vague envie lui vient d'éclairer le fond du puits : pour en connaître la profondeur, ou pour voir comment tout ce chargement y est tombé. Il s'allonge, allume un macaroni, jette la flamme qui fuse dans l'ouverture et avance la tête pour suivre sa chute. Quel instinct le fait brusquement se rejeter en arrière alors qu'elle n'a pas encore atteint le fond ? A peine a-t-il fait ce mouvement de recul — une fraction de seconde après, peut-être — qu'une fulgurance insoutenable jaillit du trou, monte très haut dans le ciel et qu'un souffle brûlant le plaque à terre. Il reste là un bon moment, anéanti par la surprise et par la peur, dans le calme revenu, la figure contre les pierres coupantes et les ronces, les yeux sillonnés de zébrures lumineuses. Il se traite d'imbécile. Il s'attend à ce que des gens accourent. Mais personne ne vient.

Plus tard, il monte silencieusement dans sa chambre, et, de l'escalier, il entend une conversation entre son oncle et sa tante :

— Luc m'inquiète. Il est imprévisible. Il est inconscient. Il ne parle jamais de ses parents. On dirait qu'il n'y pense même pas. Tout paraît lui être égal. Tout glisse sur lui.

— Luc a toujours été un enfant renfermé. Solitaire.

— Peut-être qu'il dissimule, seulement.

— Ce surnom stupide de Chat que son frère lui a donné.

*

C'est la fin des vacances. La tante s'apprête à rentrer à Paris avec les garçons. La veille du départ, le matin, arrive une lettre d'Antoine que quelqu'un, avec beaucoup de retard, apporte de Paris. Elle est datée du 19 août. Presque un mois, déjà. C'est un mot très bref adressé d'Orléans à sa tante.

« Je suis actuellement soldat, interprète, dans l'armée américaine. L'unité dans laquelle je me trouve ne se dirige pas vers Paris. Je confie ce mot à une personne qui doit s'y rendre dès que ce sera possible et vous donnera de mes nouvelles. Voici mon adresse : *hq comp., 3rd Bat., 14 infantry, AP 05 US Army.* Donnez-moi des nouvelles de mes parents. »

— S'il est passé à Orléans, dit Luc, c'est qu'il est dans l'armée Patton.

— Tu en sais toujours plus que tout le monde, dit sa tante.

Ce matin, vers neuf heures, il fait beau, son oncle se rase dans la salle de bains aux accents de la *Watermusic* de Haendel qui remplissent la maison tout entière et en débordent par les portes et les fenêtres ouvertes ; c'est l'indicatif quotidien de l' « Heure de culture française » de la BBC. En haut, dans sa chambre, Luc dirige l'orchestre, baguette dans sa main gauche, avec une fougue toute *Sturm und Drang*. Des grondements de moteurs d'avions viennent se mêler aux fanfares puis les couvrent. Il déboule l'escalier, sort dans la jardin, lève le nez : au-dessus des marronniers roux des formations passent, très bas : des centaines d'avions, chacun traînant un énorme planeur sombre, lentement, presque péniblement. Ils se dirigent vers le nord. C'est le début de l'offensive anglaise sur Arnhem qui sera un échec sanglant : la plupart des hommes entassés dans ces planeurs seront morts dans quelques heures.

Alors il pense qu'il n'a plus grand-chose à faire ici. Est-ce le passage des avions ? Le temps est venu de la migration. Il a maintenant une adresse, et une direction, celle de l'avance américaine : l'est. Il sait que quelques rares trains recommencent à circuler ; il y en a, lui a-t-on dit, un chaque soir pour Paris. Le soir venu, il fait main basse sur un billet de mille francs dans le bureau de son oncle — il y a longtemps qu'il a repéré le tiroir —, et il descend à la gare. Il laisse un mot : « Je suis parti rejoindre Antoine. »

Il est parti avec son vieux blouson de drap bleu marine à pattes, sa culotte courte, trop courte, elle aussi de drap bleu, dont l'ourlet usé jusqu'à la trame lui frotte à vif l'intérieur des cuisses lorsqu'il marche longtemps, ses espadrilles et son inséparable sac à dos aux taches de graisse. A la gare, c'est la cohue. Dans la bousculade, chacun brandit une liasse de papiers, et les gens échangent des insultes avec deux employés, noyés dans le tourbillon, qui crient : « Vos ordres de mission, vos ordres de mission ! » Dans la cohue, il passe sans billet. Il monte à la nuit tombante dans un train bondé qui avance vers Paris par à-coups, en grinçant sur les rails disjoints, avec de longs arrêts. De vieux wagons aux sièges en bois jaune, aux portières et aux fenêtres tremblantes où le contre-plaqué remplace souvent les vitres, à peine éclairé par une ampoule bleue écaillée dans chaque compartiment. Il arrive à se glisser sur une banquette. Autour de lui il n'y a que des hommes, des jeunes, qui viennent du Nord ; ils crient, chantent, gesticulent et boivent des canettes de bière. Ils en offrent au Chat : elle est tiède et fade.

De Chevigny à Paris, il y a quatre-vingts kilomètres. Le train y met la nuit. Il stoppe parfois en pleine campagne. La rumeur baisse d'intensité, ceux qui sont près des fenêtres scrutent l'ombre. On tâche d'écouter les voix et les bruits qui viennent du ballast. Dans la masse entassée dans le couloir et dans les compartiments, des bribes d'informations circulent. On essaye de reconstituer l'errance du train. Certains descendent aux arrêts, vont aux nouvelles. Vers minuit, après une halte plus interminable encore que les précédentes, ils franchissent très lentement, plus lentement qu'un homme au pas, une rivière sur un pont qui craque, gémit, résonne, bouge, semble vivre sous les roues. C'est Persan-Beaumont, un pont provisoire sur l'Oise. Plus tard, quelqu'un se penchant vers les ténèbres opaques annonce dans le silence :

— Nous sommes à Chaponval.

Mais personne ne sait où est Chaponval.

Les compagnons du Chat sont des FFI qui rejoignent Paris. Ils vont, disent-ils, au fort de Romainville. Ils semblent éprouver un grand sentiment de liberté à confronter leur répertoire obscène — comme s'ils affirmaient ainsi, pour eux-mêmes et pour le monde entier, la preuve de leur indépendance. Tous savent *les Filles de Camaret*, et le Chat lui-même n'a pas de peine à gueuler avec eux le premier couplet, celui où il est question de bitte et de cierge. Cela lui vaut de l'estime. Il s'en acquiert davantage encore quand il débite dans le détail la chanson du « Macchabée — qui sentait fort des pieds », car l'assistance ne connaît avec certitude que le refrain. Il apprend donc les autres couplets à ses voisins. Il fait connaissance avec les aventures de la *Sœur du couvent* et avec la complainte de l'aveugle abusif, qu'il trouve assez répugnante, avec ses histoires d'œufs, de canne et de crème : « Non merci madame, j'en fabrique moi-même », dit l'aveugle. Sur quoi toute la compagnie hurle :

Faites lui du bien
Bien bien bien bien bien
A ce pauvre aveugle qui n'y voit plus rien !

C'est la chanson vedette, la chanson mascotte, la chanson qui domine la nuit. Seules peuvent tenter de rivaliser avec elle la complainte du *morpion motocycliste* (« qui prit mon cul pour une pi-i-i-ste », modernisation que l'auteur original, Théophile Gauthier, ne pouvait prévoir mais qui ne trahit pas l'esprit du poète) et le *grand bal des cons et des culs* : « Trois poils du cul gluants et sales, servaient de corde à mon violon. » Et, bien sûr, le chœur parlé, rythmé sur le mode martial des roulements de tambour :

Des bidons
Des quarts des gamelles des bidons
Des quarts des gamelles des gamelles des quarts de bidons
Tap' ta bitt' contre mon con
Tap' ta bitt' contre mon con.

Le Chat se fait là en quelques heures un répertoire somptueux, éblouissant, un répertoire pour briller toute une vie durant dans les sociétés viriles. Après minuit le paroxysme est atteint puis l'agitation s'épuise, les chanteurs perdent leur conviction, on somnole.

— Quand on sera en Allemagne, gueule le voisin de droite du Chat, un grand paysan qui l'écrase à chaque mouvement, on enculera toutes les gonzesses, les vieilles comme les jeunes. On les tringlera toutes. On leur fera plein de petits Français, à ces salopes. Ça réglera la question boche pour toujours.

Son voisin de gauche est le seul à être en uniforme, blouson à fermeture Éclair, chaussures montantes en cuir jaune qui serrent le pantalon : elles font l'admiration des autres.

— Eh bien ! s'ils nous en donnent des comme ça !

— Tu parles, ils vont nous refiler leurs stocks de bandes molletières.

— Au marché noir, ça va chercher dans les deux mille.

Il est silencieux. Il a répondu brièvement aux questions. Oui, il est permissionnaire de la Deuxième DB. Non il n'était pas à la libération de Paris. Il a été blessé juste avant. Peut-être, justement, sa réserve n'est-elle pas étrangère au besoin qu'éprouvent les autres de s'extérioriser, de gueuler ? Au début, il a offert des chewing-gums et des cigarettes à la ronde. Il a vidé ses poches, puis il s'est rencoigné.

— Tu peux dormir sur mon épaule, a-t-il dit au Chat.

A un arrêt, le Chat le voit fouiller dans son sac, trier diverses choses, dont un béret de marin à pompon rouge. Il se risque :

— Tu es *marsouin* ?

— Gros malin.

— Tu connais Julius Kleinberg ?

— Oui. Le sergent-chef Julius, dit l'astronome, chef de char. Nous sommes dans la même compagnie.

— C'est un ami, lance le Chat en essayant de mettre de la certitude dans sa voix.

— Tu choisis bien tes amis. Comment le connais-tu ?

— Oh, bredouille le Chat, à Paris, avant la guerre…

— Dis-donc, tu avais quel âge, toi, avant la guerre ?

— Oui, mais je l'ai vu en août. Sur le Cours-la-Reine. Il m'a donné son briquet.

Et il sort le briquet. Il allume la flamme qui fume et pue.

— Moi, la dernière fois que je l'ai aperçu, c'était sur la route de Saclay. J'ai reçu un éclat de 28 dans le gras de la fesse, mais pas loin de l'artère fémorale, et je me suis retrouvé à l'hôpital. C'est râlant. Je suis content que tu l'aies vu. Et sa famille ?

— Non, dit le Chat. Il est allé rue Vieille-du-Temple. Il n'a trouvé personne. Sauf la concierge. Il n'avait pas l'air très gai.

— Ce type-là n'est jamais gai. Sauf quand il joue du piano. Alors il se déchaîne. Ou quand il regarde les étoiles. Il les connaît toutes. Il ne faut jamais le laisser seul la nuit. Il oublie tout. Il n'entendrait pas un bombardement. Une nuit, au Maroc, il était de garde, on l'a retrouvé au fond d'un trou : il avait marché la tête dans le ciel et il était tombé là sans se rendre compte de rien. Ça a fait une histoire terrible. Il a failli être viré de la division. Mais il avait passé six mois dans les prisons espagnoles avec le lieutenant. Le lieutenant ne l'a pas lâché. Quand même : c'est bien qu'il ait fait la libération de Paris.

— Pour le piano, dit le Chat, il dit que ses doigts...

— Oui. C'est comme ça. Moi, en 1939, je préparais une école d'ingénieurs. Tu crois que je sais encore quelque chose ? Tu crois que je vais retourner au lycée, à vingt-quatre ans, quand la guerre sera finie, avec des taupins boutonneux ? J'ai vu mes copains. Ils ont déjà leurs diplômes. On n'attend qu'eux pour reconstruire la France. On va se retrouver une drôle de bande de déclassés, à la paix.

— Je suis content d'avoir revu la famille et les amis, reprend-il. J'étais au Val-de-Grâce et, avant de repartir, j'ai fait le mur. J'avais une permission d'un après-midi. J'ai pris deux jours pour aller chez moi, à Amiens. Mais je suis aussi content de repartir. Les bouquets de fleurs et le champagne, c'est bien. Les filles aussi. Mais je me sentais l'air d'un con. C'est difficile de rester un héros plus de deux ou trois jours. Surtout que j'avais presque épuisé mon stock de rations.

— Et toi, demande-t-il dans le silence lunaire d'un nouvel arrêt, alors que la locomotive, très loin, semble avoir rendu le dernier soupir dans un long piaulement, et qu'un frisson de métal grinçant a parcouru tout le train de tampons en tampons. Et toi, où vas-tu comme ça tout seul ?

— Je suis seul, commence le Chat, parce que...

Il a moins de peine, maintenant, à raconter son histoire. Il arrive même à la trouver intéressante et crédible. Ses parents sont déportés en Allemagne. Son frère dans l'armée américaine. Les attentats. La Gestapo. Le pistolet.

— Tu es sûr qu'il était espagnol ? demande le marin. Pour ce que j'ai vu des armes espagnoles, je n'aurais pas confiance.

— Quand même : je l'ai vu.

— En tout cas je comprends pourquoi tu es un ami de Julius. Tout à fait son genre. Où vas-tu ?

— Je voudrais essayer de rejoindre Nancy. J'ai de la famille là-bas.

Puisqu'il sait que depuis dix jours au moins Nancy est libérée par l'armée américaine : c'est la bonne direction.

— Écoute-moi : il n'y a pas de trains. Si tu ne trouves rien pour continuer, passe me voir au Val-de-Grâce. Caporal Bérard. Bob Bérard. Chambre 75. J'aurais dû partir ce matin. Ce soir au plus tard, je saurai où je dois rejoindre. Si je n'y suis plus, j'aurai laissé un message pour toi. Peut-être que je pourrai te prendre avec moi sur un camion. Ça peut te rapprocher. Et si je ne te revois pas, je donnerai de tes nouvelles à Julius.

— Dis-lui que le Chat a toujours son briquet.

— Ça lui plaira.

Le Chat s'enfonce dans un demi-sommeil, la tête contre l'épaule du marin et les jambes emmêlées à celles du grand paysan qui s'est enfin écroulé, la tête entre les bras pliés sur les genoux. La chanson du pauvre aveugle s'est éteinte depuis longtemps.

Au petit matin, gare du Nord, dans la bruine fine qui tombe des verrières crevées, le marin lui paye un jus noir à la saccharine.

— Il me reste quand même quelque chose, dit-il. Et il sort de son sac une boîte de *beans and sausages* qu'il lui tend. Le Chat remercie poliment et part à pied par les rues désertes et luisantes.

*

Il marche sous la pluie en longeant les poubelles débordantes. La bête trop familière qui habite son ventre commence à mordiller. Elle le ronge : il se plie en deux, un poing contre le creux de l'estomac. A la gare de l'Est, il trouve beaucoup de monde, des gens qui font la queue ou attendent devant les voies désertes des trains aux destinations confuses. « Il paraît qu'il va jusqu'à Meaux », lui dit-on dans un groupe de familles. « Mais peut-être plus loin ? On va quand même essayer. On verra bien quand on sera au bout. » Des montagnes de colis. Des gens, un peu partout, qui dorment par terre. Des uniformes de la Croix-Rouge autour d'une marmite fumante. Non, il est fou : il n'y a pas de train vers Nancy. La ligne ne dépasse pas la Marne. Le pont de Chalicourt est coupé. Peut-être dans les jours qui viennent... Il se paye encore un jus noirâtre pour brûler les morsures de la bête, il trouve un banc vide près de la puanteur d'un urinoir, s'y recroqueville, la tête sur son sac, tout le corps noué, il a froid, il est malheureux, il voudrait être n'importe où ailleurs, même à Chevigny dans son lit ; c'est l'heure où le petit chien savant de son oncle viendrait le réveiller en faisant des claquettes avec ses pattes sur le plancher nu et lui lécher la figure. Il s'endort, abruti, et les bruits de la gare l'accompagnent dans son sommeil où glissent des formes compactes de cauchemar.

Plus tard, vers midi, il ouvre avec son couteau la boîte de haricots qu'il mange froids et qui lui collent au palais et au ventre. Il fait la queue pour boire de l'eau à même le robinet. Que faire ? Une vieille habitude l'envoie dans le métro, direction Saint-Lazare, et il va se réfugier dans la tiédeur du Cinéac. Finis les films de la Propagandastaffel. On donne maintenant un film soviétique, *l'Arc-en-ciel* — chef-d'œuvre, précise simplement l'affiche —, et il voit défiler la souffrance du peuple russe, l'histoire atroce de la paysanne indomptable condamnée par les nazis à ramper sans fin sur la neige, dans les gémissements et les sanglots, autour du camp de concentration, la nuit de Noël, et qui, au bord de l'agonie, accouche à minuit dans le froid et le vent, tandis que, bien au chaud, les SS chantent pieusement autour d'un arbre de Noël illuminé : « *O stille Nacht, heilige Nacht* », puis l'arrivée des partisans sur des skis, tout de blanc revêtus, impeccables, mitraillette accrochée autour du cou, justiciers qui viennent sauver leur peuple et châtier les bourreaux.

Il se retrouve à la lumière du jour gris, au milieu d'une foule pressée, aux visages fermés. Dans la cour de Rome, un attroupement encercle un accordéoniste qui chante. Son compère vend aux badauds les paroles imprimées en caractère bleuâtres.

« Enfin ils sont partis... », lit le Chat « sur l'air de la *Fête au rancho* » :

Enfin ils sont partis tous ces Frisés...
Grâce à la Résistance et aux Alliés
Depuis quatre ans déjà on en avait bavé
On en est débarrassé
Refrain
Nous ne les reverrons plus
C'est fini ils sont foutus (*bis*)

Après la Bulgarie, la Roumanie,
Tous ces petits États auront compris
Qu'avec tous ces sal'boches on peut rien espérer
Vaut mieux les laisser tomber

C'est la chute du dernier couplet, surtout, qui vaut la peine :

Allez haricots verts, allez vous faire bouffer
Par les petits écossés

« Écossés = Écossais », précise le texte, et l'accordéoniste l'appuie d'un clin d'œil énorme : il déclenche quelques sourires polis. Le Chat paye le papier un franc et se demande aussitôt ce qu'il va bien pouvoir en faire.

Il marche à nouveau vers la rive gauche, tout imprégné d'humidité, ses espadrilles spongieuses faisant un bruit de succion. Il traverse les Halles qu'il ne connaît pas et s'étonne de la saleté, des débris de légumes dans les caniveaux, des maisons serrées et tristes dont les portes ouvrent sur des boyaux obscurs qui puent. Dans des cafés qu'éclairent, derrière les rideaux, quelques rares flammes de becs de gaz, s'agitent des formes indécises. Il tourne au coin de la rue Saint-Denis et de la rue de la Grande-Truanderie, avance dans une ruelle et s'arrête un instant sous le store d'un café pour attendre que passe une vague de pluie. Des femmes stationnent là et plus loin, le long des murs. Il se dit que ce doit être des putains, mais il n'en est pas sûr, c'est la première fois qu'il en voit, elles ont l'air comme les autres. Peu d'hommes passent, et rapidement. Il dévisage la plus proche qui attend près de lui sous la bâche, perchée sur ses semelles de liège, des cheveux jaunes très hauts, l'air fermé et dur. Au bout d'une minute, elle se retourne et l'insulte :

— Espèce de petit vicieux. C'est dégueulasse, à son âge, ça fait une heure qu'il me reluque. Tous des cochons. Petit salaud. Il reste là à s'en mettre plein la vue.

Le flot ne s'arrête pas, il ne sait où se mettre, il n'ose pas répondre, il n'ose pas repartir dans la rue, sous la pluie, devant toutes les autres qui commencent à renchérir, de porche en porche, il se sent rouge de honte et il a de plus en plus froid.

Une fille passe la tête par la porte du café.

— Arrête d'insulter ce pauvre gosse. Tu vois bien qu'il ne peut pas te répondre.

Elle a les cheveux blonds coupés court, en casque, un visage triangulaire au menton pointu, des yeux presque verts, en amande. Elle à l'air très jeune et porte un pantalon très ajusté, sur des semelles épaisses. Sa voix est rauque et chaude, une voix traînante, comme cassée, presque une voix de garçon qui aurait mal mué.

— Qu'est-ce que tu fais donc, à rester planter là ?

— Je ne sais pas, balbutie le Chat. Je voudrais manger.

— Eh bien ! entre, alors.

Et comme il hésite, elle l'empoigne fortement par le coude et le tire à l'intérieur. Dans le demi-jour luit le cuivre du comptoir. Des hommes en chemise sont attablés dans le fond.

Elle le dévisage de bas en haut.

— C'est pas possible, tu es resté toute la journée sous la pluie.

— Je viens de la campagne, dit le Chat. Je vais à Nancy.

— A pied, peut-être ? Elle rit.

— Je ne sais pas. Il n'y a pas de train.

— Si tu veux manger…

— J'ai de quoi payer.

— Certainement pas au prix que fait le patron. C'est pas des fauchés ici.

Et elle crie vers une porte ouverte, derrière le comptoir :

— Patron, faites-moi une andouillette, sur mon compte. Et deux ballons de rouge.

Le patron est un gros être poilu en pantoufles, au souffle court, taciturne. L'andouillette est la chose la plus grasse, la plus onctueuse que le Chat ait jamais mangée. Il tâche de se pénétrer de son goût pour pouvoir le décrire à son frère. Le vin est âcre et lui crispe les mâchoires. Il se sent tout à coup plus fort.

— Tu ne connais personne à Paris ?

— Mes parents..., commence le Chat. Et il raconte encore une fois son histoire.

— Tu peux rester ici un moment si tu veux. L'après-midi, c'est tranquille. Le soir c'est différent. On ne s'ennuie pas. C'est swing.

— J'ai rendez-vous tout à l'heure. Avec un ami, au Val-de-Grâce. Je m'en vais.

Il demande combien il doit, il insiste en sentant bien qu'il a l'air un peu faux.

— C'est un cadeau, idiot. Tu as de jolis yeux, petit frère.

Elle l'embrasse.

— Tu t'appelles comment ?

— Luc. On m'appelle aussi le Chat.

— Timide comme tu es, je t'aurais plutôt appelé l'Escargot.

Il a l'air vexé et elle rit.

— Oh ! mais un joli escargot ! Un escargot pas baveux. Un escargot aux yeux bleus. Tout replié dans sa coquille.

Il prend son sac et passe prudemment la porte. La grosse femme aux cheveux jaunes n'est plus là.

— Eh ! Escargot ! Si tu repasses par Paris, mon nom c'est Diane. Tu peux toujours me demander au Petit Roscoff.

Et elle l'embrasse encore sur les deux joues. Elle n'est pas beaucoup plus grande que lui.

— Bon voyage, petit frère.

*

Au Val-de-Grâce, une créature osseuse, en jupe et chemisette kaki, l'œil clair et perspicace, lui barre le chemin de façon définitive : aucune visite en dehors du dimanche. La voix autoritaire qui le vouvoie évoque désagréablement à ses oreilles la respectabilité familiale, et il va battre prudemment en retraite quand il voit sortir le caporal Bob Bérard, béret à pompon sur la tête, un gros paquetage sur l'épaule.

— Tu tombes bien, on part.

Il l'emmène dans la cour, le pousse dans un camion américain bâché, monte avec lui. A l'intérieur, sur des bancs latéraux, cinq ou six soldats et civils et un Américain. Le camion démarre et file par les rues désertes, le long de la Seine, puis cahote sur des pavés. C'est bientôt la campagne. La nuit tombe.

— On va à Meaux, lui crie Bob.

Il s'allonge sur le plancher, s'installe sur le ventre, les bras en croix, pour amortir les chocs qui le font sauter, et se laisse emporter. Il ferme les yeux. Il va vers le front.

A Meaux, ils débarquent devant la gare, dans la nuit, sans lumière. Ils entrent dans un bâtiment obscur : à peine la lueur d'une lampe à pétrole. Il y a là quelques militaires peu bavards qui mangent une soupe épaisse servie par deux filles de la Croix-Rouge. On lui donne une assiette puis deux barres de chocolat. Et encore du vin. De quoi dormir cent ans. C'est ce qu'il va faire dans un dortoir aux lits superposés ; il s'enroule dans une couverture qui sent la vomissure. Ce serait encore mieux si les autres ne ronflaient pas, s'il n'y avait pas ces râlements et ces gargouillements. Et s'il n'était pas toujours imprégné de cette humidité glacée qui se mêle maintenant à la moiteur de la couverture.

Au matin, il sent le soleil lui effleurer les paupières. Il garde les yeux clos un instant : il est sur la plage. Le bruit des vagues, le bateau du patron Ravello. Mais le marsouin le tire par les jambes, il ouvre les yeux sur la pièce désertée, les lits défaits.

— Debout, Luc, il y a du vrai café au lait, et j'ai du nouveau pour toi.

Il installe le Chat devant la table.

— Voilà : je dois aller sur Chaumont. Ils ont déjà passé la Moselle au sud, ils sont bien plus loin que Nancy. De Chaumont à Nancy, tu dois pouvoir te débrouiller. J'ai touché une dotation toute neuve et plusieurs jours de rations. Sept vestes et trois casques… J'ai un blouson et un pantalon pour toi, j'ai cherché ce qu'il y avait de plus petit.

Le pantalon pend sur les espadrilles. Il faut qu'il serre sa ceinture « sport » d'élastique tressé sur les plis qui flottent autour de son ventre. Et le blouson, lui, pend presque jusqu'aux genoux. Il essaye l'un des trois casques, celui en plastique, il lui descend sur les yeux. Mais il est merveilleusement au sec. Sauf les pieds.

— Tu as l'air d'un clochard, dit Bob. Mais plutôt moins qu'avant... Je vais voir si je trouve autre chose.

Il revient avec des paquets de rations. Le Chat les explore avant de les enfourner dans son sac. Des tubes de lait et de produits inconnus, des boîtes de jambon et de fromage, des plaques de chocolat, une cartouche de Camel, une pommade crémeuse au nom incompréhensible : il goûte.

— Imbécile. C'est un truc contre la chaude-pisse.

Un autre tube : *« Mosquito bites cause malaria. »* Une boîte ronde d'alcool solidifié pour faire chauffer les haricots au lard, du dentifrice à la banane. Et un long chapelet de capotes anglaises : on peut se l'enrouler, croisé, autour de la poitrine, comme une cartouchière mexicaine.

— Maintenant, la Red Ball. On ne la lâche plus.

*

Bob est courtaud et noir de poil, les cheveux drus qui avancent en pointe au milieu du front. Il est mesuré, mais toujours assuré. Il se déplace avec une sorte de certitude totale, comme s'il savait toujours à l'avance ce qu'il faut faire exactement et sans poser de questions. Il parle peu et ce qu'il dit a quelque chose de définitif. Bob écarte l'inquiétude. Il a ramené avec lui un ours épais, immense et placide dont les petits yeux très clairs, très malins, pris dans des paupières tombantes, brillent sous un calot rouge informe. Bob dit au Chat qu'il s'appelle Janusz, qu'il est spahi et qu'ils feront route ensemble. Et il ajoute que c'est un prince polonais.

— Oh, dit Janusz, avec un sourire très gentil en se dandinant d'un pied sur l'autre, exactement comme les ours qui dansent dans les foires, en Pologne tout le monde est plus ou moins prince.

— Je suis un ami de Julius, dit le Chat.

— Alors toi aussi tu es un prince. Et il lui donne une petite tape sur l'épaule, très délicatement, de l'énorme battoir qui lui sert de main.

Le Chat se sent en sécurité. Les choses deviennent simples.

Ils ont tous deux leur ordre de route qu'ils ont fait établir par l'échelon de la Deuxième DB à Meaux. Il suffit d'attendre au poste américain qu'on leur arrête un camion dans la chaîne sans fin qui roule de la mer vers l'est, celle-là même dont le Chat voyait défiler les maillons à Chevigny. Ils font monter le Chat avec eux dans la cabine. Personne ne lui pose de questions. Ils échangent des cigarettes avec le chauffeur. Il est de Cincinatti. Où peut bien être Cincinatti ? Ils sont serrés, trop serrés sur la banquette avant du Dodge, il n'y a pas de vitres aux fenêtres, le vent de la vitesse puis bientôt les rafales de pluie viennent lui fouetter le visage, le camion fonce, phares allumés, sur une route droite et défoncée, traverse des villages déserts et souvent dévastés sans ralentir, gravit péniblement les côtes en première dans un bruit assourdissant qui met fin à toute tentative de conversation. Ils sont horriblement secoués parce que sur la route se succèdent trous, nids-de-poule, tranchées mal rebouchées, et que le chauffeur ne ralentit pas. Il n'y a presque aucune circulation dans l'autre sens — la chaîne revient, vide, par une autre route —, on ne voit pas d'autres voitures devant, sauf, dans les grandes lignes droites de la Champagne, à plus d'un kilomètre, les feux du camion précédent. Parfois, cependant, il faut ralentir brusquement pour doubler une charrette de paysan qui manœuvre, en haut d'une côte. Le chauffeur jure : « Ils croient vraiment que la guerre est finie », dit Bob, qui explique que sur l'itinéraire de la Red Ball, la route à disques rouges, toute circulation civile est interdite. Ils croisent aussi des voitures hétéroclites dont les occupants semblent effectivement se moquer des consignes. Le Chat regarde le compteur, il met du temps à comprendre que les chiffres correspondent à des miles, qu'ils font bien plus que du soixante à l'heure, mais il ne sait pas faire la conversion : « Cinq pour huit », lui crie encore Bob. Au bout de deux ou trois heures, ils s'arrêtent derrière une longue file qui attend, au milieu des maisons effondrées, le passage d'une rivière sur un pont de bateaux : chaque camion s'engage au pas, en faisant claquer les planches jetées sur des poutrelles. Il n'en passe qu'un à la fois : c'est très long. Il pleut, le pont est glissant, il tangue, roule et plie. La route n'est qu'une succession de flaques de boue jaune labourée par les ornières. Un groupe de soldats remonte la file avec une citerne pour distribuer le plein d'essence. Il essaye de comprendre ce qu'ils disent. Dans sa famille, on s'est toujours moqué de l'accent américain, de ces canards qui parlent du nez et il est tout heureux de l'entendre pour la première fois. Le chauffeur s'est immédiatement endormi, effondré sur son volant, Bob et Janusz fument en silence, les yeux mi-clos, immobiles, comme s'ils faisaient des provisions de temps.

— Je ne peux pas rester comme ça à rien faire, murmure timidement le Chat au bout d'une heure.

— Il faut apprendre à attendre, dit Janusz, en tirant sur sa cigarette. Tu devrais apprendre. Ça te servira. Rien de plus utile : silence et patience. Moi j'ai appris en prison. Dix-huit mois : salopards d'Espagnols. Ça donne du prix aux choses pour le reste de la vie. Par exemple, à une cigarette. Tout simplement.

Le Chat saute sur la route. Plusieurs Américains lui font des signes. Ils sont en train de manger dans des gamelles, debout sous la pluie, adossés aux camions ou assis sur les pare-chocs. Ils sont très sales. Ils ont des visages jeunes, maigres et fatigués. Ils ne sont pas rasés, le casque presque jusqu'au yeux et la jugulaire qui pend d'un côté, leurs blousons maculés et fripés fermés jusqu'au cou, sans insigne, sans boutons, sans ceinturons, sans cuirs, sans poignards, militaires seulement par la couleur kaki, bien différents décidément des guerriers virilement harnachés qu'il a vus défiler pendant quatre ans.

Il a peur qu'on lui demande des comptes sur sa présence, sur son déguisement, il se sent en faute.

— *Hello, boy, where are you coming from ?*

— *From Paris,* répond-il en craignant la suite.

Mais ce sont tout de suite des exclamations et de grandes bourrades dans le dos.

— *Oh ! Paris ! Lucky man. It's so nice...*

Ils lui racontent qu'ils ne connaissent pas Paris, qu'ils sont pourtant en France depuis trois mois, et les voici qui se mettent à poser des questions tous ensemble, il a du mal à suivre et s'embrouille en cherchant les mots, mais il répond parce qu'ils ont des grands rires amicaux : la tour Eiffel ? l'occupation allemande ? comment sont les filles ? est-ce qu'ils ont l'électricité partout comme en Amérique ? les restrictions ? est-ce qu'il mange des grenouilles et des escargots ? et les égouts de Paris, est-ce que c'est vrai qu'on peut se promener dans les égouts de Paris ? Ils lui demandent aussi son âge, son nom, s'il a une sœur, où il a appris à parler anglais comme ça, où il va et pourquoi, et quel est le job de son père. Il répond que son père était professeur, oui, *teacher* ou *professor,* il ne sait plus, il bafouille vraiment beaucoup, mais ils sont tous là à l'encourager, professeur de quoi demandent-ils encore ? de chinois, répond-il en attendant la suite habituelle de ricanements, mais pas du tout, il y en a un au contraire qui s'exclame d'un air admiratif : « *Fantastic !* », et un autre lui demande combien c'est payé, s'il a beaucoup d'élèves, si lui-même est allé en Chine, et est-ce qu'il n'a pas envie d'aller aux States ? Il raconte que ses parents sont prisonniers des Allemands, il parle d'Antoine, et tous lui disent encore des mots rassurants, qu'il n'y en a plus pour longtemps, qu'ils vont régler son compte à Hitler et qu'après la guerre il viendra les voir aux États-Unis qui sont le plus beau pays du monde. Ils lui servent des saucisses roses avec des pois cassés dans une gamelle, les saucisses dégoulinent de graisse, elles ont un goût merveilleux de lard fumé, et il les mange si goulûment et si vite qu'ils poussent des exclamations admiratives. Ils appellent les voisins pour qu'ils viennent voir ce phénomène, un *funny french kid* qui est en train de battre le record des mangeurs de pois et de saucisses. Tout le monde se bouscule autour de lui en lui tendant des saucisses.

Quand il remonte dans la cabine, au moment où le camion va s'engager à son tour sur le pont, il est nanti d'une dizaine de petits papiers avec autant d'adresses aux États-Unis, des écritures anguleuses bizarrement penchées, tous lui ont dit de venir les voir après la guerre, ils lui crient *good luck* en agitant les bras et en brandissant des saucisses.

— Tu as été en Espagne ? demande le Chat à Janusz.
— Dix-huit mois en taule, à crever de faim. Le record.

— T'inquiète pas, ajoute Bob. On est un certain nombre à s'être promis que, cette guerre terminée, on irait faire un tour là-bas pour régler leur compte aux franquistes.

Ils roulent ainsi toute la journée. Le Chat somnole dans les cahots, coincé entre la portière et l'épaule de Janusz, bloc de béton. Ils sont encore bloqués aux passages de rivières, ou à proximité de voies ferrées lorsque la route n'est plus qu'une piste qui zigzague entre les entonnoirs de bombes, parmi les ruines. Ils connaissent de nouvelles attentes, souvent plusieurs heures. Des Françaises passent avec des bouteilles de vin rouge, il boit au goulot comme tout le monde, elles l'embrassent. Il est un peu ivre. Il a l'impression de flotter dans un léger brouillard. Il se sent presque libéré de son inquiétude, presque à l'aise, et il se dit qu'il n'y a pas de raison pour que cela ne dure pas. Pourtant, il continue à imaginer vaguement que tout d'un coup quelqu'un, un gradé, va venir lui demander ce qu'il fait là ; il surveille toujours autour de lui, mais personne ne lui demande de comptes et chaque fois qu'ils s'aperçoivent qu'il parle anglais les soldats l'entourent avec la même curiosité et la même gentillesse. Et d'ailleurs, comment reconnaître un gradé ?

Ils arrivent à Chaumont dans la nuit. Bob et Janusz le lâchent encore dans un vaste dortoir et partent à la recherche d'une antenne fantomatique. Ils reviennent, très tard, en disant qu'ils repartent le lendemain pour Neufchâteau. Là, le front n'est plus loin, personne ne sait exactement ; ils doivent continuer vers l'est. Ils ont regardé une carte, Neufchâteau est sur la route de Nancy, on leur a confirmé que la voie était libre, ils n'auront pas de mal à lui trouver un camion.

— Et, demande le Chat, où est l'armée Patton ?

— Certainement plus au nord, vers Metz. Metz n'est pas libéré. Pourquoi ?

— C'est là qu'est mon frère, dit le Chat.

— Si tu crois que tu vas retrouver ton frère dans une armée de cent mille hommes en mouvement. J'espère que tu vas rester tranquillement dans ta famille à Nancy. Il saura bien t'y chercher, lui. Et tu as assez voyagé comme ça, microbe.

Au petit matin, ils montent sur la plate-forme d'un Dodge et se retrouvent mêlés à une troupe de FFI parisiens équipés de neuf, armés de mitraillettes Sten, nouvelles recrues de la division. Les hommes s'entassent frileusement, mal réveillés, ils ont roulé toute la nuit, et personne ne parle. Le Chat s'accroupit au fond du camion, toujours protégé par la carrure de l'ours polonais. Cette fois c'est tout un convoi, semé de jeeps, qui avance lentement, roues dans roues, sur une route étroite et toujours aussi défoncée. Dans les villages, il y a des drapeaux aux fenêtres, le long des rues des gens les acclament, des gendarmes, des pompiers, des secouristes en uniforme règlent la circulation.

A Neufchâteau, ils sautent à terre sur une place où le soleil pâle caresse des tas de gravats qui furent des maisons. Un convoi de blindés américains passe, sans fin.

— Je vais me renseigner, dit Bob, je vais voir si je peux te trouver quelque chose pour Nancy.

Il ne tarde pas. Il a vu, dit-il en revenant, une colonne de FFI qui vient d'un maquis près de Langres, et qui va vers Nancy. Ils accompagnent la Ire armée française qui remonte du Midi : la jonction a été faite. Il a parlé avec plusieurs d'entre eux, ils sont d'accord pour prendre le Chat avec eux. Il l'emmène devant une espèce de caserne délabrée, aux murs criblés d'impacts d'obus, qui n'est peut-être qu'une école, face à laquelle stationnent plusieurs camions disparates à gazogène en train de chauffer, barbouillés sur le capot et sur les flancs de grandes croix de Lorraine noires. Tout autour, des hommes en uniforme de drap vert bouteille des Chantiers de jeunesse, avec des bérets et de gros godillots cloutés qui font un bruit épouvantable. La plupart ont des mitraillettes Sten à l'épaule, certains seulement des fusils de chasse.

— Voilà le petit frère, dit Bob à un grand maigre à petites lunettes de fer. Prenez-en soin.

— Donne-moi l'adresse de ta famille à Nancy, dit-il au Chat. Je passerai peut-être te voir un jour.

Le Chat rougit et bafouille.

— Je ne suis pas bien sûr de l'adresse exacte. Et il lui donne celle de l'appartement familial à Paris. Il se dit que c'est idiot, que c'est une adresse fantôme, un appartement vide, un paquebot abandonné.

Bob le regarde de son air tranquille :

— Mais tu es bien sûr que tu vas à Nancy ?

— Naturellement, répond le Chat en haussant les épaules. Naturellement.

— Alors salut, Luc, dit Bob. Il fait un petit geste de la main et il s'en va de son pas mesuré, sans se retourner. Le Chat se sent à nouveau abandonné. La bête, dans son ventre, lui donne quelques coups de dent. Il se plie en deux.

— Viens prendre un jus, dit le grand maigre.

Dans la cour, un groupe d'hommes en vert ou en civil avec des brassards entourent une grande marmite sur un chariot et boivent du café dans des quarts. Le long d'un mur, un tas de casques allemands, et un autre tas de grenades à manche en bois. Il lorgne : belles pièces pour sa collection. Le grand maigre suit son regard.

— Pas le droit d'y toucher. Il paraît qu'elles sont pour d'autres. On est pourtant pas si nombreux. Et nous, nous en aurions besoin. Mais ici c'est comme ça. Ordre, discipline et connerie. L'armée, quoi.

— Je te ramène au camion, ajoute-t-il après qu'ils ont bu le jus tiède. Je n'ai pas envie que tu te fasses repérer par le commandant.

Il montre du doigt une silhouette qui s'agite au centre de la cour. A la voir, le Chat a l'impression qu'on vient de sortir d'un placard un personnage pris dans *l'Illustration* de 1939, ou de bien avant encore, qu'il feuilletait à Marles. Les mollets pris dans des leggings à lacets et crochets serrant une culotte de cheval claire, il est sanglé dans une longue veste kaki que comprime un baudrier de cuir auquel pendant un pistolet et un étui à jumelles qui lui battent les fesses ; de larges galons font le tour des manches, il porte un brassard tricolore au bras droit, son béret vert de travers sur le visage anguleux évoque la Légion des anciens combattants : un vrai épouvantail.

— C'est un enculé, dit sobrement le grand maigre.

Il monte avec le Chat à l'arrière d'un camion bâché.

— Vous n'y allez pas ?

— Ils me font chier. Des conneries. Je lui pisse à la raie, au commandant. Je ne suis pas venu pour faire le Mickey.

Du camion, ils voient le commandant donner des ordres,

gesticuler au pied d'un mât, au centre de la cour. Les hommes se forment autour en carré, présentant leurs armes diverses. On envoie les couleurs. Cela rappelle au Chat la cour du lycée de Toulon en 1941 quand on rassemblait toutes les classes dans la vieille cour pour exécuter la cérémonie dite du « salut au drapeau », salut encore qualifié d'« olympique », qui consistait à envoyer en deux temps le bras et la main tendue du cœur vers le ciel et qui n'était probablement qu'un salut fasciste larvé, honteux. Ici on salue plus classiquement, la main au béret. Puis l'épouvantail fait un discours. Ils ne l'entendent pas mais ils voient les gestes saccadés qui le ponctuent. Après quoi les hommes défilent au pas, en tournant autour de la cour. Ils braillent une chanson que le Chat entend pour la première fois ; il en saisit le début parce qu'ils la reprennent comme un disque sans fin : « Ami entends-tu le vol noir des corbeaux sur nos plaines... »

— C'est la dernière trouvaille de cet enculé. Il y a trois jours, il est arrivé très excité avec un disque arrivé tout droit de Londres, il a réquisitionné un phono, il a rassemblé ses troupes autour, il a remonté la manivelle et nous a bassinés pendant une heure avec ce machin sinistre jusqu'à ce qu'on le sache par cœur. Une vraie scie. Ils appellent ça le Chant des partisans. Comme si on avait besoin de cette pacotille de cirque. Enfin, c'est tellement moche et on chante tellement faux que ça fera peut-être fuir les boches, vu que c'est bien connu, ils ont l'oreille musicale, eux. Je suppose que c'est notre arme secrète. On n'a pas de munitions, ils nous ont trouvé un disque. Et défense de toucher aux grenades. Bandes de cons.

— Mais pourquoi êtes-vous là, alors ? risque le Chat.

— Pourquoi, marmonne confusément le grand maigre, pourquoi ? Oui, c'est la question, gamin : pourquoi ? Je suppose, reprend-il, qu'il n'y a qu'une explication. Je suis encore plus con que tous les cons qui nous commandent et que cet enculé-là. Oui, c'est ça. Et figure-toi que je suis tellement con, incorrigiblement con, que, tout compte fait, je suis presque content d'être là. Personne ne m'y forçait. Et je suppose que c'est la même chose pour les copains. Ils méritent mieux. Je les aime bien. Et le plus beau, c'est que je suis un récidiviste. Quand je suis parti en 1943 pour échapper au STO, je pouvais simplement me planquer et attendre. J'ai été dans un maquis de l'Armée secrète, dans le Jura. Le même genre qu'ici : je suis toujours mal tombé. Des officiers de carrière qui voulaient refaire 40, ils se croyaient encore dans une armée régulière : des nostalgiques de la caserne et de toutes les conneries balayées par la défaite. J'en ai eu marre. J'ai filé en Suisse. Pas tendres, les Suisses : mais enfin, la prison de Genève, ça faisait longtemps que je n'avais pas bouffé aussi bien. Là aussi j'aurais pu m'arranger, attendre. J'en ai eu encore plus marre, j'ai tellement fait chier les Suisses qu'ils m'ont expulsé. Alors j'ai cherché un nouveau maquis. Manque de chance : encore un maquis de l'AS. Et cet enculé de lieutenant de carrière qui s'est donné les galons de commandant : il nous ferait faire n'importe quoi pour les justifier, il a une trouille bleue de se les faire reprendre. Et me voilà maintenant, gradé et tout, avec cet uniforme à la con des chantiers de Pétain (tu sais, le costume d'une *agréable couleur verte* que la vieille dame fit faire à l'éléphant Babar ? — Oui, asquiesce le Chat), à jouer à la guerre. On s'est pourtant salement battu en remontant sur Langres et on a perdu du monde. Moi j'ai surtout essayé de limiter les dégâts. C'est la seule chose dont je suis fier. Depuis que je commande ma section, je n'ai pas perdu un homme. Et je me dis que si j'arrive jusqu'au bout sans casse pour mes hommes, j'aurai peut-être, moi aussi, à ma façon, gagné ma guerre. Quand on est arrivé de Langres, on se sentait des dieux, invincibles avec nos deux mitrailleuses hotchkiss, notre mortier modèle 1932 et nos dix obus. On a vu arriver les Américains et la Ire armée française... Tu as vu le convoi tout à l'heure ? Cette impression de rouleau compresseur : nous étions là, au bord de la route, à regarder filer les blindés, les camions, tout cet arsenal écrasant. Eux, ils étaient gentils avec nous : ils nous distribuaient des rations, ils nous laissaient tripoter leur matériel, comme on laisse des enfants jouer avec les affaires des grands. Alors on s'est senti minables. Et si tu voyais sur quel ton nous parlent les civils. C'est à ce moment que j'ai su que je resterais jusqu'au bout. Les premiers combats terminés, le département libéré, chacun pouvait rentrer chez lui. Pas un n'est parti. Nous avons tous signé un engagement pour la durée de la guerre. Ensuite on nous a dit que les gradés du maquis qui avaient des diplômes et de l'ancienneté pouvaient aller suivre un stage pour être incorporés dans une unité *régulière* (comme ils disent) : j'ai décidé de rester un minable, avec mes minables. Depuis dix jours on marche en flanc-garde de la Première DB. On manque tout le temps de munitions. J'ai un chargeur pour la Sten : vingt balles. On fait le nettoyage, dans les mailles du filet : le petit travail, le sale travail. Je continue à protéger mes hommes des conneries de ce grand enculé. Voilà. Maintenant on nous regroupe sur Nancy. J'ai promis à ton ami Bob de t'y déposer et la seule chose que je te demande c'est de ne pas bouger du camion et de ne pas te faire repérer.

Dans la cour, le carrousel est terminé. Des hommes montent dans le camion.

— Alors chef, tu aimes toujours autant les discours du vieux ?

— Il fallait bien veiller aux gazogènes.

— Il va finir par croire que tu as quelque chose contre lui.

Et ils lui donnent de grandes bourrades.

— Nous avons un passager, dit le grand maigre. On le débarquera à Nancy.

— Tu as de la chance : un blouson américain, s'exclame un homme. C'est pas juste, si on habille les gosses avant nous.

Il tâte le blouson :

— Regardez-ça, cette doublure. C'est vraiment imperméable.

Les camions partent en grinçant. Ils roulent une heure sous le ciel gris, lentement, au gré des gazogènes à bout de souffle. Le commandant ouvre le convoi dans une Peugeot à toit ouvrant ornée d'un grand drapeau à croix de Lorraine et l'on voit son béret martial émerger de temps en temps comme un périscope vacillant. Cinq véhicules disparates le suivent, dont une benne à ordures plate, animal préhistorique qui ferraille et tressaute sur ses roues à bandages pleins et dont la cabine est surmontée d'une mitrailleuse à trépied :

— C'est notre blindé, dit le chef au Chat.

Ils s'arrêtent le long d'une route étroite, dans une vallée que borde une forêt, ruisselante et dorée. Le Chat passe la tête et voit, devant, une jeep et trois chars américains. Le grand maigre va aux nouvelles.

— Changement de programme, annonce-t-il à son retour. On bifurque. Il paraît qu'il faut qu'on se montre dans des villages où personne n'est passé. Il y a par là toute une zone... Je n'aime pas beaucoup ça. On n'est pas assez armé.

Il se tourne vers le Chat :

— Si j'avais su... En tout cas ne bouge pas de là.

Ils avancent sur une route sinueuse et défoncée, jaune de boue, entre des haies de prunelliers, qui suit les contours de petites vallées et passent sans s'arrêter dans plusieurs villages où de grands tas de fumier, devant le portail, coulent en traînées noires. Des gens sortent des maisons, les observent d'un air étonné, leur font des signes.

— Le con, marmonne le grand maigre, le con. Pourquoi est-ce qu'il ne s'arrête pas ? Il marche en aveugle.

Et puis soudain, à l'entrée d'un village, le camion s'arrête pile en dérapant, cogne le camion précédent. Ils sont projetés les uns contre les autres, on entend des coups de feu et des cris :

— Descendez, descendez !

Le voici, il ne sait pas très bien comment, tapi avec les autres derrière les roues du camion. Plusieurs rafales fusent. Autour de lui il entend le cliquetis sec des Sten que les hommes arment.

— Ne tirez pas, dit le grand maigre. Surtout pas... Le premier qui tire, je lui botte le cul. Il se relève et remonte, debout, le long de la colonne contre laquelle les hommes restent accroupis. En tête, le Chat qui regarde par-dessus le châssis voit des femmes s'agiter. Il entend des cris, puis une courte rafale de mitrailleuse.

— La hotchkiss, dit un homme.

Puis le silence. Le grand maigre revient.

— C'est tout pour l'instant. Ils étaient une dizaine. Des SS. Des oubliés. Ils ont dû être pris de court et ils ont tiré au dernier moment sur la voiture de tête. On a fait sept prisonniers.

Il rit :

— On n'a pas de blessés, mais la Peugeot du commandant a les quatre roues crevées, elle est foutue, il faut voir sa gueule, il est fou de rage. Ça lui fait les pieds. S'il s'était arrêté plus tôt…

C'est à ce moment-là que l'épouvantail en personne arrive à grandes enjambées en agitant son pistolet et en hurlant :

— Remontez aux camions.

Il s'arrête pile devant le Chat en train de se relever et crie :

— Qu'est-ce que c'est que ça ?

— Rien, dit le grand maigre. Rien du tout.

— Comment, rien du tout ? D'où vient ce gamin ? Ce n'est pas une nursery ici ! C'est un bataillon de l'armée française.

— C'est juste un passager, commandant. Nous l'avons pris pour quelques kilomètres.

— Je ne veux plus le voir. Laissez *ça* ici, immédiatement. Et puis où est-ce qu'il a pris cet uniforme ?

Heureusement le Chat ne se sent pas tenu de répondre à des questions qui lui passent par-dessus la tête, comme s'il n'existait pas. Et heureusement aussi, quelqu'un arrive en courant pour demander ce qu'il faut faire des prisonniers qui attendant là-bas, les mains sur la nuque. L'épouvantail repart à toute allure après avoir répété :

— Laissez ça ici, immédiatement !

Le grand maigre regarde le Chat avec un petit sourire triste :

— Alors tu as entendu, *ça ?* Je ne peux pas faire autrement. Après tout, c'est peut-être mieux.

— Mais, ajoute-t-il, je ne vais quand même pas te laisser dans la nature. Viens avec moi.

Le Chat prend son sac et suit, penaud, le grand maigre qui va frapper à la porte d'une maison dont les volets sont clos.

— Je vous confie ce garçon, dit-il à l'homme qui apparaît. Occupez-vous de lui, et faites ce qu'il faut pour qu'il puisse rejoindre Nancy dès que ce sera possible. Je vous remercie beaucoup.

Et comme l'homme ne bouge pas, planté dans le passage de la porte seulement entrouverte, il ajoute :

— C'est un ordre du commandant Bayard, du 1er bataillon du maquis de Langres, des Forces françaises de l'intérieur. Il pousse brusquement le Chat à l'intérieur de la maison et tourne le dos.

C'est seulement en le voyant repartir que l'homme l'appelle :

— Monsieur, monsieur... Et les Américains, est-ce qu'ils arrivent bientôt ?

— Il n'y a pas d'Américains par ici. Seulement des Français. Le pays est libéré. Vous ne le savez pas ?

— Ben oui et non... Ça fait cinq jours qu'on est sans électricité, sans radio, sans nouvelles. Depuis que Nancy est libérée, on attend les Américains. C'est comme si on avait été oubliés. Et tout ce qu'on a vu venir, ce sont ces Allemands qui se sont abattus sur nos villages, par petits groupes, comme des sauterelles et qui raflent tout. Il y en a tout le long de la vallée.

— On va régler ça, lâche le grand maigre par-dessus son épaule, sans se retourner.

— Mais monsieur, monsieur, ils attendaient les Américains pour se rendre. Pas vous. Ils n'auront jamais confiance.

— Il faudra bien.

Et il s'éloigne définitivement vers l'agitation de la colonne qui redémarre. Le Chat entre à la suite de l'homme et la porte se referme sur la pénombre de la pièce.

— C'est malheureux, c'est vraiment malheureux, dit l'homme. Mais qu'est-ce qu'ils viennent donc faire par ici, ceux-là ? On n'avait pas besoin de ça, nous. On attendait seulement les Américains.

— Ils vont tout gâcher, dit une femme attablée.

Le Chat pose son sac sur une grande table revêtue d'une toile cirée à carreaux et il attend, debout. Sur la table, des bols et une soupière pleine. Assises, deux femmes dont il distingue mal les visages, une vieille et une plus jeune. Une cuisinière à bois, noire et cuivrée, chauffe la pièce. Tiédeur, calme, douceur. Il se reposerait bien là. Il y a un long silence.

— Et qu'est-ce qu'on va faire de lui ? dit finalement l'homme, en se tournant vers le Chat.

Il semble assez jeune, il porte sur la tête une casquette sombre avec un insigne vaguement argenté, quelque chose comme une casquette d'employé à l'électricité.

— Je ne sais pas, dit la plus vieille des femmes. Demande-lui d'où il vient.

— Je viens de Paris, intervient aimablement le Chat qui pense qu'il n'a pas besoin d'interprète et qui n'aime décidément pas qu'on parle de lui en sa présence comme s'il était un petit chien. Et je vais à Nancy.

On entend passer les camions du convoi, puis très peu de temps après, des coups de feu, encore une rafale de mitrailleuse.

— Ça y est, crie l'homme. Je l'avais bien dit. La poisse.

Ils tendent l'oreille, dans le silence revenu.

— La soupe va être froide, dit l'autre femme. Tu ferais mieux de prendre des forces. De toute façon, tu n'y peux rien.

— Oui, dit l'homme. Mais c'est la poisse.

Il s'assied. Le Chat reste toujours planté debout. Il ne sait pas quelle attitude prendre. Ni quels mots dire. « Il faut savoir attendre », a dit Janusz : silence et patience. Facile à dire.

— On ne peut pas le garder ici, monologue l'homme après trois lampées bruyantes. Un garçon seul comme ça, sur les routes, par les temps qui courent, c'est pas régulier. Ce n'est pas le moment d'avoir des histoires. Surtout dans ma situation.

Peut-être, pense le Chat qui se souvient maintenant des méthodes de son frère, peut-être, si j'avais une francisque, je ferais meilleur effet... Mais non, c'est idiot.

— Tu devrais, dit la vieille, appeler les gendarmes, puisque le téléphone marche. Et puis on aurait des nouvelles.

— Tu as raison, dit l'homme. Il sort dans une pièce voisine, le Chat l'entend tourner la manivelle du téléphone, parler ; les mots ne parviennent qu'indistincts. La discussion se prolonge.

— Ils ne veulent pas bouger, dit-il en revenant. Ils disent qu'ils ne peuvent pas sortir tant qu'on tire dans le village. Ils m'ont demandé de leur amener le gosse moi-même.

— Mais si c'est dangereux pour eux, ça l'est aussi pour toi. Eux, c'est leur métier.

— Oui. C'est ce que je leur ai dit. Ils ne sont pas marrants.

— Alors, dit la vieille, il va falloir attendre. Et puis après tout, dès que ça se calmera, il pourra bien y aller tout seul à la gendarmerie, ce garçon.

Le Chat respire fort pour se donner du courage et se remplit de l'odeur de la soupe.

— Je crois, finit-il par lâcher, je crois que je peux y aller tout de suite.

Il se dirige vers la porte et l'ouvre. Personne n'a bougé.

— Dites, monsieur, demande-t-il de la porte, c'est quoi votre situation ?

— Je suis conseiller municipal, dit l'homme. Mais ajoute-t-il, l'air gêné, tu ferais mieux de rester un peu. Il y a de la soupe…

— Non merci, monsieur, dit le Chat, en avançant sur la place.

— La gendarmerie est à l'autre bout du village, lui crie l'homme. Suis la route à gauche, et ensuite tout droit.

Dehors, tout est désert. Il y a une éclaircie. La lumière du ciel délavé joue dans les flaques. De vieilles maisons, encore des tas de fumier, une place boueuse à droite, vers la campagne, une fontaine, ou plutôt un abreuvoir, de l'eau qui chante, sous des tilleuls jaunis. Tous les volets sont clos. Il avance sur la place. Trois cadavres vêtus de noirs sont couchés dans la boue, tous trois dans la même direction, sur le ventre, bras lancés en avant, les casques ont roulé devant leurs têtes. Ils sont désarmés, et même l'un d'eux a été déchaussé — le Chat a-t-il vu vraiment des trous à ses chaussettes ? —, il a lâché la grenade à manche de bois qu'il devait tenir et qui a roulé à un mètre de lui. Le Chat ne peut résister à la tentation, il se baisse pour regarder : l'anneau n'est pas tiré, il est resté sagement accroché à sa goupille ; il cueille délicatement la grenade et passe le manche dans sa ceinture, sous le blouson.

C'est en se relevant qu'il voit de l'autre côté de la place, derrière l'abreuvoir, pointer sous le feuillage des tilleuls les capots kaki couverts de la bâche violette de rigueur, de blindés américains. Il s'approche : il y a là, à l'arrêt, trois half-tracks automitrailleurs, et une jeep. Les hommes des blindés sont assis à leur poste, silencieux, et sur le capot de la jeep, trois soldats casqués se penchent sur une carte.

L'homme qui est derrière la mitrailleuse du half-track le plus proche l'interpelle d'en haut :

— *Hi ! Froggy ! Where did you get this splendid jacket ?* Où est-ce que tu as trouvé ce beau blouson ?

— *Can I help you ?* demande poliment le Chat en tâchant de retrouver l'accent oxfordien dont sa famille lui a seriné les oreilles.

— *Great, folks !* s'écrie l'Américain. Écoutez, les mecs. *This guy speaks english.*

Les hommes de la jeep se retournent et le toisent, l'air interloqué.

— *Really ? Fantastic !* lui demande le plus vieux, qui a des lunettes cerclées d'or et qui doit être un officier. *Nobody speaks a real language in this fucking country.* Personne ne parle normalement dans ce damné bled. Peut-tu nous dire la direction de *wwww... ville ?* (Sa prononciation est tellement tordue que le Chat ne saisit pas : Alsonville, Ersonville, Oursonville ?)

— *I don't know the place,* dit le Chat. *But I can ask for you.*

— Nous avons perdu le contact radio, explique l'officier, en montrant la grande antenne de sa jeep cassée en deux comme une gaule de noisetier. Et je crois que nous nous sommes perdus nous-mêmes. Comment s'appelle ce village ?

— Tennon, dit le Chat, qui a vu la plaque sur la place.

L'officier le fait répéter plusieurs fois : il n'arrive pas à répéter correctement le nom.

— *If you want, I can show you on the map,* dit le Chat timidement.

Pour une fois que ce n'est pas seulement un grand jeu, il est quand même content de savoir lire une carte. Ils lui montrent une zone encadrée au crayon et il essaye de se repérer dans le dédale de routes et de vallées hachuré de brun et de vert. Il y met beaucoup de temps, il a l'impression de passer un examen difficile. En remontant de Neufchâteau et en rayonnant, il finit par trouver Tennon et, en suivant les chemins du doigt il tombe sur Houssonville, à la croisée d'une grande route : c'est bien ce qu'ils cherchaient. Ils lui donnent de grandes tapes dans le dos :

— *Hurray ! Billy, You're a good pal !*

— *I think...,* ajoute le Chat, *there are Germans everywhere.* Des Allemands partout.

— OK, dit l'officier, *That's what we are here for : pick the krauts up.* Nous sommes justement là pour les ramasser. Viens avec nous dans le village.

Ils montent dans la jeep, le Chat derrière, les automitrailleuses démarrent. Ils traversent la place en évitant les cadavres. Des volets s'ouvrent et, de partout, des gens se mettent à sortir. Certains agitent des drapeaux français. Ils stoppent. Du fond de la rue qui traverse le village, un petit groupe déboule en courant : un civil arborant un drapeau, un pompier, deux gendarmes en uniforme bleu. La porte de la maison que le Chat vient de quitter s'ouvre elle aussi toute grande et l'employé de l'électricité, assujettissant sa casquette, se joint au groupe.

— Je suis le maire ! Je suis le maire, crie l'homme au drapeau.

— Lieutenant Schultzberg, US Army, annonce poliment l'officier. *Do you speak english ?*

— Non, crie le maire. Bienvenue ! *Willkommen ! Heil America !*

— *Come on, froggy, translate for me. Ask him if there are Germans in Houssonville.* Demande-lui s'il y a des Allemands à Houssonville. Et dis-lui aussi que je ne parle pas allemand. Juste un peu yiddish.

— *What is it : « yiddish »* ? interroge le Chat.

L'officier hausse les épaules :

— *Never mind. Forget it. Go on quickly.*

— Il vous demande, commence le Chat, tout fier et tout rouge, dans un silence respectueux, il vous demande si…

Le maire répond qu'il ne sait pas vraiment, et qu'il est presque sûr que oui, et qu'il faut qu'ils se dépêchent, qu'ils fassent vite, très vite.

— *I don't understand,* dit le lieutenant Schultzberg rêveur, *why is he in such a hurry to see us get ourselves killed.* Pourquoi il est tellement pressé de nous voir aller au casse-pipe.

— Il veut savoir pourquoi il doit se dépêcher, explique le Chat au maire.

— Dites-lui qu'il y a une colonne du maquis qui est passée par là il n'y a pas une heure : elle va tout mettre à feu et à sang. (Le Chat n'arrive pas bien à traduire « à feu et à sang » : *fire and blood ?*) Alors il faut qu'ils repartent dès que les autres seront arrivés et qu'on nous laisse un contingent pour nous protéger.

— *Others ? What others ?* demande le lieutenant, l'air tout à fait perdu.

— Mais les autres... les autres Américains. Le gros des troupes. L'armée américaine, quoi.

— *Oh ! fuck... WE are the US Army,* commence le lieutenant en haussant la voix.

— Qu'est-ce qu'il dit ?

— Je n'ai pas tout compris, dit honnêtement le Chat qui se tourne vers le lieutenant :

— *What is it : « fuck » ?*

Le lieutenant éclate de rire, il empoigne affectueusement le Chat par le cou et crie en le secouant :

— *Oh you, funny guy, funny guy,* et tous les soldats s'esclaffent.

Des femmes apportent du vin blanc, des verres, et les tendent vers les half-tracks. Un paysan s'approche du chauffeur de la jeep, qui est noir et qui a un nez en bec d'aigle et il lui crie :

— Ollé ! Jimmy. Toi y en a être content ?

— *What is this old gentleman saying ?* demande le chauffeur ployant sous le choc, mais que son siège empêche de reculer.

— *He said : are you happy ?* explique le Chat, en négligeant les détours sémantiques.

— *I don't know,* grogne le chauffeur, songeur. Je crois que j'attendrai pour répondre d'être à Berlin. Ou mieux encore : sur Washington Square.

— Je pense que j'ai compris la situation, dit de son côté le lieutenant Schultzberg, plus sérieux. Mais j'aimerais bien que ce type me dise si, oui ou non, il y a des Allemands à Houssonville et sur la route qui y mène.

— Je crois, suggère le Chat, que le téléphone marche.

— Eh bien ! alors, allons-y ! Le lieutenant saute à bas de la jeep. Trouve-moi la poste.

— Il y a un téléphone ici, dit le Chat en montrant la maison de l'homme à la casquette.

— Viens avec moi.

Le lieutenant le pousse par la porte ouverte et le voici de nouveau dans la tiédeur et la bonne odeur de soupe. L'homme à la casquette suit. Maire et gendarmes s'engouffrent derrière. Le

Chat a sa revanche, mais il surveille quand même les gendarmes du coin de l'œil. Ils ne s'intéressent absolument pas à lui. Ils sont éperdus d'obséquiosité. Il va au téléphone et tourne énergiquement la manivelle.

— Je voudrais Houssonville.

— Quel numéro à Houssonville ?

— Je ne sais pas. Ici, c'est l'armée américaine.

— Je vais vous passer la poste d'Houssonville.

Une autre voix masculine :

— Je suis le receveur d'Houssonville.

— Ici, dit le Chat, c'est l'armée américaine. Nous sommes à Tennon. Est-ce qu'il y a des Allemands à Houssonville ?

— Non mademoiselle. Ils sont tous partis il y a une heure.

— Est-ce qu'il y a d'autres troupes ? demande le Chat qui, vexé, essaye de grossir sa voix.

— Non mademoiselle. Dites-leur qu'ils peuvent avancer. On les attend avec impatience.

Il traduit au lieutenant qui lui fait un grand sourire, lève le pouce en clignant de l'œil, le jette dehors et le pousse sur le jeep. Ils repartent très vite à travers le village et roulent dans la campagne, sur les fondrières, suivis des trois automitrailleuses. « Cette fois, ça y est, pense le Chat. Ce n'est pas un grand jeu. J'y suis vraiment. Si Antoine me voyait. » Il éprouve de la nostalgie de ne pouvoir partager son exaltation. Un quart d'heure plus tard, après une longue descente en lacet bordée de grands arbres, ils débouchent devant une bâtisse ornée de tourelles moyenâgeuses qui marque l'entrée d'Houssonville.

En bas, le long du fossé, à distance respectueuse des premières maisons, une forme qu'il connaît : un camion à gazogène marqué de croix de Lorraine et, tout autour, accroupies, dispersées derrière les arbres, des ombres vertes. A peine la jeep a-t-elle entamé la dernière ligne droite qu'une silhouette familière se dresse. Le Chat reconnaît le grand maigre, qui leur fait manifestement signe des deux bras de s'arrêter. Ils stoppent net, les blindés derrière eux. Ils sont à une centaine de mètres pas plus du camion. Le Chat est joyeux de retrouver une figure connue, il saute de la jeep par l'arrière et fonce à fond de train vers son ami qui lui crie des choses que, dans l'excitation de la course, il n'entend pas.

— Regarde, dit-il quand il arrive à sa hauteur, en ouvrant son blouson sur la grenade à manche. Regarde, j'en ai ramassé une.

— D'accord. Tu as de la suite dans les idées. Mais tu n'as pas entendu ? Je te criais de ne pas venir.

— Tant pis, dit le Chat.

— Planque-toi et ne bouge pas. Pourvu que tes Américains ne s'énervent pas. Ça fait je ne sais combien de temps qu'on attend la sortie des boches. Ils ont crié de ne pas tirer. Ils se rendent. Depuis, c'est le silence. Ça n'en finit pas. Je n'aime pas ça. Ils ont peur. Ça rend tout le monde nerveux.

Un moment de calme, puis brusquement les choses vont très vite. Un groupe d'Allemands en uniforme noir émerge du porche obscur de la grande bâtisse en pierre de taille, bras levés ; l'un porte un chiffon blanc. Ils avancent sur la place. Ils sont à mi-chemin du camion, quand part une brève rafale de mitraillette. D'où ? D'une fenêtre de la muraille ? De derrière l'un des arbres qui bordent la route ?

— Ne tirez pas ! hurle le grand maigre.

Il continue à hurler dans la pétarade qui éclate de tout le tour de la place.

Les Allemands en noir se mettent à courir vers eux ; le premier s'arrête à quelques mètres à peine, bras ballants, jambes écartées, il crie. Est-ce lui ou le grand maigre qui crie encore : « Ne tirez pas, ne tirez pas ! », mais peut-on même entendre dans l'éclatement des rafales ? L'homme ouvre sa veste, plonge sa main dans son ceinturon, agrippe quelque chose qu'il n'arrive pas à sortir.

— La grenade, la grenade, hurle le grand maigre tout contre l'oreille du Chat.

Et le Chat se soulève, il tire sa grenade à manche de sa veste, il l'empoigne de la main gauche, c'est très simple, il a si souvent fait le geste dans les bois quand il allait chez le curé de Magny, les lapins, les bruyères, l'Orme du berger, il tire l'anneau et il la lance droit devant lui. Son geste est trop court, la grenade roule à quelques mètres sur la caillasse, juste aux pieds de l'homme qui fait demi-tour et court comme un fou vers la bâtisse, les autres courent aussi, ils tombent, puis une explosion recouvre tout, le bruit secoue le Chat, il croit que sa tête éclate, il se retrouve le nez dans la boue, les oreilles envahies par un sifflement strident, et il reste là sans bouger à ne plus entendre que ce sifflement qui l'envahit tout entier.

Et quand enfin cela s'apaise un peu et qu'une main le retourne, il voit au-dessus de lui des têtes, celle du lieutenant Schultzberg, blême, sans lunettes, le visage défait, on dirait qu'il pleure, et plus loin celle du grand maigre, d'autres encore, et le lieutenant Schultzberg le soulève dans ses bras, le serre contre lui, il lui parle mais il n'entend rien que cette stridence qui cogne encore à l'intérieur de ses oreilles mortes et s'éloigne.

Il entend aussi la voix lointaine du grand maigre qui lui parle tout contre son oreille :

— Tu n'as rien, tu n'as rien, c'est fini. Répond-moi, tu m'entends. C'est fini. Crie. Il faut crier. Nous sommes tous sourds. C'est normal.

Et il hurle encore, sans que le Chat entende plus qu'un filet de voix :

— C'est normal.

Mais son visage gris et sa bouche tordue disent le contraire.

Le Chat n'a pas envie de crier, il se sent très loin, très faible, très léger, il a l'impression que s'il bouge ou s'il ouvre la bouche, il va se défaire définitivement, il ne sera plus qu'un petit nuage qui s'évaporera, il ne pourra plus se rattraper, alors il reste clos sur lui-même et il referme les yeux.

Au bout de combien de temps les rouvre-t-il ? Il est maintenant adossé à un arbre. Devant lui, la roue de la jeep, des pieds, des jambes et en haut, tout en haut, toujours le lieutenant Schultzberg. Il a de nouveau ses lunettes et il lui sourit :

— *Sorry for the trouble...*, lui dit le Chat.

— *Oh ! you froggy, funny guy,* dit le lieutenant Schultzberg qui se baisse et lui caresse la tête. Et le Chat s'aperçoit qu'il entend de nouveau — les bruits lui parviennent seulement encore un peu mats, écrasés. Il regarde vers la place et voit des gens s'agiter, des uniformes verts et kaki, des civils. Le grand maigre remonte vers lui :

— C'est fini. Mais ta grenade, ta grenade... Je ne te demandais pas de la lancer, ta grenade. Je voulais que tu me la donnes. Je voulais lui faire peur à cet enculé, c'est tout. Pas la lancer.

— Il est mort ?

— Oui. Deux boches morts et trois blessés. Et une douzaine de prisonniers. Mais ce n'est pas ta grenade qui l'a tué. Elle n'a tué personne. Ni chez eux ni chez nous. Une chance, quoi. Une vraie chance.

— Qui a tiré ?

— Si j'ai bien compris, ils n'étaient pas d'accord là-dedans. Ils étaient une quinzaine d'Alsaciens-Lorrains, des gars recrutés de force dans les SS, tu sais, qui étaient bien décidés à se rendre. Mais il y avait aussi deux gradés SS, des vrais, ceux-là. D'abord, ils ont failli se battre entre eux, c'est pour ça qu'on est resté plantés comme des cons, sans comprendre, devant ; et puis quand ils ont vu les Américains arriver, les Alsaciens ont pensé que c'était le moment, ils sont sortis et c'est là que les deux enculés, qui n'avaient peut-être rien vu, eux, nous ont tiré dessus. A vrai dire, on ne sait même pas si c'est sur nous qu'ils ont tiré.

— Alors le type qui criait « Ne tirez pas »...

— C'était un Alsacien, oui. Il voulait se rendre. Et quand ça a canardé, il s'est senti pris au piège comme un rat, il a été pris de panique, il a cherché son pistolet, je suppose.

— Il y a quand même des bonnes nouvelles, ajoute-t-il. Le commandant Bayard a été arrêté dans sa marche triomphale pour Dieu et pour la patrie par une balle de Mauser dans le gras du dos. Il a couiné comme un porc qu'on égorge, mais il a bel et bien été évacué, casé chez des bonnes sœurs qui l'ont farci de charpie et le bataillon en est débarrassé. Et le chemin est libre jusqu'à la grand-route de Nancy. On repart, je t'emmène, et là je te livre à ta famille, en colis à domicile.

Alors le Chat, tout simplement, se défait.

— Je n'ai pas de famille à Nancy. Et puis, ajoute-t-il dans un sanglot, sans réfléchir parce que cela lui remonte du fond des tripes, et puis je voudrais rentrer à Paris.

Le grand maigre se fige, les sourcils remontés, sa bouche s'ouvre béante.

— Oh ! Espèce d'enc...

Il ne termine pas.

— Oh ! et puis mouche-toi, crie-t-il, ça te débouchera les oreilles. C'est moi qui suis un con. On n'embarque pas un gosse dans un cirque pareil.

*

Le lieutenant Schultzberg lui a donné son adresse à Boston et le chauffeur noir la sienne à New York. Ils ont bourré son sac de plaques de chocolat et de bien d'autres choses. A ce train, le Chat, les poches pleines de petits papiers griffonnés, va se transformer en annuaire des États-Unis d'Amérique. Ce qu'il ne sait pas, ce qu'il apprendra au fil des ans, c'est qu'il a désormais toute une famille aux États. Il ne tient qu'à lui : s'il le veut, des dizaines d'années plus tard, Schultzberg de Boston, Lopez de Denver (Colorado), O'Connor de Washington DC et tous les autres — enfin, les survivants — continueront à lui écrire régulièrement à chaque Christmas pour lui raconter le mariage de leur aîné Richard, la naissance de leur premier petit-fils Simon, pour lui demander des nouvelles des siens ou de loger à Paris le cousin Jonathan qui vient découvrir l'Europe ; s'il le veut, ce seront eux qui, le jour où il aura enfin son visa, l'emmèneront pour la première fois dans Central Park, le Bronx et Brooklyn, lui apprendront les cabanes des Adirondacks, les îles de la Nouvelle-Angleterre au petit jour et les *top less* de Montréal tard dans la nuit...

Il est monté dans le camion à gazogène. Les hommes lui ont souri :

— Tiens, voilà notre tireur d'élite.

— La prochaine fois que tu lances une grenade, commence quand même par vérifier qu'il n'y a personne autour.

— Plus fort que le petit tailleur qui en avait tué sept d'un coup...

— ... Sept d'un coup, oui, mais c'étaient des mouches.

Il voudrait leur sourire aussi, mais le sourire se dessine mal. Il se tasse dans un coin. Il tremble. Il se sent honteux. Rassuré quand même, parce que personne n'a l'air de lui en vouloir. Les blindés démarrent et partent devant, leurs plages arrière chargées de prisonniers allemands qui s'agglutinent comme de grosses mouches. Le camion les suit. Le Chat se laisse cahoter. Il se laisse aller. Il a raconté, une fois de plus, toute son histoire au grand maigre.

— Je vais tâcher de te faire ramener à Paris, dit celui-ci.

— S'il vous plaît, dit le Chat, toute honte bue, ne me déposez pas chez les gendarmes.

— Tu es fou ? Ces enculés… Je ne te laisserai certainement pas tomber.

A Nancy, le grand maigre le laisse dans un dortoir de la Croix-Rouge et lui dit qu'il partira le lendemain dans une camionnette qui va à Paris chercher des médicaments. Il passe la nuit recroquevillé sur sa couchette, les genoux repliés sous le menton, les bras autour des genoux, les yeux ouverts dans le noir. Ses cauchemars indécis sont animés par les borborygmes habituels des hôtes de ce genre de lieux. Au matin, un garçon et une fille en uniforme gris-bleu viennent le chercher.

— C'est toi Luc ? Eh bien, tu viens avec nous à Paris.

Ils se serrent à l'avant de la camionnette. Le garçon et la fille parlent doucement, lentement, ils lui sourient toujours et se sourient entre eux. Ils se disent vous.

— Ce sont des amoureux, déduit le Chat, fasciné.

Il a souvent l'impression qu'ils n'ont pas vraiment besoin de se parler pour se comprendre : parfois l'un semble répondre à une question que l'autre n'a pas posée et ils trouvent cela tout naturel. Ils vivent dans un nuage et le Chat est tout content de partager un petit coin de ce nuage. La fille lui pose des questions sur lui, sur sa famille, sur ses études et il essaye de lui donner des réponses qui lui plaisent. Il pleut toujours. Les essuie-glaces ne marchent pas. Ils avancent lentement sur des routes étroites et défoncées, se perdent, demandent leur chemin et se retrouvent par moments sur une grand-route que la Red Ball continue, dans l'autre sens, de sillonner de sa chaîne sans fin. Ils s'arrêtent souvent au bord des fossés, sous des arbres. Ils attendent un bac pendant des heures près des piles d'un pont effondré, sur une rive encombrée de cyclistes et de charrettes à bœufs. Ils s'asseyent sur l'herbe mouillée pour manger des gros morceaux de pain à la sciure et du saucisson qu'ils ont emportés et le Chat déballe ses plaques de chocolat, *toutes* ses plaques de chocolat, ils sont émerveillés, ils lui disent qu'il est un prince déguisé ou un magicien. Ils repassent encore des bacs et des ponts de bateaux branlants, toujours aussi encombrés. Ils mettent ainsi trois jours à gagner Paris. La première nuit, ils la passent chez des parents de la jeune fille et il dort dans de vrais draps sans se laver. Au matin, elle le réveille en lui caressant la joue. Il a envie de se serrer contre elle et de ne plus bouger. La nuit suivante, ils dorment dans une grange que des paysans leur ouvrent.

Ils arrivent à Paris tard dans la nuit. Les voici dans cette rue obscure du septième arrondissement, au bas de l'immeuble. Il tremble toujours un peu.

— Tu veux qu'on monte avec toi, Luc ?

Il leur dit que non, que ce n'est pas la peine, et il empoigne son sac.

— Alors, au revoir, Luc. Tu verras, tout ira bien.

La fille blonde l'embrasse très doucement, lui passe la main dans les cheveux comme pour le recoiffer, lui rajuste son blouson en le tapotant aux épaules, et le garçon l'embrasse aussi.

Il monte l'escalier dans le noir, dans le silence, silence bizarre auquel il n'est plus habitué, silence de mort. Il sonne et sa tante en peignoir entrouvre la porte. Elle pousse un grand cri :

— Luc !

Elle l'attire contre elle et le serre à l'étouffer.

— Luc ! Mon enfant !

Puis brusquement elle le lâche, recule d'un pas et elle crie encore :

— D'où viens-tu ? Où étais-tu ?

Et elle lui envoie deux gifles très fortes, comme si c'était malgré elle, comme si elle n'avait pu retenir sa main.

— Je ne sais pas, dit le Chat. Je ne sais pas.

Tout son corps est secoué de sanglots, comme des hoquets, mais les larmes ne viennent pas.

Et plus tard, il s'est tassé dans l'obscurité, sans s'être déshabillé, sur le lit non défait, elle entre et elle s'assied au pied du lit. Elle lui caresse le front, elle lui caresse le bras.

— Mon garçon...

Ah ! non ! pense le Chat, qui essaye de se tapir encore davantage, de s'enfuir tout au fond de lui-même, serré en boule. Ah ! non ! pas ça...

— Mon garçon, mon petit Luc, il faut que tu me dises d'où tu viens.

Elle répète en appuyant sur son bras qu'il voudrait retirer, cacher, anéantir, mais qu'elle caresse obstinément :

— ... d'où tu viens, d'où tu viens.

Mais qu'est-ce qu'ils ont tous, geint à l'intérieur de lui-même le Chat muet, mais qu'est-ce qu'ils ont tous à toujours poser des questions, qu'est-ce qu'ils ont tous avec leurs interrogatoires ?

— Nous t'avons tellement attendu, dit encore la tante. Nous avons eu tellement peur.

Il ferme les yeux de toutes ses forces, jusqu'à voir mille étoiles, il se tait, il s'épuise à se taire et il sent qu'enfin montent les larmes, que son corps cède, il sanglote, il renifle, il va s'endormir.

Mais avant de s'endormir complètement il se répète sans fin : « J'ai tout raté. »

Et il entend encore une voix familière, amicale, très loin, qui lui dit :

« Les enc... ! »

6. La Petite Truanderie

— J'ai raté, se répète Luc les jours suivants. J'ai tout raté. Je n'ai pas retrouvé Antoine. Je n'ai pas su m'y prendre. Je me suis conduit comme un enfant.

Et les questions se multiplient, se télescopent, il les reprend dans tous les sens. Pourquoi. Et comment. Et pouvait-il faire autrement. Et que pouvait-il faire d'autre, lui, qui aurait changé les choses. Et qu'est-ce que cela aurait changé.

Et, d'abord, comment a-t-il pu croire qu'il réussirait à retrouver Antoine ? Bob avait raison : il était stupide d'imaginer le retrouver dans une armée de cent mille hommes. Pourquoi tant d'histoires ? N'eût-il pas été plus simple de rester, tranquille, à *vivre la vie de famille*, comme dit sa tante ? Il faut savoir attendre, a dit Janusz. Il aurait attendu — comme il va attendre, maintenant, puisqu'il sait désormais que c'est tout ce qui lui reste à faire. Supposons qu'il ne soit pas parti. Imaginons que tout ce voyage n'ait été qu'un rêve, qu'il se soit forcé à rêver jusqu'au bout, jusqu'au moment où le rêve est devenu cauchemar, jusqu'au moment où il a lancé cette grenade : il s'est réveillé, sur son lit, en pleurs, il ne l'avait jamais quitté ; il n'a jamais plaqué la famille, toute cette histoire depuis le départ de Chevigny n'a jamais existé *pour de vrai* : les mille francs pris dans le tiroir de son oncle (et dont il a d'ailleurs presque tout rendu, même cela on peut l'effacer), les FFI, la chanson du pauvre aveugle, Diane et son visage en triangle, Bob, Janusz, la noria des camions, les ponts branlants et les bacs, tous ses amis américains et leurs adresses aux États-Unis, le grand maigre, l'employé à l'électricité, le froid des fossés mouillés, l'andouillette, l'odeur de vomi des couvertures dans les dortoirs, les rafales de la hotchkiss, le sifflement insoutenable à ses oreilles mortes, les bras protecteurs du lieutenant Schultzberg et la douceur des deux amoureux de la Croix-Rouge… Un rêve. Quelle serait la différence ? Qu'est-ce qu'il y aurait de changé ? Non, il sent bien, confusément, que tout serait très différent. Parce que, s'il n'avait pas bougé, il n'aurait pas assez de sa vie entière pour se reprocher de ne pas être parti, d'être resté à attendre comme un bon, un vrai petit garçon : à jouer le seul rôle qui lui ait vraiment été laissé dans cette affaire, un rôle dont il ne veut à aucun prix. Alors, oui, il sait qu'il passerait tout le restant de sa vie à se reprocher de n'avoir rien tenté, à essayer d'imaginer comment cela aurait pu être *si* il avait eu le courage de partir, à se raconter follement, sans cesse, qu'il aurait été possible de retrouver Antoine, qu'il l'aurait certainement retrouvé s'il avait été moins passif, moins lâche. Il lui resterait à se raconter indéfiniment la scène imaginaire de leur rencontre : il aurait débouché de la forêt, portant son vieux sac, sur une place où aurait chanté une fontaine, plutôt un abreuvoir, avec des compagnons qui auraient eu des figures moins précises que celles de Bob, de Janusz, du grand maigre, Antoine serait arrivé en jeep, peut-être que ç'aurait été lui le chauffeur d'un lieutenant américain indistinct qui aurait pu ressembler au lieutenant Schultzberg ou à n'importe quel autre, et Antoine l'aurait vu, il aurait stoppé et sauté de la jeep, il lui aurait dit simplement, en souriant :

— Salut, le Chat. Maintenant tu n'es plus tout seul.

Et ça, au moins, il sait aujourd'hui que c'était impossible. Il a raté, mais il a fait ce qu'il a pu. Tout ce qu'il a pu. Et c'est lui qui a décidé de le faire. Personne d'autre n'a décidé pour lui. Quand son frère reviendra, quand il le retrouvera *pour de bon*, Luc pourra lui dire qu'il a essayé, loyalement. Il n'est resté à la remorque de personne. Il a été maladroit : il est toujours maladroit. Mais, cela, Antoine le sait bien : il n'en sera pas surpris. Il aurait pu faire mieux ? Mais puisque Bob lui a dit que c'était impossible…

Impossible, vraiment ? Trop vite dit. Trop facile. Bob n'est pas infaillible. La vérité reste qu'il n'a pas retrouvé Antoine là-bas, dans l'armée Patton, devant Metz, et qu'il pouvait très bien y arriver. Et s'il y était arrivé, alors, il ne l'aurait plus lâché, il l'aurait accroché, ligoté solidement à la vie. Tandis que maintenant il sent qu'Antoine s'éloigne dans un brouillard mauvais. Déjà il a de la peine à distinguer son visage : il se force, il se concentre, mais les traits restent flous autour de son sourire. Antoine s'éloigne. Il n'a pas cessé de s'éloigner depuis cet après-midi où il a disparu en pédalant en danseuse sur la côte de Montainville, dans les jeux du soleil et du vent et l'odeur du foin coupé. Attends-moi, Antoine. Reviens. Je ne pourrai pas vivre sans toi. Pas encore. Qui m'expliquera ? Qui me dira les choses ?

Ainsi vont, les jours suivants, dans la tête de Luc des pensées qui sont souvent des cauchemars, tandis qu'il reprend, avec le plus de détachement possible — car il s'est bien juré une fois pour toutes de ne plus parler que de ce qui n'a pas d'importance —, la *vie de famille*. Il sait que sa tante reste inquiète, qu'elle a eu très peur, qu'elle a vers lui des gestes de tendresse sous lesquels il fait le gros dos et se renferme davantage. Mais ce qui mobilise toutes ses passions, c'est le négoce, ce sont les marchandages tortueux, coupés de brouilles, de colères et de fructueux accords, avec ses cousins à qui il refile les trésors rapportés dans son sac.

Il sent lui venir de la honte, mais il se sent aussi un peu vainqueur, quand il entend sa tante dire à son oncle :

— Décidément, je ne sais pas ce qu'on va pouvoir faire de Luc. Je crains que ce garçon n'ait pas de cœur.

— A son âge, dit l'oncle, tout peut devenir jeu.

— Mais quel langage il a pris en quelques jours.

*

Quand il avait sept ou huit ans, son frère lui avait dit d'écrire ses Mémoires. Antoine lui avait cousu un carnet de papier blanc avec une couverture de carton violet et avait écrit dessus, en lettres richement éclairées d'arabesques : « Luc Ponte-Serra, *Mémoires*, tome I. » Le Chat avait commencé sur le ton de la comtesse de Ségur :

« Mes chers enfants, je vais vous raconter quand j'étais petit, je me rappelle le plus loin c'est… »

Il n'y avait pas eu de tome II. Aujourd'hui il serait incapable de tenir un journal, d'écrire sur un papier ne seraient-ce que quelques mots qui le concernent, qui touchent à ce qu'il vit, à ce qu'il pense. Tout est bloqué en lui. Tout est dur et serré. Rien ne pourrait sortir. Ou alors, des poèmes en alexandrins, comme il en a fait l'année passée pour célébrer des choses conventionnelles et rassurantes :

Entendez-vous pleurer les bois environnants ?
C'est le grand vent du Nord qui passe en frissonnant…

Plus c'est creux, plus c'est rassurant. Mais, de ces exercices, il n'a plus guère envie, il les trouve un peu écœurants. Il les juge maintenant de haut, comme des fantaisies de jeunesse. Et, pourtant, s'il était capable de tenir un journal, en donnant une forme à tout ce qu'il sent l'agiter, s'emmêler, se confondre en lui, qui le glace et le paralyse, il écrirait à peu près ceci :

« J'ai treize ans passés, on m'en donne souvent plus, je n'ai certainement pas fini de grandir, et pourtant je sens qu'en moi je ne grandirai plus. La plupart me parlent comme à un enfant, je les trouve ridicules. Quelques-uns me parlent comme à une grande personne et j'ai l'impression de les tromper : je peux les suivre (c'est tellement simple : il suffit de prendre l'air attentif, de hocher de temps en temps la tête), mais non leur répondre. J'apprendrai certainement encore beaucoup de choses ; mais je ne serai jamais plus intelligent qu'aujourd'hui. Je ne comprendrai pas mieux que maintenant. Surtout si Antoine n'est pas là. Sans lui je ne pourrai que survivre en me débrouillant. Je me débrouillerai. Je ne serai plus jamais un enfant, je ne serai jamais une vraie grande personne. Je m'appliquerai à faire semblant. Je serai toujours assez fort pour leur ressembler. Je tricherai, c'est tout : personne ne s'en apercevra, sauf moi. »

*

Le 1er octobre, c'est la rentrée des classes. Il est inscrit en troisième à Louis-le-Grand.

— C'est stupide, dit la tante. Tu n'as rien fait l'an dernier et tu n'arriveras pas à suivre : tu es trop jeune.

Ses cousins, le grand et le gros, Chicaneau et le Frisé, Filochard et Ribouldingue, Laurel et Hardy, Zig et Puce ont un an et deux ans de plus que lui et entrent respectivement en troisième et en seconde.

La grande bâtisse sinistre aux cours profondes, les couloirs en coursives sur lesquels ouvrent des salles grises, la masse épaisse des élèves, sa classe qu'il repère par le numéro qu'on lui a donné, ces quarante-cinq garçons qui se connaissent et se mettent au rang devant la porte, lui au bout de la queue, l'appel par le professeur de français, tout cela le trouve passif et plus étranger que jamais. Il se sent ailleurs. Il ne sait décidément pas où se trouve cet ailleurs.

Dans la salle, il cherche une place sans voisin. Il ne suit guère ce qui se dit devant. Il attend patiemment la fin en dérivant loin du bourdonnement des voix qui se perd dans la moiteur de la salle. Même ce qui est inscrit au tableau noir ne lui parvient qu'à travers un brouillard, il doit faire un effort pour arriver à lire : plisser les yeux, se concentrer. Les mots dansent et s'emmêlent. Le plus souvent, il y renonce. Ou, quand c'est vraiment important, il essaye de demander à un voisin de lui préciser ce qu'il n'arrive pas à lire. Il se fait rabrouer. Il griffonne des figures compliquées et confuses ou des ébauches de nouvelles îles imaginaires. Ou des bateaux à voiles et des avions. Le professeur d'histoire et géo retient un instant son attention : il parle de la dérive des continents. Ce n'est qu'une théorie, dit-il, due à un certain Wegener, un Allemand, elle est invérifiable et un peu folle : on peut constater sur la carte du globe que les continents s'emboîtent comme les pièces de bois d'un casse-tête chinois ; ils glissent lentement au long des milliards d'années, mince croûte flottant sur un magma en ébullition autour du feu central de la terre. Luc se laisse dériver doucement avec les continents.

Dès la fin d'octobre, le professeur de français fait faire à ses élèves la composition de narration : « Racontez votre plus belle journée de ces dernières vacances. » C'est un sujet classique. Luc l'a vu revenir avec régularité à chaque rentrée depuis les plus petites classes. Il en connaît les ficelles. Il s'en est toujours tiré avec une bonne note, souvent la meilleure. Il suffit de laisser filer sous la plume une série de clichés éprouvés, la moisson sous le soleil, la pêche à la ligne dans l'étang aux nénuphars, assis dans l'herbe, la baignade et les jeux dans l'eau fraîche et enfin, à la nuit tombée, le feu de camp qui pétille et les chants qui montent allègrement vers les étoiles. Tout s'enchaîne à merveille, chaque image éclôt sagement sous sa plume et s'en va en chercher une autre, mécaniquement ; à aucun moment il n'a besoin de faire le moindre effort pour aller prendre en lui-même quelque sentiment personnel. Aligner cette pacotille de convention le rassure : il se sent à ce moment parfaitement normal, comme les autres. Il n'a aucun doute sur le résultat : il a fait quelque chose de très bien.

Huit jours plus tard, le professeur donne les notes.

— Je suis heureux d'avoir pu constater que vous ne vous y étiez pas trompés. Vous venez de vivre des vacances qui ne ressemblent à aucune autre. Cet été, les vacances ont été celles de la patrie libérée, de la liberté retrouvée. Elles doivent rester comme vos plus belles vacances. Vous l'avez tous compris, à une exception près.

Une honte épaisse s'abat sur Luc. Cette année, les clichés et la convention se sont déplacés sans crier gare. Il a quatre sur vingt, il est dernier.

— D'abord, lui dit le professeur, vous avez fait trente fautes d'orthographe. Rien que cela indique que votre place n'est pas ici. Mais surtout : dans quel monde vivez-vous ? N'avez-vous donc rien ressenti cet été de plus important que le plaisir égoïste d'une baignade et d'un feu de camp ?

La classe ricane en chœur.

— Vous manquez de maturité pour suivre une classe de troisième, dit encore le professeur.

C'est ainsi que huit jours plus tard Luc se retrouve en quatrième au lycée Montaigne.

— Tu vois, lui dit sa tante, satisfaite.

Mais il a eu le temps d'écouler avec profit, auprès des grands aux récréations et à la sortie, la fin de son stock de cigarettes américaines. Il y gagne pas mal d'argent.

Montaigne est un lycée moins triste : il se trouve en bordure du jardin du Luxembourg que le Chat doit traverser. En quatrième, il n'a pas beaucoup d'efforts à faire pour s'intégrer aux cours :

c'est la classe où l'on débute à la fois le grec, l'algèbre, la géométrie ; tout cela, il l'a déjà fait dans les premiers mois de l'année précédente, avant de partir pour son exil agricole. Le professeur d'histoire et géographie, un petit homme verdâtre au nez comme un long doigt tordu, qui parle en plissant la bouche et renifle sans cesse, est aussi professeur à l'École coloniale, spécialiste de l'Afrique du Nord, et il a connu le père de Luc.

— Tu n'as pas honte de redoubler ? lui demande-t-il, alors que Luc se présente au début du cours, devant toute la classe attentive à l'arrivée du nouveau. Et si ton père te voyait ?

Luc ne répond rien. Il n'y a pas de réponse à une telle question. Le petit homme verdâtre est stupide. Et pendant que Luc attend, tête baissée, il moralise à l'adresse de son public :

— Il y a des enfants comme ça, qui portent un nom connu, on exige d'eux d'être à la hauteur de ce nom, mais eux n'ont rien demandé, sauf à être des enfants comme les autres, à avoir le droit d'être médiocres si ça leur chante. Allez, va t'asseoir dans le fond.

— Enculé, rumine Luc.

Sur un point, sa tante a raison : son vocabulaire est devenu détestable et, à vrai dire, assez monotone. Et depuis qu'il mène à nouveau la *vie de famille* il contamine ses cousins ; il arrive désormais à ceux-ci, qui jusqu'ici se prétendaient pourtant affranchis et méprisaient la juvénile naïveté de leur cadet, de manifester parfois une gêne pudibonde, quand, par exemple, Luc s'exclame avec naturel et, si possible, à proximité d'oreilles adultes :

— Bande de cons, ils me font tous chier, ces enculés de merde.

Donc cet enculé de professeur, qui est peut-être d'ailleurs un brave homme mais Luc n'a pas les moyens de vérifier, lui a dit :

— Et si ton père te voyait ?

Si mon père me voyait, pense Luc fou de rage, ça voudrait dire qu'il serait là, et Antoine et maman aussi. Et alors je me foutrais bien du reste.

Où est son père ? On l'a su par la Croix-Rouge suisse. Il est dans un camp de prisonniers politiques, près de Buchenwald.

— C'est un bon camp, lui explique Lady Ponte-Serra quand il va la revoir. Il paraît qu'ils y sont bien traités. Seulement, nous voici en automne. Il est parti en plein mois d'août, lui a-t-on au moins donné des vêtements chauds ? Si je pouvais lui faire parvenir un colis...

En attendant, elle a réussi à trouver de la laine. Elle tricote un chandail et des chaussettes. Elle montre à Luc un rapport que fait circuler le Secours catholique. Il y est exposé que le camp de Buchenwald, près de Weimar, est tenu avec beaucoup d'ordre et de propreté. Que la nourriture y est suffisante. Que les prisonniers sont astreints en semaine à des travaux suivant leurs compétences et se reposent le dimanche. Qu'ils portent un uniforme : « pantalon rouge, veste bleue à parements noirs ». « Ils ont d'ailleurs un excellent orchestre et organisent leurs loisirs : cinéma deux fois par semaine, concerts. » Et qu'il y a une *maison de tolérance*...

On peut croire totalement ce rapport, dit sa grand-mère. Ces informations ont été données par quelqu'un de toute confiance, un grand résistant qui y a été détenu. Et c'est vrai : il s'agit d'un homme que sa femme a réussi à tirer, miraculeusement, du camp contre rançon ; elle a suivi le convoi jusqu'au bout, elle a négocié avec les Allemands avec une ténacité, un courage, un aplomb admirables. Ils sont revenus par la Suisse. Comment dire que Luc est gêné et qu'il trouve qu'il y a dans cette histoire quelque chose qui pue ? Il se sent vaguement injuste, mais il n'y peut rien. (Cet homme a passé, en fin de compte, quelques journées — ou une seule — à Buchenwald.)

Sur une carte, Luc peut pointer Weimar. C'est réconfortant. Weimar est le pays de Goethe, il l'a appris en classe d'allemand : un pays paisible de forêts, un pays de promenades et de méditations sous les grands chênes. Un pays de poésie et de philosophie.

Et sa mère ? Elle est, lui dit-on, dans un camp de femmes, beaucoup plus à l'est, dans le Mecklembourg : Ravensbrück. Sa tante lui répète aussi que les camps de femmes ne peuvent être des camps trop durs. Alors... Quant à Antoine, en septembre il a encore écrit à des cousins, à Londres. A la date de la lettre, la poste française n'était pas rétablie, il n'y avait pas de communication directe possible avec le reste de la France depuis la zone des armées : écrire en Angleterre était pour lui la seule solution. Les cousins anglais ont à leur tour fait parvenir les nouvelles d'Antoine à ses grands-parents.

En octobre, les grands-parents sont rentrés du Midi.

Le 15 août, une partie des forces d'invasion franco-américaines a débarqué sur la plage de Courdoulières. Dans la nuit, un commando avait escaladé la falaise de la pointe des Batteries. Au petit matin, la flotte, du large, a pilonné la côte. Des maisons se sont écroulées, les fenêtres de la grande demeure ont toutes été brisées en mille morceaux, les tuiles du toit ont volé laissant la charpente à nu, les murs se sont lézardés. Une journée durant, on s'est battu dans la Valerane. Les maquisards sont descendus des Maures. Tout un détachement bulgare a été massacré à la grenade par les Français dans le tunnel du petit train où ils s'étaient retranchés. Les morts ont été enterrés à la hâte dans les tranchées allemandes. Les pins ont brûlé comme des torches à chaque endroit où est tombé un obus incendiaire, mais il n'y avait pas de mistral ce jour-là et le feu ne s'est pas propagé. Les grands eucalyptus ont été criblés de mitraille jusqu'au cœur. Très vite la vague est passée. La Valerane était libre et ravagée. Inhabitable.

Les grands-parents n'en pouvaient plus d'attendre, si loin, des nouvelles des leurs. Ils sont donc revenus à Paris dès que cela a été possible, dans leur grand appartement sombre de la Plaine-Monceau. Luc va les voir le jeudi avec ses cousins et il a du mal à reconnaître le grand-père qu'il a connu. Le colosse est devenu vieillard et Luc découvre avec stupéfaction ce long corps amaigri, très voûté, ces gestes et cette marche désaccordés, ces yeux absents, arrêtés sur un point que nul ne peut deviner ni atteindre, pas même lui, très loin à l'intérieur de ses pensées indéchiffrables, et ces silences. C'est, dit la tante, l'effet du choc qu'il a reçu et du souci qu'il se fait pour sa fille. A table, il renverse son verre ou laisse tomber ses couverts de ses mains tremblantes. Les cousins ricanent et quand Luc, gêné, ne les imite pas, ils le traitent de faux jeton. Il va de pièce en pièce, sans but, mécaniquement ; il lui arrive de s'asseoir devant le piano à queue et il y tape quelques notes. Ou bien revenant à lui, il emmène l'un de ses petits-fils dans son vaste bureau où dorment les piles de revues médicales abandonnées, le violoncelle aux cordes flottantes ou rompues, les chouettes empaillées qui achèvent de se déplumer sur les rayonnages, et il feuillette devant lui les reproductions sépia des peintres de la Renaissance, lâchant seulement, de temps à autre, un commentaire bref et désincarné.

— Il faut être patient avec lui, dit leur grand-mère qu'ils entendent pourtant sans cesse le houspiller, piaffante, en *a parte* dans les couloirs : « Mon ami, *cheer up*, reprenez-vous. »

— Quelle corvée ! disent les cousins.

— On peut la refuser, dit le Chat.

C'est ce qu'il s'efforce de faire. Ainsi est-il bientôt admis qu'il ne porte aucun intérêt à l'art. Ce qui, après tout, est peut-être vrai.

*

L'hiver commence tôt, la neige arrive dès novembre et les grands froids s'installent. Dans l'immeuble bourgeois du septième arrondissement, comme ailleurs, le chauffage central ne marche pas et la tante n'a pas de quoi chauffer tout l'appartement. On peut seulement alimenter en charbon le poêle de la grande pièce où se trouve le piano crapaud et un grand tableau sombre au lourd cadre doré, qui représente *Suzanne et les Vieillards*. En décembre, quand la température dans la maison descend au-dessous de dix degrés, elle rassemble les lits des trois garçons dans cette pièce qui ouvre sur sa chambre. Luc quitte la lingerie du fond où il s'était fait sa tanière. Le froid devient le maître absolu du reste de l'appartement. Au bout d'un long couloir jaunâtre suintant, la cuisine est le pays des brumes : il y règne, aux heures des repas, une buée épaisse qui monte des casseroles, de l'eau qui chauffe très lentement sur le gaz parce qu'il n'y a pas de pression. La vaisselle est une sale corvée car, sans savon et sans eau chaude pour rincer, les plats restent indéfiniment gluants ; gluants comme les murs et les meubles, comme la hotte de verre dépoli au-dessus de la cuisinière, sur lesquels se fixe une crasse collante.

Le ravitaillement est difficile. Personne ne s'attendait à ce que les restrictions continuent et, même, empirent. Tout le monde imaginait que la libération, le départ des Allemands allaient ramener immédiatement une vie normale. Au lendemain de la libération, pour un jour, les boulangers ont fait du pain blanc. Puis a eu lieu l'attribution spéciale du « vin de la libération » : un litre par personne. Les trois garçons ont eu chacun le leur : un vin jaune, trouble, où flottait de la pulpe effilochée. Puis le pain est devenu gris, avec des bouts de sciure de bois, et d'étranges agglomérats verdâtres qui sentent la moisissure. Il faut, ici, peser les parts quotidiennes que chacun garde dans une pochette. Il ne semble pas que Luc et ses cousins soient très attentifs aux soucis quotidiens de la tante. En mobiliser un pour la vaisselle signifie, pour elle, une longue et épuisante traque. La succession des raves et des topinambours bouillis, des quelques nourritures moins monotones, quoique parfois étonnantes — babeurre, fressure, sang de cheval en plaques coagulées —, qu'elle s'épuise à se procurer en faisant la queue, les heureuses diversions telles que poulet, lapin ou pâté, que lui apporte son mari de Chevigny, tout cela ne lui vaut que des grognements insatisfaits. Les garçons sont-ils complètement indifférents à ses difficultés ? Avant Noël, les cousins se concertent longuement sur le choix d'un cadeau pour leur mère et, après d'âpres discussions et des enquêtes dans les magasins, ils décident de lui offrir, munificents, une paire de gants de caoutchouc pour faire la vaisselle.

Luc a recommencé à dessiner ses cartes. Il a créé une nouvelle île. Il n'est jamais satisfait, il reste toujours des vides au milieu des taches de couleurs qui s'enchevêtrent. Il peut se perdre des journées entières sur l'épaisse feuille de papier à dessin, entre les crayons de couleur et l'encre de Chine : il est dans son île. Mais le froid arrête le travail. Il ne peut dessiner dans la lingerie glacée, et il ne peut, non plus, transporter sa carte dans la pièce commune où il est déjà difficile, à trois, de venir à bout du travail scolaire. A vivre dans une seule pièce avec les autres, ceux-ci, même s'il est parti dans d'autres dimensions et ne les voit pas toujours avec précision, prennent une terrible épaisseur. Pourquoi Luc s'entendrait-il avec ses cousins et pourquoi ses cousins s'entendraient-ils avec Luc ? Ils sont plus âgés que lui et ils ricanent du haut de leur expérience et de leur science quand il part à la dérive dans de grandioses explications du monde et s'emmêle les pieds au premier détail incertain : la face cachée de la lune en connaît-on la géographie, la pente maximale que peut gravir une locomotive est-ce cinq ou quinze pour cent, les canons des chars Sherman portent-ils à deux ou à cinq kilomètres, et comment fait-on des jumeaux, est-ce qu'on meurt quand on touche le rail conducteur du métro (non ? essaye donc si tu l'oses — mais si, il n'y a qu'à se tenir en équilibre sans rien toucher d'autre), qui a deux bosses du dromadaire ou du chameau, peut-on seller et monter un zèbre, l'esclavage n'existait plus sous Charlemagne, les baleines chantent et allaitent leurs petits, est-ce vrai qu'il y a des palmiers mâles et des palmiers femelles (tu parles encore d'une connerie), les avions japonais sont en bois, il existe une bombe qui désintègre tout, on l'appelle la *bombe anatomique*, y a-t-il encore des cavaliers dans l'armée américaine, un avion ne peut pas voler plus vite que la vitesse du son, a-t-on vraiment vu la tête d'un guillotiné faire un clin d'œil alors qu'elle roulait dans le panier... Il y a de quoi se battre, crier, mordre, lorsque la discussion empile l'une sur l'autre ignorance et mauvaise foi de la part des trois partenaires et qu'aucun, pourtant, ne veut en démordre, comme si l'enjeu était bien ailleurs que dans la question débattue. Tôt ou tard la conclusion intervient, toujours la même :

— Tu es vraiment trop con.

Quand l'oncle est de passage à Paris, ses fils le prennent pour arbitre :

— Papa, Luc prétend que les platanes perdent leurs feuilles en hiver.

— Non, affirme l'oncle, souverain, assis derrière son bureau devant la grande tapisserie verte, tenant son marteau à réflexes à la main comme un sceptre, tel Saint Louis rendant la justice sous son chêne. Non, les platanes *gardent* leurs feuilles toute l'année.

— Mais pourtant, s'obstine Luc.

— Je ne comprends pas, dit l'oncle, cette manie d'ergoter continuellement.

Est-ce l'absence d'Antoine qui laisse Luc tellement désarmé ? Autrefois, il posait des questions saugrenues, et cela s'appelait de la curiosité. Livré à lui-même, le voilà qui bégaye : ce n'est plus du tout un jeu, c'est une série de pièges dans lesquels il s'empêtre. Les choses résistent, les explications se cachent ou se mélangent. Il s'aperçoit que cela peut être pris comme infantile, pervers, indécent — et en tout cas que c'est *mal élevé* — de poser ainsi à tort et à travers des questions à propos de choses dont il est bien suffisant de savoir qu'elles sont là : si elles y sont, c'est qu'il y a de bonnes raisons pour cela, mais qu'est-ce qu'on gagne à aller y farfouiller ? Il y a des explications à tout ? Eh bien justement, faisons confiance, sinon on tombe dans le ridicule. A vrai dire la curiosité est un vilain défaut. D'autant qu'il se retrouve, dérivant chaque fois, à discuter de points absurdes et, perdu, acculé à des arguments de pacotille qui ne le convainquent pas lui-même.

L'oncle aime faire étalage de toute une panoplie de devinettes. Luc le soupçonne de s'en servir ordinairement pour tester la *normalité* de ses malades. Elles sont construites sur le modèle : « Qu'est-ce qui pèse le plus lourd : un kilo de plomb, ou un kilo de plumes ? » Sa plaisanterie favorite est de poser la question :

— Un chien peut-il sauter plus haut que la tour Eiffel ?

— Non, bien sûr, répond la victime avec résignation.

— Bien. Mais pourquoi ?

Et, comme la victime s'empêtre, il lui assène :

— La seule bonne réponse, c'est que la tour Eiffel ne saute pas.

« Ah, que je récupère le plastic d'Antoine, pense Luc avec rage, et tu verras si je la ferai pas sauter ta tour Eiffel. Et bien plus haut que tous les sales cabots du monde. Et toi avec. » Mais cela ne le calme pas.

Au fond, se répète-t-il encore pour la centième fois, mortifié, au fond il n'y a qu'une question importante : faut-il discuter avec les imbéciles ? En attendant de la résoudre, il se traite de tous les noms chaque fois qu'il se retrouve pris au piège et que tombe le mot fatidique :

— Tu ergotes.

La tante, quant à elle, a une manière bien à elle de mettre fin aux controverses. A bout de patience et d'arguments — car il arrive que Luc ait raison —, elle lance : « Dis tout de suite que je mens ? » Luc est coincé. Rester fidèle à son intime conviction et à la vérité, c'est la gifle à tout coup : la tante a la détente facile ; elle pratique de sa main baguée un « aller-retour » qui laisse son adversaire KO et humilié. Céder, se confondre en dénégations serviles, c'est aussi l'humiliation. Alors...

Il ne sera vraiment fort que quand il saura complètement se taire.

(Mais comment pourrait-il comprendre que ce n'est pas si simple ? Après tout, ses cousins ont quelque raison de se défendre et de faire à certains moments corps contre l'intrus. Ils défendent leur territoire, géographique et affectif. Cet individu agité, brouillon, qui passe par des phases d'excitation et de confiance outrées au cours desquelles il veut les entraîner dans des aventures désordonnées et bruyantes, puis par des périodes de hargne, de silence, toutes griffes dehors, cet individu qui envahit l'espace qu'ils se sont aménagé dans une cellule familiale distendue, chacun avec son monde réservé, l'un avec ses poèmes fantastiques et ses essais de pastel multicolores qui tapissent sa chambre, l'autre avec sa passion des constructions, des maquettes, des assemblages complexes... ce petit cousin qui ergote, discutaille, critique, nie tout à tort et à travers alors qu'il en sait, ne serait-ce que du fait de son âge tendre, encore moins qu'eux, est exaspérant. Ils n'avaient pas mérité cela.)

*

Ainsi commence l'hiver. Dans le froid et les restrictions. Les restrictions, on n'en a jamais tant parlé. C'est obsédant. Le signe le plus visible des carences alimentaires sont les engelures aux mains : elles rougeoient, se crevassent et s'enveniment. Si le pain blanc n'est pas revenu, qui sont les saboteurs ?

— De Gaulle est bien, explique la tante, à table, dans la cuisine dégoulinante. Mais il n'a pas d'expérience. Et il paraît qu'il est mal entouré.

Ils écoutent tous les jours à la radio le sketch rassurant d'un humoriste qui commente la situation avec des compères, en roulant les r pour faire paysan et bonhomme. L'effort nécessaire, la renaissance de la grandeur française, la vaillance de nos soldats en Alsace, l'abnégation des FFI encerclant les poches de l'Atlantique, la reprise des communications grâce aux sacrifices des cheminots, l'arrivée à Paris des premières péniches de charbon que l'on doit au dévouement des mineurs du Nord, l'amélioration prochaine du ravitaillement, les succès alliés... Et, à chaque fois, il termine l'émission en répétant :

— J'y crois, oh, j'y crrrrrois...

Et il s'éloigne en sifflotant *la Marche lorraine.*

Il n'est pas de jour non plus où l'on n'entende à la radio, à l'occasion de quelque reportage sur la formation de la nouvelle armée française, sur l'amalgame des FFI et des troupes régulières, ce *Chant des partisans* qui déplaisait tant au grand maigre.

En ce début d'hiver, l'avance des alliés, sur le front ouest, a atteint les frontières de l'Allemagne et se heurte à des défenses allemandes qu'ils ne peuvent franchir. Les Anglais ont été arrêtés par l'inondation des polders de Hollande, les Américains sont entrés dans Aix-la-Chapelle et ont atteint le Rhin au nord de Strasbourg, et la Ire armée française se bat dans les Vosges, devant Colmar. A l'est, les Russes sont toujours à proximité de Varsovie ; l'insurrection a été écrasée en octobre ; ils n'entreront qu'en décembre. Londres et Bruxelles sont matraquées par les V 2, des fusées beaucoup plus puissantes que les V 1, lancées d'Allemagne, et l'on dit que Paris peut être visé à son tour. Athènes a été libérée par la résistance grecque, avant même que les Anglais n'y arrivent.

En allant en classe, Luc achète les journaux. Il y en a beaucoup ; il ne fait pas toujours bien la différence entre eux. *L'Humanité*, il sait de quoi il s'agit, *le Figaro*, sa tante le reçoit chaque jour. (Sa grand-mère, elle, lit *le Monde*, parce que les caractères du titre sont les mêmes que ceux du défunt *Temps*.) *L'Aube*, on lui a dit que ce sont les curés. Mais comment s'y retrouver entre *Combat, Libération, Défense de la France*, les *Nouvelles du Matin* ? Ils n'ont tous que deux pages — une feuille recto-verso, et encore, leur format diminuera au cours de l'hiver par manque de papier. L'essentiel est de trouver celui qui donne les nouvelles les plus détaillées des fronts, des cartes et l'emplacement des villes bombardées. Il lui arrive d'en acheter plusieurs. Peut-être est-ce *Combat* qu'il achète le plus régulièrement, à cause de son sous-titre : « De la Résistance à la Révolution. » Il ne voit pas de quelle révolution il s'agit, les prédictions d'Antoine ne se réalisent pas pour l'instant ; mais du moins ceux-là ont-ils gardé le mot, comme une promesse. Il ne lit guère les éditoriaux, qui agitent des idées générales et des grands principes qui ne le concernent pas. Chaque jour apporte sa moisson de découvertes nouvelles concernant les exactions et les atrocités des occupants, massacres et pendaisons à travers la France, tortures — comme cette salle de torture d'Issy-les-Moulineaux où les détenus, nus, étaient enchaînés debout sur un banc métallique : les tortionnaires faisaient passer un courant électrique et les victimes sautaient, faisant des bonds désordonnés, la trace de leurs mains sur la paroi d'*amiante* est encore visible à des hauteurs insensées ; comme sont visibles les impacts des balles sur le poteau d'exécution proche, déchiqueté. Il y a des photos. Chaque jour, aussi, s'enrichit, comme un feuilleton, la rubrique *Épuration*.

Il n'y aurait jamais pensé seul : si du fond de la classe il voit si mal ce qui est écrit au tableau, ce n'est pas par quelque coup du sort, une malédiction incompréhensible ou une absence de concentration, un détachement qui l'éloignent d'un monde hostile et confus en répandant le brouillard, non : c'est simplement qu'il a besoin de lunettes. Il est devenu myope : il l'apprend en passant la visite médicale. Sa tante le mène chez un oculiste. Il a donc désormais une monture fine aux verres ronds, brune et striée de jaune, dont les branches se terminent par des ressorts pour bien tenir aux oreilles : horrible. Mais, dès qu'il les a sur le nez, c'est prodigieux : tout devient clair, net, précis, les couleurs se démêlent et s'avivent. Au loin, sur les affiches, les lignes de caractères, des mots se forment. C'est presque trop, cela a quelque chose d'inquiétant. Comme il n'a pas besoin de ses lunettes en permanence et que cet appareil de fer le gêne, il les met la plupart du temps dans sa poche. Aussi ne les a-t-il pas depuis huit jours que le voici qui roule par terre, dans la cour, pendant une bataille de cavaliers : il écrase les deux verres. Sa tante pousse des hurlements et lui en fait faire de nouveaux. Cette fois, il les met dans son cartable mou et râpé : il n'est pas long à s'asseoir dessus et les deux verres se brisent à nouveau. Il n'ose plus l'avouer. Il conserve les éclats et, clignant de l'œil, il regarde au travers du plus gros, quand c'est absolument nécessaire : en classe pour suivre au tableau, au cinéma s'il y a des sous-titres. De temps en temps, sa tante lui demande s'il met bien ses lunettes en classe et il répond que oui, bien sûr, et qu'il les garde dans sa poche : il tiendra ainsi tout l'hiver : le brouillard s'est reformé autour de lui, il adoucit à nouveau légèrement les contours des choses ; il semble même aller s'épaississant au cours des mois. Ce n'est pas plus mal.

En classe, il n'a pas de grandes difficultés. Il a peu à apprendre. A la récréation, il s'est replongé dans les grandes batailles de cavaliers : comme il a grandi, il fait moins le cavalier et davantage le cheval. Il sème toujours la déroute autour de lui. A la récréation ou à l'heure de « plein air », la classe joue souvent aux barres, qui est le jeu collectif et brutal qui l'enchante avec ses alternances d'action et d'attente : tantôt il faut courir seul, tantôt tout un camp se soude, coude à coude, en un mur infranchissable. A la composition de français, il est deuxième : les choses sont rentrées dans l'ordre. Le premier est son ami, un garçon blond qui a une grosse tête, un nez aplati et des lunettes. Ensemble, ils vont, à la sortie de la classe, après quatre heures, s'accouder à une balustrade du Luxembourg désert, pour suivre en grelottant le coucher du soleil au-delà des arbres dépouillés et des toits gris : c'est exaltant. Il pense au vers de Baudelaire qu'Antoine répétait d'un air narquois :

> Le soleil s'est noyé dans son sang qui se fige.

Ils suivent la descente du disque rouge qui se faufile entre les nuages.

« A quoi rêves-tu étranger ? » récite son ami à grosse tête. « Les nuages, les merveilleux nuages... »

Ils se disent que s'ils avaient moins froid ils prendraient des notes, ils décriraient le coucher du soleil comme on fait une peinture, ce serait un très long poème, peut-être un livre entier qu'ils écriraient à deux. Car son ami à grosse tête est décidé à passer sa vie à écrire des livres, et il a déjà commencé. Ils parlent du rayon vert :

— On ne le voit que sous les tropiques et encore, c'est très rare, dit Luc qui a lu Jules Verne. Peut-être sur le Nil, en bateau…

Et, quand tout a viré au gris, retentissent les sifflets à roulette des gardes municipaux qui rabattent les derniers promeneurs des quatre coins du jardin encerclé de hautes grilles. Lorsqu'il ne fait pas trop froid, ils font avec d'autres camarades une partie de poursuite avec des billes vernissées le long des caniveaux de la rue d'Assas, jusqu'à Sèvres-Babylone. Les rues sont vides. Il ne passe que très rarement des voitures, ou quelques camions du Bon Marché, tirés par des chevaux gris qui ont de grosses touffes de poils au-dessus de leurs sabots. A Sèvres-Babylone, apparaît parfois un autobus de l'unique ligne encore en service dans le quartier, un mastodonte au toit démesurément gonflé comme un ballon dirigeable : un autobus à gaz.

Il connaît bien des moyens de ne pas s'ennuyer sur le trajet de retour. Il en est qu'il emploie souvent : il est le pilote d'un bombardier en mission et le sol du trottoir est le territoire ennemi qu'il survole. Les plaques de fonte sont des villes : des capitales pour les entrées d'égout — et le petit trou rectangulaire, au centre, est la centrale électrique —, des villes fortifiées pour les plaques de prise d'eau qui présentent une couronne régulièrement bosselée, des sous-préfectures de moindre importance pour les prises de gaz. Lorsque le bitume se craquelle et se fissure, il sait que ce sont là d'importants nœuds ferroviaires ou — quand cela se produit tout au bord du caniveau — des fleuves et des deltas. Le jeu est de cracher habilement, sans ralentir ni se baisser. Le plus difficile est d'atteindre exactement la cible essentielle que constitue la centrale électrique des capitales : le crachat doit filer droit dans le trou rectangulaire et toute la ville est paralysée. L'ennui est qu'à trop bombarder on a rapidement la bouche sèche : la soute aux bombes est vide, il est temps de rentrer à la base en contournant aux carrefours certains points stratégiques qu'il a repérés et où la Flack ennemie est particulièrement meurtrière.

*

Le dimanche, il va déjeuner chez Lady Ponte-Serra.

— On ne me dit rien, répète la vieille dame.

Et c'est vrai. L'autre branche de la famille gravite autour de l'état de son grand-père et le mot d'ordre y est de se taire. Il n'y a plus de nouvelles d'Antoine, de sa mère, de son père. Mais y en aurait-il...

— Il ne faut pas l'inquiéter, répète la grand-mère maternelle.

Et, pour ne pas inquiéter le grand-père, on garde le silence. Pas de nouvelles, bonnes nouvelles ? Luc sait que des démarches ont été faites à Genève, au siège de la Croix-Rouge qui centralise des dizaines de milliers de fiches, pour localiser exactement ses parents, pour tenter d'entrer en correspondance avec eux, pour savoir comment leur faire parvenir des colis. Lady Ponte-Serra écrit à Antoine. Mais Antoine ne répond pas.

Des camarades d'Antoine viennent sonner chez elle. Certains souhaitent reprendre des livres, des cours qu'ils avaient prêtés, un travail commencé en commun.

— Ils me disent tous qu'ils le regrettent. Ils parlent tous de sa générosité, de sa passion, de sa curiosité pour tout. Ils me disent aussi : « Quand reviendra-t-il ? Sa place est ici. Les cours ont repris. Il nous manque. Si le concours de l'École normale avait eu lieu, il aurait été reçu dans les premiers. » Je suis heureuse de les entendre parler comme cela de lui. Mais en même temps je me demande pourquoi ces garçons bien bâtis n'ont pas l'air de se poser d'autres questions. Est-ce qu'ils n'auraient pas dû, eux aussi, faire quelque chose pour leur pays ? Ils ont l'air de trouver tout naturel d'être restés ici. J'ai du mal à ne pas leur en vouloir, à ne pas juger leur égoïsme. Est-ce juste qu'Antoine soit le seul d'entre eux à se battre ?

— Les grands froids sont là, dit-elle encore, et je ne peux rien leur envoyer. J'ai écrit à ton père, j'ai envoyé la carte à Genève, peut-être pourront-ils, là-bas, la faire suivre. Je lui ai dit que tu allais bien, que tu étais en quatrième, mais que c'était normal : tu ne redoubles pas, tu n'as pas vraiment été en classe l'an dernier. J'ai terminé le chandail. A Weimar, l'hiver est plus froid qu'ici. Sont-ils bien chauffés, au moins, dans ces camps ? On me dit que oui, et que la nourriture est bonne. On me dit aussi que puisqu'il parle allemand il est probablement interprète. J'écris toutes les semaines à Antoine. Je ne sais pas si mes lettres lui arrivent. D'abord il ne s'est certainement pas engagé sous son nom. Et puis il a peut-être aussi changé d'unité. Ou rejoint l'armée française. Je ne sais pas si on fait suivre mes lettres. Je lui écris que je suis fière de lui. Je ne voudrais pas qu'il ait de doute à ce sujet. Il devrait nous donner signe de vie, maintenant. Cette attente est trop longue.

Elle a beaucoup de visiteurs. Elle les reçoit recroquevillée dans son fauteuil Voltaire, petit corps tout de noir vêtu, yeux verts et très vifs derrière le nez en bec d'aigle alourdi. Il règne chez elle une certaine tiédeur parce qu'elle a un gros poêle à sciure de bois : l'Institut de France a mis en coupe les forêts de Chantilly dont il est propriétaire et fournit ainsi de quoi se chauffer à ses académiciens et à leurs veuves. Elle parle souvent de l'Égypte avec ses visiteurs. Elle raconte à Luc les longues remontées du Nil, chaque automne, pour gagner les champs de fouilles, Dendérah, Thèbes, Philae et la Vallée des Rois. Ils vivaient alors plusieurs mois de suite sur ce lourd bateau de bois sculpté aux larges voiles, la dahabieh qu'on appelait la *Myriam*, qui avançait, quand le vent manquait, au rythme des longues rames mues par des fellahs qui chantaient doucement, pendant des heures. Ils vivaient la vie du fleuve, ils croisaient les felouques, les barques dont les voiles triangulaires se déployaient comme des ailes de papillons, les pêcheurs, les marchands, les pèlerins.

— Je me souviens lorsque ton grand-père est descendu dans ce puits de la Vallée des Rois où il a découvert une momie particulièrement importante. Il la cherchait depuis des mois. Était-ce le pharaon Hornotpou ou Thoutmosis IV ? Je ne me souviens pas bien. Il était guidé par une espèce de brigand qui lui avait vendu le renseignement, et je ne voulais pas qu'il descende seul avec lui. Mais lui voulait montrer qu'il avait confiance. Je suis restée seule à attendre au milieu des rochers dénudés, attentive aux serpents, sous le soleil torride — j'avais mon ombrelle, bien sûr —, cela a duré des siècles. Et quand il est remonté, il m'a dit simplement : « Il est là. » Plus tard, après le coucher du soleil, nous sommes redescendus vers le Nil avec les fellahs qui portaient la momie à la lumière des torches.

— C'est cette année-là que ton oncle a trouvé au Caire, chez un marchand du souk, le chat bleu de Dar el Bahri. Ton grand-père voulait le prendre pour le musée...

*

Sur la porte de l'appartement familial, les scellés ont été enlevés. A l'intérieur, le ménage a été fait, les volets sont clos, la grand-mère a fait rouler les grands tapis du salon et mettre des housses sur les fauteuils, sur les tableaux. Désert, silence, froid et mort au long des corridors. Dans la chambre d'Antoine, rien n'a été touché. Luc retrouve dans l'armoire le pain de plastic vert, desséché et dur, presque cassant. Il en détache un fragment avec une lame de rasoir rouillée, le pose sur le marbre de la cheminée — devant l'horrible discobole de marbre, faux antique, cadeau de première communion ou d'anniversaire de quelque oncle au goût de cachalot, dont ils ont souvent crayonné de noir la ridicule feuille de vigne gonflée — et il y met précautionneusement le feu avec une allumette : une flamme vive et claire fuse violemment jusqu'au plafond et s'éteint aussitôt, sans explosion : il en est donc du plastic comme de la poudre noire des balles, des macaronis des obus, il n'y a pas davantage de danger à le brûler par parcelles à l'air libre. Il découpe de fines tranches en longueur et en bourre des tubes d'aspirine vides qu'il dispose dans des avions en papier soigneusement confectionnés. Il ouvre la fenêtre qui domine de haut et de loin la large perspective de l'avenue Henri-Martin et des rues avoisinantes. Il dispose une table devant la fenêtre et, sur la table, une planche inclinée. Le voici maître d'une rampe de lancement. L'une après l'autre les fusées partent, fulgurantes et chuintantes, et vont se perdre au-delà des toits. Le pain vert est bientôt épuisé. Fini le plastic.

Il ouvre un tiroir. Des feuilles couvertes de notes, des cahiers s'y amoncellent. Il n'ose pas fouiller. Un jour, une fin d'après-midi pluvieuse comme celle-ci, dans l'ombre d'une coupure de courant, Antoine lui avait annoncé :

— J'ai commencé un grand roman.

— Encore un ? Qu'est-ce que ça raconte ?

— C'est l'histoire du combat d'Achille et de Penthésilée, la reine des Amazones. Personne ne tirait à l'arc mieux qu'elle. Les Amazones vivaient entre elles dans les grandes forêts du Nord, toujours à cheval, toujours invincibles.

— Alors il y aura beaucoup de batailles et d'aventures ?

— Je ne crois pas. Ce n'est pas ce qui m'intéresse.

— C'est dommage.

— Achille était invulnérable…

— Oui, je sais : sauf au talon. Ce n'était pas du jeu. Alors, bien sûr, c'est lui qui l'a tuée ? Elle est dégoûtante, ton histoire.

— Pourquoi ? C'était la guerre.

— On aurait pu l'éviter.

— C'était beaucoup trop tard. Tout avait été dit, tout avait été tenté. Dans la plaine de Troie, Penthésilée tire ses flèches sur Achille et le manque. Il ne lui en reste qu'une. Alors elle tourne bride. Elle s'échappe vers la forêt proche, parce que la forêt est son alliée, c'est là qu'elle a toujours vécu : elle veut y attirer Achille pour l'abattre de sa dernière flèche. Elle passe au galop de son cheval à travers roseaux et broussailles. Achille la poursuit. Quand elle atteint les grands arbres, elle se retourne, elle bande son arc, et, sans ralentir, elle le manque encore une fois. Achille lui lance son javelot, la transperce, elle tombe de son cheval devenu fou qui la traîne encore parmi les ronces. Lorsque Achille arrive devant son corps enfin immobile, il regarde son visage. Alors seulement il comprend ce que, pourtant, il a toujours su, qu'elle était belle et qu'il l'aime. Et peut-être lui adresse-t-elle un dernier sourire à travers ses cheveux dénoués.

— C'est toi qui a inventé tout ça ?

— Non. Ce sont les Grecs. C'est dans Properce et dans Quintus de Smyrne. Mais aucun ne dit si elle a souri. C'est moi qui le pense.

— Tu vois bien que c'est un roman de cape et d'épée. C'est plus beau que *Cyrano de Bergerac*.

— Tu seras déçu. Et puis je pense que cela se passera de nos jours. Achille aura un neuf millimètres et un blouson, Penthésilée sera à bicyclette.

— Elle est décidément trop triste, ton histoire. Moi, a dit le Chat, si j'écrivais un livre, je préférerais parler d'Ulysse qui est parti sur les mers, de Pénélope qui l'attend, et de Télémaque.

Et c'est vrai qu'il avait commencé une grande tragédie qu'il avait intitulée *le Retour d'Ulysse*, en alexandrins, en comptant sur ses doigts. A la première scène de l'acte I, on voyait le chef des ignobles prétendants venir sommer Pénélope, assise devant sa tapisserie, de choisir enfin le successeur d'Ulysse :

> Madame, c'en est trop. Depuis dix ans déjà
> Votre mari parti sur tant de mers lointaines
> Vous laisse sans nouvelles. Il faut sonner le glas.
> Ithaque attend un roi, vous n'êtes que la reine.

A la scène II, on devait voir arriver Ulysse déguisé en mendiant, mais il n'y avait jamais eu de scène II.

— De toute façon, lui avait dit son frère, rappelle-toi que, rentré à Ithaque, Ulysse n'est pas pour autant au bout de ses peines. Il tue les prétendants, il monte dans la couche royale avec Pénélope, mais il faudra qu'il reparte. Car, de la prédiction qui lui a été faite aux Enfers, tous les points sont accomplis sauf un : il doit aller jusqu'au pays des hommes qui ignorent la mer. Il le reconnaîtra quand, marchant sa rame sur l'épaule, des habitants lui demanderont à quoi sert cette longue pelle. Alors seulement il pourra retourner définitivement dans son palais. Alors seulement il pourra vivre tranquille.

— Qu'est-ce que ça veut dire, vivre tranquille ?

— Cela veut dire qu'il mourra de sa belle mort.

— Est-ce qu'Ithaque existe vraiment ? avait encore demandé le Chat à son frère.

— Bien sûr. C'est une île sauvage avec un petit village de pêcheurs.

— Tu crois qu'elle a beaucoup changé depuis Ulysse ?

— Probablement pas. Il n'y a plus de palais royal. Ce n'était peut-être qu'une grande ferme : devant, sous les oliviers, le porcher Eumée gardait les cochons, comme le vieil Andréis, à Courgoulières. Des montagnes sombres, des vignes, des roseaux. Et le soir on hale les barques sur des rouleaux jusqu'au haut de la plage : c'était déjà ce que faisaient les marins d'Ulysse.

— On tire le bargin ?

— Certainement. D'ailleurs après la guerre, nous irons, si tu veux. Tu verras bien.

— Nous irons partout.

Trois coups sont sonnés à la porte. Un espoir fou : il se précipite à l'entrée pour ouvrir. C'est le concierge qui a vu filtrer de la lumière. Après son départ, Luc reste là, dans l'ouverture, sans refermer le battant, les mains ballantes, frissonnant de froid, l'œil perdu sur l'escalier vide. Triste à mourir.

*

C'est dans les premiers jours de décembre que sa grand-mère voit revenir la première lettre qu'elle a écrite à Antoine. L'enveloppe n'a pas été ouverte. Elle est surchargée de tampons et d'inscriptions manuscrites en anglais qu'elle ne déchiffre pas. La lettre a transité par les États-Unis, où la poste aux armées américaine est centralisée : elle a traversé quatre fois l'Atlantique.

— C'est bien ce que je pensais, dit-elle à Luc. Il n'est pas sous son vrai nom. Il a dû rejoindre l'armée française. Ils ne peuvent pas faire suivre.

Son champ de vision, l'espace dans lequel il vit ou il rêve, se sont rétrécis. Ce léger brouillard qui le baigne et le sépare en permanence des choses et des gens les plus proches, il n'est pas dû seulement à l'absence de lunettes. Son univers est ramené désormais à des espaces réduits et délimités dont il se sent incapable de crever les frontières : l'appartement du septième arrondissement et même, plus précisément dans celui-ci, la pièce commune, car les couloirs et la cuisine représentent déjà une sorte de no man's land vaguement hostile ; le trajet jusqu'à

Montaigne, la classe, et, seul lieu qui s'élargisse un peu, le Luxembourg et ses jeux — le bassin, les allées, les escaliers, le manège de chevaux de bois sans tête que le vieil infirme fait tourner à la manivelle et qu'ils envahissent parfois au sortir de la classe, en conquérants —, mais cernés encore par les hautes grilles et les gardes municipaux à sifflets ; et, lointain déjà, mais monde également clos au bout du trajet en métro, l'appartement de ses grands-parents, cette succession confuse de vastes pièces à l'abandon, sur deux étages, meubles massifs bancals, lits lourds revêtus d'épais tissus aux brillances éteintes, lustres de cristal en débandade voilés de poussière, rideaux ternis qui pendent aux hautes fenêtres presque opaques ; et, plus loin encore, l'appartement de Lady Ponte-Serra où veille toujours le chat bleu, qui lui, au moins, reste le témoin et le garant qu'il existe encore d'autres mondes, d'autres réalités, d'autres histoires, d'autres rêves, un passé et un avenir : ses yeux fixent peut-être le pays des hommes qui ignorent la mer. Ou celui de l'homme à la cuillère.

Même son corps se tait et lui devient étranger. Tandis que la vie quotidienne glisse autour de lui comme une banquise, sans heurts, sans relief, il a souvent l'impression d'être comme absent de son corps, spectateur détaché, critique même, de son agitation : il s'est tellement replié sur lui-même, retiré au fond de lui-même, quelque part, dans un lieu très secret. Ainsi, curieusement, il n'a plus jamais mal au ventre. La bête familière s'est tue, elle ne ronge plus ni ne mord, comme découragée par tant de vide et d'indifférence : et Luc souffre presque de ne plus sentir en lui cette présence familière. Il lui est arrivé de provoquer la douleur : il a, un soir, tenu plus de deux minutes une cigarette allumée sur le dos de sa main ; la cloque purulente qu'il a fait naître laissera une cicatrice jusqu'à sa mort ; c'est comme si la douleur l'avait rassuré.

— Tu vois, triomphe la tante. Tes histoires de ventre sont terminées. Plus de comédies. Je savais bien qu'il suffisait d'une vie réglée, d'un peu d'ordre et d'autorité.

Mais il l'a aussi entendue qui disait à l'oncle :

— Si cela doit continuer, l'an prochain, il faudrait mettre Luc en pension. Il est trop insupportable. Il a besoin de discipline.

Son corps a changé : il ne le reconnaît plus tout à fait pour le sien. Il a beaucoup grandi. Il n'a plus la même aisance. Il était ramassé et souple, le voici qui devient un échalas et s'emmêle quelquefois les pattes. Il y a peu, encore, il se sentait autrement sûr de ses mouvements quand il courait le long des gouttières de la vieille maison à Marles, à douze mètres au-dessus de la cour pavée, s'appliquant à ne pas ralentir dans les angles droits : oserait-il encore ? Tout en lui, membres et muscles, travaillait à l'unisson : ainsi, quand il passait les bottes de blé au bout de sa fourche, dans la chaîne des servants de la batteuse, il prenait plaisir à garder le rythme, à se tenir à la crête de l'effort, sans jamais forcer. Comme dans les grandes courses à la nage, dans les vagues, jadis avec Antoine : parfois, ils faisaient la planche à deux, ils mêlaient leurs jambes et, sur le dos, ils ne formaient qu'un seul corps, une tête à chaque extrémité ; il leur arrivait ensuite, quand ils se redressaient sans se démêler, de couler un instant, corps contre corps, peau contre peau, dans le fracas de l'eau verte, et alors seulement ils se lâchaient pour remonter, à grands coups de pied. Dans de tels moments, tout tournait rond, tout chantait en lui. Aujourd'hui... Il n'aime pas, par exemple, ces genoux osseux qui sortent de la culotte courte en accordéon (heureusement, il peut s'habiller avec les vieux pantalons de golf de ses cousins). Tout est bizarre et lui échappe dans cette charpente anguleuse qui s'allonge. Et ces poils, maintenant..., c'est ridicule.

Il aimerait quand même réagir contre les propos sur l'ordre et l'autorité que lui assène sa tante. Il tente de reprendre ses voyages dans le métro. Mais il n'y trouve plus le même goût. Le métro ne l'invite plus aux grands dépaysements. Il l'a déjà exploré jusqu'à ses confins. Le métro est triste et misérable, cet hiver-là. La moitié des stations sont fermées, mortes, les vitres sont remplacées par des contre-plaqués, les rames sont rares, elles n'ont que trois wagons, ou alors, comme celle du *Nord-Sud*, elles ne sont plus que des tas de ferraille qui cahotent dans un bruit infernal de vieille machine à l'agonie, une ampoule électrique sur trois est allumée et le faible éclat des filaments jaunes perce à peine l'ombre. Jamais il n'y a eu autant de monde, et jamais tous ces gens n'ont été si tristes, si silencieux. Aux heures de pointe, les attentes s'éternisent, les portillons refoulent les files compressées, on suffoque.

Peut-être aussi a-t-il moins que l'année précédente la tentation de sécher la classe. Il n'y est pas mal : ses notes sont moyennes, les professeurs le laissent tranquille et il s'entend bien avec ses camarades. Il est un vrai boute-en-train. Il a de grandes initiatives, comme par exemple un concours d'avions en papier. Pendant plus d'un mois, il y entraîne toute la classe qui triture fébrilement des feuilles de cahier à la recherche de plis inédits ; dans la cour du lycée, au Luxembourg, l'espace se zèbre de flèches blanches poursuivies par des meutes de garçons excités, Luc toujours en tête. C'est étonnant comme la fabrication d'un avion en papier peut engendrer de techniques différentes, d'écoles ennemies ; il n'est pas jusqu'à la manière de souffler dans le nez de l'appareil avant de le lancer qui n'oppose les clans adverses.

La brouille qui sépare Lady Ponte-Serra de sa tante et du reste de la famille s'éternise, et il peut continuer à l'utiliser à ses propres fins : c'est toujours lui qui indique à sa tante les jours et les heures auxquels il rend visite à sa grand-mère et qui indique à celle-ci quand il est prévu qu'il rentre chez sa tante.

Il retourne à plusieurs reprises aux Halles. C'est toujours l'après-midi et c'est toujours la même tristesse. Pourtant, un aimant l'attire. Il tourne autour du Petit Roscoff, il n'ose pas entrer, il essaye de voir à travers le vitrage, sans s'arrêter : simplement, il ralentit le pas quand il tourne au coin de la rue de la Petite-Truanderie puis refait le tour du pâté de maisons, reprend la rue Saint-Denis et recommence. Il a peur de se faire remarquer, il se garde bien de dévisager les quelques rares femmes qui stationnent, il marche dans l'odeur de pourriture en fixant le sol, les déchets de raves et de rutabagas, le crottin de cheval, naviguant à l'estime au milieu des tas de détritus. A chaque passage il cherche le visage de Diane. Il ne discerne pas bien, l'éclairage est mauvais ; mais il n'y a jamais grand monde à l'intérieur, toujours quelques hommes calmement attablés, une ou deux filles ; même vues de dos, il sait bien qu'aucune n'est Diane.

Un après-midi de décembre, il a mis son blouson américain.

(« Je t'interdis de mettre ce blouson, dit à chaque fois la tante. Je ne veux pas que tu te promènes dans cette défroque militaire. Tu as l'air de quoi ? Et puis on peut croire que tu l'as volé. ») Il accompagne ses cousins jusqu'au marché aux timbres. Il les laisse là, dans un difficile négoce de timbres monégasques contre des cigarettes américaines. Il va vers la rue Saint-Denis. Il a décidé de prendre sur lui, coûte que coûte. Arrivé devant le Petit Roscoff, il résiste à la tentation de glisser le long de la devanture pour suivre son tour de trottoir habituel. Il respire un grand coup, il pousse la porte et il entre. Il est saisi par la chaleur du café, il hésite un dernier moment, tenant la porte ouverte sur la rue glacée. Le gros patron velu, derrière son comptoir, hausse le sourcil puis hurle :

— La porte, bordel !

— Je cherche Diane, bafouille Luc. Et il la voit, assise seule à la même table qu'il y a deux mois, sur la gauche, au fond de la salle en coin. Il voit d'elle, d'abord, un invraisemblable chandail de laine perlée, brillante, rose-orange à stries blanches. Il ferme la porte et va vers elle. Elle lève les yeux des cartes étalées sur la table de bois rouge.

— Tiens, l'Escargot. Tu tombes bien : je cherchais quelqu'un pour un poker.

— Je ne sais pas jouer, dit Luc.

— Aux dés, c'est facile. Je vais t'apprendre. Alors, toujours mouillé ? Tu vas où, aujourd'hui ? A Marseille ?

— Non, je suis revenu à Paris. C'est tout.

— C'est dommage. Tu m'aurais emmenée. Tu n'as pas trouvé ton frère ?

— Non. Je n'ai trouvé personne. Je n'ai rien trouvé.

— Mais assieds-toi donc, idiot.

Il s'assied sur le bord de la banquette. Elle le regarde, les yeux verts en amande un peu plissés, des yeux comme une source aux algues dorées, et elle sourit en étirant ses lèvres minces, montrant, une fraction de seconde, tout au coin de la bouche qui se relève, une canine pointue très blanche.

— Bonjour, le Chat.

C'est doux : personne ne l'a plus appelé comme ça depuis des mois.

— Alors, vous vous souvenez de moi ?

— Idiot. Chat de gouttière, chat tigré, chat aux yeux bleus, chat teigneux, qui fait le gros dos et qui aime l'andouillette. Tu as froid ?

— Oui.

— Patron, un vin chaud.

Un vin chaud, même sans citron, même à la saccharine, ça vous brûle agréablement, ça vous met du feu dans tout le corps, ça brouille un peu le décor, ça vous monte complètement à la tête, surtout quand c'est la première fois qu'on en boit.

Full d'as par les dames, carré de rois, quinte flush : il apprend, il perd tout le temps, dans l'euphorie, c'est à peine s'il grogne un peu. Diane a le triomphe bruyant. Plus tard, il gagne.

— Tu n'as pas l'air plus content quand tu gagnes que quand tu perds. On dirait que tu n'aimes pas gagner.

— Peut-être. Je n'aime pas perdre non plus.

— Pourtant il faudra t'y faire. On perd ou on gagne. On ne reste jamais entre les deux. Il faut toujours que ça se termine par l'un ou par l'autre.

— Je ne veux pas que le jeu s'arrête. C'est tout. Le reste, je m'en fous.

— Alors tu es encore plus vicieux qu'un tricheur. Et plus dangereux. Lui, au moins, c'est clair : il fait tout pour gagner. Le jeu, c'est sérieux. Si tu ne le prends pas au sérieux, tu fausses tout et c'est toi le roi des tricheurs.

— Ce qui compte c'est avec qui je joue.

Vers cinq heures, avec la nuit qui tombe, le café se remplit. Depuis longtemps déjà il s'est fait un va-et-vient de plus en plus bruyant autour de la table des joueurs de cartes et le ton des conversations a monté. Des ombres, traînant les pieds, sont venues s'affaler au comptoir en réclamant leur petit marc ou leur vin blanc. Le patron s'anime, des chaises grincent, traînées sur le carrelage. Quelques ampoules s'allument. Puis quelques filles, grosses et bizarrement fagotées, jambes blanches nues qui vous donnent la chair de poule, vestes épaisses, cache-cols et grands sacs en bandoulière. Elles parlent nourrices, premières dents, layettes, elles comparent des pelotes de laine achetées au marché noir. Tout reste encore étouffé, presque familial. Chacun semble se connaître. Certaines font un petit signe à Diane, qui lève à peine les yeux. Plus tard, la porte vitrée est violemment poussée, des exclamations éclatent, de gros souliers sont choqués contre le carrelage. Le Chat se retourne. Un groupe d'hommes très jeunes déboule dans le café.

— Bon. Voilà la 24-4, dit calmement Diane. Garde-à-vous, fixe.

Elle rafle brusquement les dés et les cartes et les jette dans son sac. Plusieurs garçons se dirigent vers sa table. Ils portent des effets apparemment militaires, mais dépareillés. Deux d'entre eux s'assoient sur la banquette du Chat, le refoulant sans ménagement à l'extrémité. Un grand blond mal rasé, le poil épars sur ses joues bronzées, une large mèche bouclée sur le front masquant en partie un regard vif, précis, presque inquisiteur, s'assied en face, tout contre Diane, l'attire contre lui et l'embrasse longuement sur la bouche.

— Alors, Diane, j'ai de la concurrence ? Tu les prends au berceau ?

— Mais non, dit Diane sans sourire, en haussant les épaules. Mais non, Max. Ce n'est rien. Je te présente l'Escargot.

Le Chat reste figé, tout rouge, sur son bout de banquette, une fesse dans le vide.

— Ça fait du bien, dit son voisin en débouclant un épais ceinturon de cuir jaune tout neuf qui serrait à la taille sa longue capote kaki qui lui pend, informe, comme une grosse jupe, jusqu'aux pieds. Ça fait du bien. J'en ai marre de cette putain de bordel de caserne.

— On ne parle pas de corde dans la maison d'un pendu, lâche Max sans desserrer les dents, dans un sourire en coin. Il étire ses grands bras, fait craquer les os de ses mains, et ses pieds font tanguer la table.

— C'est vrai que ça fait du bien. C'est presque humain, ici.

Le Chat décide de rompre la paralysie qui le glace, de se lever. Il se glisse à travers la salle maintenant très enfumée, pleine d'individus expansifs à bérets, en manteaux kaki fripés. C'est presque avec soulagement qu'il ouvre la porte et retrouve le froid de la rue et une bouffée de l'odeur fade des trognons de légumes.

Il fait nuit. Une main, par-derrière, le tire doucement par la tignasse. Il se retourne.

— Embrasse-moi, petit Chat, dit Diane. Et reviens encore. Passe plutôt l'après-midi, comme aujourd'hui. A cette heure-là je suis presque toujours libre.

Derrière Diane, par la porte ouverte, il a le temps de voir, d'un coup d'œil, Max qui s'est levé et qui va s'asseoir au vieux piano noir à dents jaunes, près du bar, à côté des toilettes. Deux ou trois accords dissonants qui se bousculent viennent le frapper, puis la porte se referme. Diane a disparu, il est dans l'ombre de la rue de la Petite-Truanderie, une petite neige mouillée tombe et fond sur le sol gras.

*

Décembre, c'est le moment de la grande contre-offensive allemande. Dans les Ardennes, l'armée Patton est presque enfoncée. En Alsace, la division Leclerc va devoir tenir seule, pendant quelques jours critiques, Strasbourg et la plaine à peine reconquises et déjà à nouveau menacées. Sur le littoral français, résistent toujours les poches échelonnées de Lorient à la pointe de Grave, que des FFI, transformés en troupes régulières, mais guère mieux armés pour autant, ne peuvent qu'encercler sans les réduire. Mais que tout cela est désormais loin de Paris ! La guerre s'éternise à nouveau. Au lycée, la professeur de chant prépare, à toutes fins utiles, le jour de la victoire en apprenant à ses élèves à chanter en chœur les hymnes alliés avec des paroles françaises aussi obscures que vibrantes :

Dans la nuit obscure, ô bannière étoilée
C'est toi qui nous guidais sous tes plis glo-ri-eux
Puis le jour est venu dans son albe lumière…

Puissante indivise est l'Union soviéti-que
Par la volonté de ses peuples bâtis
…Drâ-â-peau soviéti-que
Drâ-â-peau populai-re
Conduit le pays de victoire en victoire.

(Luc apprend que l'hymne soviétique n'est pas *l'Internationale*. Il soupçonne la professeur de chant d'une manœuvre réactionnaire.)

A l'approche de Noël, le professeur de français lit une circulaire qui enjoint à tous les enfants de prisonniers de se faire connaître afin de participer à un grand gala : un arbre de Noël. Luc lève le doigt. Le professeur hésite.

— Je ne sais pas si vous y avez droit. Votre père n'est pas exactement prisonnier de guerre.

A la maison, la tante est mécontente :

— Comme si tu n'avais pas de famille. Comme si nous ne te suffisions pas.

Le gala a lieu dans un cinéma du quartier. Deux milles gosses de tous âges sont réunis. Dessin animé, clowns et discours patriotiques sur leurs chers papas que toute la France attend avec ferveur, qui reviendront bientôt participer au magnifique effort de reconstruction de leur pays pour lequel ils souffrent tant. On fait chanter la salle : *Mon beau sapin, la Marche lorraine*, et, bien entendu, *le Chant des partisans*. Le grand maigre avait raison : ce chant-là est frelaté.

Ohé les tueurs
A la balle et au couteau
Tuez vite !

Facile à dire. Toute la salle, les clowns, le personnage qui les a harangués, deux mille enfants et les dames qui ont accompagné les plus petits, chantent à l'unisson :

Ici, nous vois-tu
Nous on marche, nous on tue,
Nous on crève.

Il rentre à la maison avec un bon pour des chaussures neuves.

La veille de Noël, sa tante a traîné les trois garçons dans la cohue des grands magasins pour qu'ils se choisissent un cadeau.

Luc a mal aux pieds et trouve tout moche. Rien ne lui plaît, rien ne l'intéresse. Le soir, sa tante lui donne un papier sur lequel elle a écrit « Bon pour un cadeau ». Le lendemain, ils vont à la grand-messe à Sainte-Cécile : une foire confuse, un prêche et trois quêtes.

Les grands-parents réunissent la famille chez eux : retour à la tradition d'avant la guerre. Le grand-père circule, ombre vacillante, soutenu par sa femme, droite, énergique, qui ne le lâche pas un instant : il n'émerge guère de ses brouillards. Il y a là le ban et l'arrière-ban des grands-oncles et des grands-tantes, des oncles et des tantes éloignés, des cousins et petits-cousins, des vieilles demoiselles amies de la famille.

Un oncle, qui est producteur de cinéma, raconte son film en cours de tournage : on ne peut imaginer, dit-il, à quel point Jean Marais est attentif et serviable. Mais quel froid sur le plateau ! Comment réunir cent cinquante costumes Empire pour la scène du bal ?

— Les affaires ne reprennent guère, dit l'oncle François. Ce gouvernement manque de volonté. De Gaulle est l'otage des communistes. Il cède au chantage. Ces mesures sociales dans un pays en faillite sont de la démagogie.

— Et l'épuration. Cela n'en finit pas. Après les atrocités de la libération… Remarquez : je comprends que l'on fasse des exemples. Tant pis pour ce pauvre Sacha Guitry. Ça ne gêne personne. Et même Brasillach : après tout, il n'avait qu'à se tenir tranquille. Mais cette notion de collaboration économique : elle jette l'inquiétude chez les chefs d'entreprise. Combien tremblent qui ont, en toute bonne foi, agi dans le cadre des lois ? Ce n'est pas dans un climat pareil qu'on peut créer les conditions d'une reprise saine.

Voici l'oncle marin qui commandait le croiseur. Il a revêtu son grand uniforme de pacha à cinq galons.

— Il l'a mis pour faire plaisir à sa mère, qui est mourante, dit la tante. Il est courageux, car il n'en a pas le droit. Il doit passer devant une commission d'épuration.

On met son courage où on peut, pense Luc : pourquoi pas dans un uniforme ? (Un mois plus tard l'oncle sera totalement blanchi par la commission.)

Luc subit l'étreinte de quelques poitrines molles de vieilles dames attendries aux parfums pestilentiels :

— Ah ! ce pauvre petit.

Il ricane en buvant du mousseux avec ses cousins. Il fait bloc avec eux.

Un garçon va de l'un à l'autre, le verre à la main. Il porte les vêtements kaki, mi-sac mi-uniforme, que Luc connaît déjà : ceux dont on habille les FFI engagés dans l'armée, celui de la 24-4. Mais il connaît aussi le pelage roussâtre, ces yeux roses et ce rire de chèvre, cette voix cordiale et suffisante et ces gestes amples qui accompagnent les phrases. Aucun doute, c'est le cousin Bernard Maury, celui de la surprise-party.

— Je suis devant la poche de Quiberon, explique-t-il. Quelle gabegie ! C'est lamentable. Nous n'avons pas d'armes lourdes, on nous oublie, les boches sont parfaitement retranchés, ravitaillés par sous-marins et par avions, ils peuvent tenir indéfiniment. Sans canons, le mur de l'Atlantique reste invulnérable. Et, pour moi, voilà *encore* une année de perdue. Pour rien, rien du tout. Pendant ce temps, à l'École des mines, les cours ont repris. Et si vous voyiez les hommes que je dois commander : aucune discipline, un troupeau de voyous.

« Eh bien ! grogne Luc ; il devrait pourtant être fier, cet enculé-là : après tout, le mur de l'Atlantique, c'est lui qui l'a construit. »

Le cousin Maury reconnaît Luc. Il va vers lui, avec son sourire un peu baveux de boy-scout ou de premier vendeur. Il a l'air content de lui, des autres, de tout, malgré ses jérémiades.

— Vous avez un bel uniforme, dit Luc.

— C'est affreux… Il paraît que ton frère est dans l'armée américaine. Lui, au moins, il a de la chance.

— Oui, dit Luc, il a de la chance. Beaucoup de chance.

Ainsi passe cette fin d'année. Non, décidément, Noël n'est pas intéressant.

Tous les Noëls n'ont pas été comme celui-là. En 1938, à la Valerane, toute la famille avait pris le petit train après la grand-messe pour descendre au pied du village de Cogolin. Ils étaient montés dans les vignes dénudées et les châtaigniers, marchant dans l'herbe épaisse et humide de l'hiver, ils avaient traversé le village silencieux et endimanché : ils entendaient les mulets s'ébrouer dans les écuries des maisons, ouvrant sur les ruelles étroites : on voyait leurs croupes au passage. Ils avaient pris un sentier pierreux et ils avaient pique-niqué sur les rochers plats des moulins de Paillasse qui lançaient les vestiges délabrés de leurs grandes ailes vers le soleil d'hiver. Il en a gardé une photo : son père, assis sur un mur en ruine, brandit joyeusement une bouteille dans une main et un verre dans l'autre : il chante. Voilà un bon Noël.

*

Une préoccupation l'envahit : il a peur de perdre la mémoire des visages absents. C'est surtout la nuit, évidemment, que cela le prend. Il essaye d'évoquer le souvenir précis des traits de sa mère. Il sait pourtant, d'expérience, que c'est la pire méthode : plus on force, plus le souvenir se brouille. Les souvenirs précis n'apparaissent qu'à l'improviste : il en est ainsi de l'odeur sucrée de massepain et de fleurs séchées du bureau de son grand-père à la Valerane (il ne sait pas exactement ce qu'est le massepain, mais il est *sûr* qu'il est impossible de définir autrement l'odeur de cette pièce), de certaines tonalités de la voix d'Antoine (« mais oui, je t'aime, idiot »), du goût de sa peau mouillée lorsqu'ils roulaient ensemble sur le sable au sortir des grandes baignades, de leur odeur à tous deux quand ils rentraient d'une longue course sur les crêtes, du bruit perlé des vagues par sa fenêtre aux petits matins de calme plat, du picotement de la moustache de son père sur sa joue, le soir au coucher. Les visages que l'on cherche désespérément se dérobent ; c'est quand on n'y pense pas que leurs traits resurgissent comme dans un flash ; cela peut se produire à un carrefour de rues, au détour d'un escalier, parce que quelqu'un a prononcé un mot, parce qu'une image est passée, peu importe laquelle : alors le visage de l'absent est là, une infime fraction de temps, très fragile. Inutile d'essayer de le retenir : il file. Autant courir après un nuage. Ce n'était qu'un nuage.

Mais comment se contenter d'un nuage ? Comment être sûr, à

chacune de ces apparitions surprises, que cette fois ne sera pas la dernière ? Alors il insiste, il force, désespérément. Rien ne vient que la peur d'avoir décidément tout perdu.

Petit, le soir, sa mère lui racontait des contes japonais : l'histoire d'Oumashima-Taro, le pauvre pêcheur qui a trouvé dans ses filets une nuit de pleine lune un petit poisson d'or qui n'est autre que le fils du roi des poissons. Luc a passé l'âge des contes ; mais, certains soirs, il ferme les yeux et pense que sa mère vient s'asseoir sur le bord du lit, qu'elle raconte cette histoire-là. Alors il entend presque sa voix.

Nuages, fantômes, comment ne pas rester aux aguets pour tenter de les saisir au passage, de les empêcher de filer, de s'évanouir davantage ? Attention aux faux mouvements, aux gestes imprudents qui brouillent les reflets. Même les photographies, qui devraient être des repères indestructibles, des bouées de sauvetage, ne sont pas, à vrai dire, absolument sûres : à les fixer trop longtemps, là aussi les traits se dissolvent, il ne reste plus que des détails éclatés qu'il ne sert à rien d'essayer de recoller.

Mieux vaut donc veiller à retenir en soi tout ce qui peut être retenu de ces ombres. Ne pas prendre de risques : ainsi, trop parler des absents, par exemple, et de façon inconsidérée, n'est-ce pas laisser échapper de leur substance, n'est-ce pas dangereux ?

Il entend encore sa tante qui parle de lui :

— As-tu remarqué, demande-t-elle à l'oncle, as-tu remarqué que Luc ne parle presque jamais de ses parents ? On dirait qu'il n'y pense même pas.

*

Que cet hiver-là est long et triste. Que cet hiver-là est froid. Un tunnel.

En février 1945, personne ne prévoit que la fin de la guerre puisse être pour bientôt. L'Allemagne assiégée à l'intérieur de ses frontières naturelles a regroupé des forces encore immenses. La propagande allemande parle toujours d'armes secrètes qui vont tout faire basculer. Il reste à franchir le Rhin, les Alpes, l'Oder… Londres, plus que jamais, est la cible d'une pluie de V 2 qui se font encore plus meurtriers. On cherche des indices, des signes : c'est ainsi que l'on fait remarquer que Churchill a tenu des propos optimistes : il semblerait compter sur une victoire définitive pour l'automne 1945 — encore a-t-il bien précisé que dix-huit mois seraient encore nécessaires, après la victoire sur l'Allemagne, pour venir à bout du Japon. Depuis plusieurs mois, les combats autour d'Aix-la-Chapelle ont transformé la région en ce que les reporters appellent *un décor d'apocalypse.* Quotidiennement, des vagues de bombardiers vont pilonner les villes allemandes : on en compte cinq mille en une seule nuit, qui lâchent des dizaines de milliers de tonnes de bombes. A l'ouest, la grande affaire est maintenant le franchissement du Rhin.

Jusqu'à quand, se demande Luc, durera le silence des siens ? Il n'est guère question, dans les journaux, des déportés et des camps. Alors que reviennent, par Odessa, mêlés aux prisonniers libérés par les Russes, les premiers rescapés d'Auschwitz, on commence seulement à parler du camp du Struthof, que les troupes françaises ont découvert, vide, en entrant en Alsace. Désormais, dans la presse, à la radio, les descriptions du Struthof viennent s'ajouter aux commentaires et aux témoignages qui, quotidiennement, continuent à s'accumuler sur les atrocités commises par les nazis pendant l'occupation, les tortures de la Gestapo, les massacres et les fusillades des SS. Et quand ce n'est pas, dans *le Figaro,* un nouveau récit d'Oradour, c'est, à la radio, Jean Nocher qui, soir après soir, narre d'abominables histoires concernant les forfaits de la barbarie germanique, d'une voix grandiloquente, un atroce bruitage à l'appui, bruits de bottes, rafales de mitrailleuses, *Raus* et *Schnell* à profusion.

C'est au Struthof, explique-t-on, que la folie sanglante de Hitler a atteint son paroxysme : car dans ce camp aux baraques vertes parfaitement conformes aux normes de la Croix-Rouge, ce camp qui, disent les journalistes, *semblait pareil aux autres,* on découvre non seulement le crématoire, qui a fonctionné jusqu'au dernier moment de l'évacuation, mais, reliée à lui par un monte-charge, la chambre à gaz. Luc lit pour la première fois et apprend ces mots, *chambre à gaz,* très exactement ce matin de neige du 3 mars 1945 en rentrant du lycée, à midi, lorsqu'il ouvre de ses doigts crevassés *le Figaro* qui, exceptionnellement ce jour-là, a paru sur quatre pages parce qu'il reproduit le discours programme de De Gaulle. On décrit aussi l'arsenal du laboratoire d'expérimentation sur les détenus vivants que dirigeait le professeur Hagen, et, notamment, les expériences de localisations cérébrales : l'énorme tas de cheveux et de scalps retrouvé dans une salle d'expérience témoigne, dit-on, de ces expériences. Vingt mille détenus sont morts en deux ans au Struthof, indiquent les archives du camp. Ainsi, en trois jours, cinquante-neuf femmes venues de Ravensbrück sont-elles passées par la chambre à gaz et le crématoire. *Ravensbrück,* lit Luc, qui cherche sans succès plus de détails dans d'autres journaux. Ravensbrück.

Peut-être est-ce à cette époque qu'à certains moments, sans prévenir, la mort commence à s'installer en lui. Il se met à y penser de plus en plus souvent. Précisément : voilà que la mort d'Antoine, la mort de sa mère, la mort de son père deviennent des choses possibles. Des choses vraies. Qui peuvent prendre une forme. Sur lesquelles viennent s'inscrire des images de plus en plus discernables. Pourtant la mort ne devrait plus, depuis longtemps, lui être étrangère. A quel moment commence-t-on à ne plus être un simple spectateur de la mort ?

Petit, il posait des questions sur la mort. Et puis il se rassurait. Avec les progrès gigantesques de la science qu'on lui décrivait toujours, il semblait évident que les hommes auraient éliminé la mort avant l'an 2 000. N'était-ce pas justement la finalité ultime du progrès ? Ses parents souriaient et le laissaient dire. Il avait eu des discussions passionnées avec Antoine à propos de l'âme et de la vie éternelle. Antoine oscillait suivant les jours entre le ricanement froid et un scepticisme moins tranché. Plus ouvert. Il affirmait en général qu'il s'agissait de fables et, qu'en tout cas, la religion ne pouvait être crue au premier degré. (Il se lançait dans des exposés sur la relativité des religions en général, et les avatars de la religion chrétienne en particulier — le Chat savait-il que bien d'autres prophètes, bien d'autres Messies avaient sillonné la Palestine du temps de Jésus ? Le Chat, comme d'habitude, ne suivait pas très bien.) Mais il concluait souvent que, pour fables qu'elles soient, ces notions ne devaient pas être systématiquement tournées en ridicule. Il fallait en tenir compte. Il y avait trop de choses que l'on n'avait pas encore résolues sur la nature de la vie elle-même. On ne pouvait balayer d'un haussement d'épaules plusieurs milliers d'années de croyances qui avaient façonné les hommes tels qu'ils étaient aujourd'hui. Il y faudrait du temps, de la patience, et encore beaucoup de travail.

Bien sûr, comme tout le monde, Luc a lancé des défis à la vie, il a cherché à en éprouver les limites. Il a fixé intensément le soleil plus loin que les flamboiements verts jaillissant dans sa tête, à en devenir aveugle de longues minutes. Il a retenu sa respiration jusqu'au vertige absolu. Il a plongé si profond que la surface de l'eau lui semblait une lointaine feuille d'argent qu'il ne pourrait jamais rejoindre. Il s'est avancé tout au bord des falaises, à l'extrême limite de l'équilibre, fixant en bas les vagues balayant les rochers découpés. Mais les défis à la vie n'invoquent pas vraiment la mort, ce n'est pas elle qui est nommément en cause.

Images rapides, mais obstinées : une masse de prisonnières en uniforme rayé — qui lui a dit qu'elles portent cet uniforme ? — marchent vers la porte ouverte de la chambre à gaz ; la gueule ouverte du crématoire.

Sa tante voudrait qu'il n'écoute pas tout le temps la radio. Et surtout pas Jean Nocher.

— Je ne veux pas que Luc entende ça, dit-elle, alors que, de son lit, il écoute à travers la porte la voix qui déroule jusqu'à lui son chapelet d'horreurs habituelles, tortures, attente des condamnés à mort, aboiements rauques. Je ne veux pas que Luc entende ça. Il est trop jeune encore.

Mais elle n'éteint pas le poste.

Alors, contre l'assaut de telles images, il lutte en se répétant qu'il se fait du cinéma, qu'il en rajoute, que rien n'est tragique : c'est lui qui est ridicule. Son père est dans un bon camp. Les camps de femmes sont contrôlés par la Croix-Rouge. Et Antoine... c'est le moment d'invoquer les images rassurantes : Antoine en danseuse sur son vélo. La voix de sa mère. La marche dans les bois mouillés avec son père. Mais, décidément, elles résistent. Il est seul.

Il ne cesse pour autant d'être tour à tour agité et lunatique. De se disputer avec ses cousins. De piquer des colères absurdes et de tomber à coups de poing et de pied sur ceux qui lui déplaisent. D'inventer de nouvelles règles pour la poursuite aux billes. De prendre la tête des raids contre le manège aux chevaux sans tête. Il va au cinéma : il voit *les Cavaliers du ciel,* en trois épisodes, son premier western ; *l'Extravagant Mr. Deeds,* sa première comédie américaine ; *les Visiteurs du soir, Deuxième Bureau contre Kommandantur,* et toute une flopée de *Laurel et Hardy,* doublés.

Mais il ne reste que les Halles et la Petite-Truanderie pour l'attirer vraiment. Il y retourne. Il entre au Petit Roscoff quand à travers les rideaux il aperçoit Diane, seule. A plusieurs reprises, il a vu qu'elle n'était pas seule : il a fait demi-tour. Elle l'accueille toujours avec ce mélange de brusquerie et de douceur qui le laisse sans voix, sans réactions. Elle lève à peine la tête : c'est comme s'il ne l'avait quittée que pour quelques instants, sa présence lui semble naturelle. Et toujours son sourire...

Près d'elle, il est bien. Est-ce parce qu'elle est la seule à l'appeler le Chat, de sa voix rauque, à lui dire *petit frère,* la seule aussi à ne pas lui parler comme à un enfant ? Loin d'elle, il pense à des choses précises : il l'entoure de ses bras, il l'embrasse, comme Max. Il passe la main sur son corps, sous son pull rose-orange, sous sa jupe, sur la peau, son ventre... Pourquoi pas ? A partir de là les images s'embrouillent : elles deviennent confuses. Mais il sait seulement qu'elles sont lentes et romantiques : rien à voir avec les racontars de Lucien, à la ferme. Mais sera-t-il un jour capable de tels gestes, d'une telle assurance, comme Max, comme tous ces hommes aux yeux desquels il compte pour rien, qui paraissent si tranquillement invulnérables au doute ? Devant elles, ces images-là s'évanouissent.

Max est parti, avec son bataillon, au début de décembre, vers l'Est.

— C'étaient de vrais truands, ces gens-là, dit Diane avec nostalgie. Les rois de la débrouille, de la combine et du trafic, du marché noir, gris et rouge... Et rouges, justement, ça oui : Max parlait toujours du communisme et de la révolution. Il disait :

« On prépare le Grand Soir, mais, en attendant, y a pas de raisons qu'on reste là à s'emmerder les bras ballants. » Et c'est vrai qu'il s'emmerdait pas. Tu parles d'une valse : avec les stocks que les Américains entassent à la Porte d'Orléans, les rations, les cigarettes, les blousons, l'essence, des Jerry-cans tous les jours, et du Teepol, un truc formidable, tu en mets une goutte et ça nettoie tout, et des outils, tous les outils pour tout faire, un rêve... Et le whisky. Non, bien sûr, tu ne connais pas. Et les armes. Oui, les armes.

— Alors tu penses, conclut-elle, quand les Américains ont demandé des renforts, dans les Ardennes, c'est la 24-4 de Romainville qui est passée la première. Il y en a qui ont dû être soulagés. Et maintenant, ici, ça fait un drôle de vide.

Diane parle beaucoup de Max. Le Chat y reconnaît mal le grand garçon aux gestes possessifs qu'il a entr'aperçu.

— Il raconte toujours des histoires si compliquées que j'ai du mal à m'y retrouver. Par exemple il est en train de t'expliquer — enfin tu crois comprendre que c'est ce qu'il t'explique, mais déjà tu ne sais *vraiment* plus pourquoi il te parle de *ça* — que, lorsque des alpinistes tombent dans une crevasse, le glacier met cent ans à restituer leurs corps, il les traîne gelés dans son ventre, chaque année deux ou trois mètres, et quand ils réapparaissent, ce sont leurs arrière-petits-enfants qui sont là pour les récupérer, et eux n'ont pas changé, ils ont gardé leur jeunesse, leurs vêtements sont neufs, avec les mêmes couleurs, dans leurs sacs les sandwiches sont toujours frais, ils ont juste un peu de barbe, les cheveux un peu plus longs... Bon, alors tu es en train d'essayer de le suivre, de penser à tout ça, d'imaginer le tableau et puis tout à coup, sans que tu aies eu le temps de comprendre comment c'est arrivé, changement de décor : il te parle d'îles au milieu de l'Atlantique où les gens vivent sur des volcans qui crachent le feu, et quand ils veulent faire la cuisine ils n'ont qu'à creuser un petit trou devant leur porte et ils ont un petit cratère pour eux tout seuls, le feu jaillit, juste de quoi cuire la soupe. Il dit aussi que les chats...

— Eh bien, quoi, les chats ? risque le Chat : il trouve que Max est encore plus envahissant absent que présent.

— Les chats sont beaucoup plus intelligents que les hommes,

mais ils le cachent. Ça fait trois mille ans qu'ils sont installés dans toutes les maisons. Ils attendent et ils nous observent en silence. Un jour, quand ils sauront tout de nous, ils prendront le pouvoir d'un seul coup. Et alors...

— Alors quoi ?

— Alors, je ne sais plus.

— Elle n'est pas de lui, cette histoire, dit le Chat avec mauvaise foi. Je la connaissais.

Il n'ose pas demander à Diane ce qu'elle fait là, dans ce café, comme rivée à la table rouge pour toute sa vie. Il essaye de comprendre en recollant les bribes qu'il saisit au passage, mais cet univers lui échappe. Une fois, elle lui a dit :

— Moi, c'est la nuit que je travaille. Ah, tu verrais la nuit... Tu ne me reconnaîtrais pas.

Une autre fois, elle a lancé sèchement à un homme épais qui lui faisait des signes du comptoir :

— Je ne fais pas la pute, moi.

Le patron, qui n'est pas bavard, la traite comme si elle avait toujours été dans ce café. Il lui sert ce qu'elle demande sans commentaires et il n'apporte jamais d'addition. Les femmes de la rue, les putains, les vraies, viennent souvent s'asseoir près d'elle. Leurs propos ne varient jamais. Toujours les histoires de nourrices, les cadeaux que l'on prépare pour des baptêmes et des anniversaires et, le printemps approchant, les préparatifs de la première communion des petites sœurs ou des petits frères. Elles égrènent aussi des considérations moroses sur la marche des affaires :

— Ce gouvernement ne sait pas s'y prendre. Les affaires ne reprennent pas.

Tout cela n'est guère différent de ce qu'il a pu entendre à Noël chez ses grands-parents. C'est tout juste si de temps à autre intervient un détail professionnel :

— Moi, je fais les noirs américains. C'est pas des vrais nègres.

Elles exhibent des cartouches de cigarettes, des bas nylon, et elles repartent dans le froid en faisant claquer leurs talons de bois.

— Il faudra que tu viennes un soir, dit Diane au Chat. Mais pas n'importe lequel. C'est dommage que Max ne soit plus là pour tenir le piano. On a quand même quelquefois des sacrés Américains à la trompette...

*

Lady Ponte-Serra n'a toujours pas renoncé à écrire à Antoine. Elle a pourtant reçu d'autres enveloppes retournées, avec les mêmes inscriptions qu'elle ne déchiffre pas davantage, et elle les a gardées, comme la première. Ses grands-parents maternels, eux aussi, ont reçu leurs lettres retournées. Alors ?

— Je ne comprends pas, répète la vieille dame. Je ne comprends pas. Bien sûr ; puisqu'il ne reçoit pas nos lettres, il ne sait pas que nous lui écrivons. Et, sans nouvelles de nous, il doit penser que nous lui en voulons : c'est ce que croient ta tante et tes grands-parents. Mais, moi, il sait bien que je ne lui en veux pas. Il sait bien que ce n'est pas possible. Comment le joindre, comment lui faire savoir que nous sommes fiers de lui ? Je sais que ta tante et tes grands-parents font des démarches. Mais on ne me dit rien. On ne me dit jamais rien.

Que peut-elle dire d'autre ?

Elle écrit :

« Mon enfant, peut-être cette lettre-ci aura-t-elle plus de chance que les précédentes. Où es-tu ? Que fais-tu ? Ne laisse pas sans nouvelles ta grand-mère qui t'aime et Luc qui a besoin de toi. Je sais bien que ce n'est pas de ta faute, mais que de tourments. Je suis bien seule cet hiver et c'est trop dur. Si au moins je savais le nom de tes généraux, ton armée, je te suivrais en écoutant les communiqués. Je les écoute tous, jour et nuit, sauf lorsqu'il y a des coupures. Tes parents sont dans de bons camps, nous en avons eu la confirmation par Genève, et je suis sûre que, comme moi, ils sont fiers de toi. Tu as fait ton devoir. Cette semaine, j'ai suivi le conseil que tu me donnais l'an dernier, j'ai relu ton Sophocle. Comme tu avais raison, et comme cette Antigone est attachante. Je n'ai pas froid, car j'ai pu faire entrer deux stères de sciure de bois. Je t'envoie cette lettre toujours à la même adresse : j'ai essayé de m'adresser à la Croix-Rouge américaine pour qu'ils te recherchent, ou qu'au moins ils te fassent parvenir de nos nouvelles, mais ils m'ont répondu qu'ils ne pouvaient communiquer aucune adresse, à cause du secret militaire et qu'ils ne prenaient aucun message de France. Mon enfant, faudra-t-il attendre que vous soyez à Berlin pour avoir un signe de toi... »

*

A la fin de mars, le temps se radoucit. Dans l'appartement les garçons regagnent leurs chambres, la vie se remet à circuler à travers les couloirs.

Les alliés franchissent le Rhin. Depuis un mois les Russes se battent sur l'Oder. Luc suit intensément toutes les modifications sur les cartes que publient les journaux. C'est lui qui déplace les épingles, souvent deux fois par jour, sur la grande carte de l'Allemagne. Est-ce l'offensive finale ? Luc épingle aussi une carte découpée dans un journal : deux traits fléchés chiffrent l'écart entre les lignes avancées de l'est et de l'ouest : au nord, les Anglais et les Russes sont à 485 kilomètres les uns des autres ; au sud, 385 kilomètres séparent l'armée de Patton de la pointe de l'offensive russe. Mais ce qu'il voit surtout, c'est que la flèche ainsi tracée au nord traverse le Mecklembourg : il ne peut localiser Ravensbrück, mais on voit bien que les Russes ne peuvent plus en être loin ; et, au sud, la ligne fléchée passe près de Weimar ; les Américains avancent sur Nuremberg. Luc est désormais aimanté : ce qu'il lit, tout ce qu'il entend, il le rapporte à la distance qui sépare encore les troupes de la libération des camps de ses parents. Conquise Francfort, les alliés vont avancer sur Eisenach puis sur Erfurt, et, prise Erfurt, Weimar n'est qu'à une cinquantaine de kilomètres. Alors... Alors il faut essayer de rester sourd aux autres nouvelles, à tout ce qui décrit avec complaisance les formidables ravages du rouleau compresseur en marche, les martèlements de l'artillerie lourde et les *tapis de bombes* qui ne laissent pas pierre sur pierre dans les villes conquises, la fuite des civils sur les routes, les morts en masse sous les décombres : 80 000 tonnes de bombes en une semaine, 555 tonnes à l'heure, annoncent les communiqués triomphants.

Les camps de concentration peuvent-ils être à l'écart de cet écrasement général ?

Oui, probablement : car les camps de concentration sont désormais protégés par la Croix-Rouge. C'est la grande affaire qui, pendant le mois de mars, a polarisé toute l'attention de sa grand-mère ; Luc, plein d'espoir, en a suivi chaque jour les développements. Pour la première fois, on distingue vraiment des prisonniers de guerre ceux que l'on appelle les « internés politiques ». Le 1er mars, est arrivée la première bonne nouvelle dans la presse :

« Le régime des internés politiques est amélioré. Les démarches entreprises par le gouvernement, par l'intermédiaire de la Croix-Rouge, auprès des autorités allemandes viennent d'aboutir à de substantielles améliorations d'ordre matériel et moral. L'envoi dans tous les camps de colis individuels contenant des vivres, sous-vêtements, chaussures, et produits pharmaceutiques, est autorisé, ainsi que l'envoi de colis collectifs…

Au point de vue moral, les Allemands viennent d'admettre l'homme de confiance des camps, qui sera l'intermédiaire entre les autorités allemandes et la Croix-Rouge. C'est une appréciable garantie, bien que les délégués de la Croix-Rouge ne soient pas encore autorisés à pénétrer dans les camps des internés. »

Lady Ponte-Serra prépare des colis. Elle se pose des problèmes de priorité : vêtements ou nourriture ? Elle lance la vieille bonne dans des opérations compliquées chez les commerçants, rameute ses relations. Du corned-beef, du chocolat… Dès le 7 mars, on annonce qu'un premier convoi de la Croix-Rouge, emportant cent vingt tonnes de colis sur vingt camions peints en blanc, a quitté Genève pour l'Allemagne, que les autorités allemandes en ont garanti la libre circulation sur les routes. Et, surtout, le 20 mars :

« Un accord est en bonne voie de réalisation au sujet des déportés civils, vieillards, femmes et enfants. Une question est en suspens : la création d'un « Lieu de Genève » ou d'une zone neutralisée. »

Le 2 avril, les Allemands remettent à la Croix-Rouge suisse trois cents femmes du camp de Ravensbrück.

(Il faut compléter : le Vendredi saint 30 mars, jour où la mission de la Croix-Rouge arriva devant l'entrée du camp, trois cent cinquante femmes environ ont été envoyées à la chambre à gaz. Certaines ont tenté d'échapper aux SS qui les ont traquées à travers le camp. Le camion qui transportait les condamnées dévêtues est passé à plusieurs reprises devant la Ford du médecin suisse qui dirigeait la mission.)

« Bientôt soixante mille femmes déportées vont revenir », annonce la presse.

— Maman va revenir, dit Luc à sa tante, alors qu'ils déjeunent tous dans la cuisine. Ils libèrent toutes les femmes.

Ils fait des projets. Dans quel était sera-t-elle ?

— J'espère qu'ils ne lui auront pas coupé les cheveux.

— De toute façon, dit la tante, péremptoirement, il faut que tu le saches : coupés ou pas, ta mère aura les cheveux gris.

Luc hausse les épaules. C'est ridicule. Sa tante ne peut pas savoir à l'avance la couleur des cheveux de sa mère. C'est de la méchanceté pure.

Avec le franchissement du Rhin, l'enfoncement des défenses allemandes, la libération des prisonniers s'accélère. Il restait en Allemagne un million deux cent mille prisonniers français. Et aussi sept cent mille travailleurs du STO. Combien y a-t-il de déportés civils — politiques ou raciaux : 160 000 (à condition qu'ils soient tous vivants) ? Ils restent donc confondus dans la masse. C'est pour cela qu'il a été si longtemps difficile de démêler, dans les nouvelles touchant les *rapatriés,* ce qui les concerne particulièrement : c'est encore le cas ces jours-là. Luc, comme d'autres, a du mal à s'y retrouver. Aux premiers jours d'avril, les rapatriés affluent par dizaines de milliers : les alliés sont pressés de dégager la zone des combats de ces masses errantes. Des centres de triage sont ouverts aux frontières, des gares sont réquisitionnées, et même des cinémas parisiens : le Rex et le Gaumont.

Les premières mesures pour un accueil particulier des déportés coïncident avec l'entrée des Américains à Weimar. Le 15 avril, journaux et radio annoncent la libération du camp du Buchenwald. Dans *le Figaro* de sa tante, Luc lit un entrefilet qui confirme cette nouvelle et, sur la même page, l'annonce de l'arrivée de 197 libérées du camp de Ravensbrück : de Gaulle est allé personnellement les accueillir à leur arrivée de Suisse, gare de Lyon.

« Monsieur Julien Cain, libéré du camp de Buchenwald » : c'est le titre.

« Weimar, 14 avril. La IIIe armée a libéré 21 000 détenus du camp de Buchenwald, près de Weimar. Parmi eux se trouve M. Julien Cain qui, avant d'assumer dans le cabinet Paul Reynaud les fonctions de secrétaire général adjoint à l'Information, fut directeur général de la Bibliothèque nationale. »

C'est tout. C'est succinct. Cela suffit. Cela veut dire qu'avec Julien Cain, avec 21 000 autres, son père est libéré.

Sa mère n'est pas dans les premières rapatriées de Ravensbrück. Mais, pour elle aussi, le retour est proche : quand ? Comment le savoir exactement ?

L'hôtel Lutétia est réquisitionné pour servir de centre de tri et d'hébergement aux déportés : on vient de s'apercevoir qu'ils nécessitaient un traitement particulier. C'est sur le trajet du lycée : Luc passe devant quatre fois par jour. Dès l'ouverture du centre, il s'est formé sur les trottoirs des petits groupes qui attendent et qui discutent.

Au milieu d'eux, un ou deux hommes à tête rasée, vêtus d'une espèce de pyjama à rayures bleues en loques, parlent. Pourquoi ont-ils gardé ce costume ? On ne leur a pas donné d'autres vêtements ? Le premier que Luc écoute, un homme sans âge, malpropre, le visage chiffonné, ridé et mal rasé, parmi le cercle attentif de ses auditeurs, raconte des malheurs atroces et improbables. D'autant plus improbables qu'il s'adresse régulièrement à ses interlocuteurs les plus proches pour leur demander des cigarettes et de l'argent, un peu comme un bateleur minable.

— Un vrai clochard, pense Luc.

Dès le premier jour, il rassemble tout son courage : il entre, accompagné de son ami à grosse tête. Il demande à une jeune fille, derrière un bureau, si M. ou Mme Ponte-Serra sont là ou si on peut avoir des renseignements sur eux.

— Nous ne donnons aucun renseignement, lui répond-elle d'un air absent et affairé. Nous avisons directement les familles.

— Mais, commence Luc, je... Et puis il s'arrête, parce qu'il ne sait pas quoi dire : elle ne le regarde déjà plus, prise par des besognes d'écriture plus importantes.

Dehors, il fait très doux, le ciel est clair, le soleil chaud. Des gens attendent, maintenant, des photos à la main. L'homme en pyjama rayé parle toujours. On lui pose des questions, on lui donne des noms. Luc se décide à faire comme les autres :

— Vous n'avez pas connu M. Ponte-Serra?

L'homme hausse les épaules. Il lui vient une espèce de rire un peu baveux qui montre ses chicots.

— S'il fallait se rappeler tous les noms...

Il tousse, et renifle, fait le geste de se moucher entre ses doigts, puis se ravise et regarde autour de lui :

— Y en a pas un qui pourrait me donner un mouchoir ?

*

Lorsque les premiers soldats américains arrivèrent aux abords de Buchenwald, ils virent s'avancer vers eux quelques fantômes vêtus de loques rayées : ces fantômes étaient armés. Les déportés s'étaient soulevés, ils avaient libéré eux-mêmes leur camp et réglé leur compte aux gardiens SS. Les Américains n'étaient pas encore entrés dans l'enceinte barbelée qu'ils eurent une autre surprise : un convoi de wagons de marchandises était rangé le long du camp, abandonné : des milliers de cadavres s'y entassaient. C'était ceux des évacués du camp de Dachau, que les SS avaient dirigés sur Buchenwald. Il n'y avait pas de survivants. Tous étaient morts derrière les portes cadenassées. Puis ils pénétrèrent dans le camp. Le lendemain, le monde entier faisait connaissance avec l'univers concentrationnaire. L'horreur déferla, et s'amplifia encore avec la libération des autres camps — Dachau, Mathausen, Dora, Bergen-Belsen — et lorsqu'on prêta enfin attention aux récits des rescapés d'Auschwitz revenant par Odessa.

L'horreur eût pu être connue bien avant. Elle l'était, d'ailleurs, et depuis longtemps par certains. Le fait est que ceux qui eussent pu la divulguer se turent.

En quelques jours, donc, Luc apprend la vérité de l'univers concentrationnaire. Il aura ensuite toute la vie pour y penser et essayer de comprendre: ce ne sera pas de trop.

Buchenwald n'était pas un *bon camp*. Encore, vous diront les spécialistes objectifs, que, comparé à Auschwitz, Buchenwald n'ait pas été conçu comme un camp d'extermination : par exemple, il n'y avait pas de chambre à gaz à Buchenwald. Elle n'était encore qu'en chantier. Simplement, il n'y avait pas de bons camps. Il n'y avait que des camps de la mort : ensuite, tout n'est plus qu'une question de degré, de dosage dans l'horreur.

Il a désormais, pour ses jours et ses nuits, ces récits et ces images qui s'étalent partout, qui l'assaillent partout, à ressasser sans fin. Ce ne sont pas des cauchemars : ce sont des images précises, des images vraies. On ne compose pas avec. On ne les agence pas. Il faut les prendre comme elles viennent. Certains sauront encore en faire des poèmes. Lui, non.

Il a très mal. Il n'appelle pas cela de la peur ; c'est seulement un vide atroce : il se sent comme une pierre qui chute dans un vide sans fond.

Voici les premières photos de montagnes de cadavres décharnés jetés dans des poses contorsionnées, grotesques. Voici, aux *Actualités,* ces survivants, squelettiques, nus ou loqueteux, que l'on tient à grand-peine debout, ces êtres aux crânes rasés, hideux, mille fois plus hideux que de vrais squelettes, leur sexe obscène entre les échasses de leurs fémurs, leur absence presque totale de visage qui n'est plus que yeux immenses et fixes, sans regard, ces mains comme des serres dont certaines agrippent encore, comme leur seul bien sur terre — parce que la perdre, se la faire voler, c'est une condamnation à mourir de faim —, la gamelle qui sert pour la soupe mais aussi pour la chiasse de la dysenterie. Voici que paraissent les reportages des premiers correspondants de guerre, les récits de témoins : les convois charriant leurs chargements d'agonisants, de fous et de morts, les sélections, les appels nu-pieds dans la neige, les travaux aux carrières qui tuent en quelques jours, la schlague à l'improviste, jusqu'à la mort, les chiens qui déchiquettent sur ordre, les vêtements de fil synthétique par moins trente, la famine, la *soupe claire* et la *soupe blanche*, la dysenterie, les poux et le typhus, les exécutions par balles de revolver, par fusillade, par pendaison, à coups de matraque, par une piqûre au cœur, par les chambres à gaz et quelquefois, les jours de grande presse, quand on n'a pas le temps de vérifier, par l'envoi direct au crématoire. Mais il faut être juste : il y avait bien un orchestre à Buchenwald, les musiciens portaient un uniforme grotesque. Et dans l'enceinte du camp se trouvait bien le chêne de Goethe.

Voici venir les détails sadiques. Dès les premiers jours, les journaux amoncellent, collectionnent les détails sadiques. Ils adorent ça. C'est un concours. La découverte des stocks des produits de la récupération sur les cadavres, les amoncellements de cheveux pour faire des tissus, les dents et les couronnes en or arrachées avec des crocs, les expériences médicales, et la *chienne de Buchenwald* qui collectionnait les tatouages, les abat-jour en peau de détenu. Et ce n'est qu'un début. C'est inépuisable. Une mine. Plus tard, dans un collège de curés, le voisin de dortoir de Luc lui demandera la nuit, dans le noir : « Est-ce que c'est vrai que, dans les camps, les SS... » Et Luc l'entendra se masturber en soufflant. (Il s'enfuira heureusement du collège le lendemain matin. Ce sera sa seule expérience des collèges religieux.)

A chaque récit, à chaque détenu, à chaque victime évoqués, Luc met un nom : celui de son père, celui de sa mère. Quand il voit des photos, sur chaque masque anonyme, sur chaque crâne rasé, sur chaque regard mort, sur chaque rictus béant, il met leur visage. Sur chaque forme qui se traîne ou qui gît sur le brancard du crématoire, sur chaque tête qui apparaît dans l'entremêlement des corps et des membres des charniers, il met leur visage. Il ne cessera jamais.

Et ces jours-là, quand il s'endort enfin, que tout se brouille, il lui arrive de voir jaillir les flammes du crématoire, puis une tête décharnée, un rictus : son père. Il se raisonne, il se reproche de se laisser aller à une comédie complaisante douteuse. Il allume sa lampe. Sa tante voit la lumière par la rainure de la porte, entre et lui reproche de lire dans son lit au-delà des heures permises. Elle l'éteint.

Trois jours plus tard il apprend la mort de son père. C'est à l'heure du déjeuner. Il fait très beau. Les marronniers fleurissent pour de bon. Il s'est attardé comme toujours devant le Lutétia. Tout le monde doit être déjà à table. Il s'attend à des reproches. Sur le seuil, dans l'ombre du couloir, sa tante lui dit de la suivre dans le bureau de son oncle. Elle s'assied sur le divan de consultation. Il reste debout devant elle. Elle lui prend les poignets et les serre très fort. Elle lève les yeux vers lui et elle lui dit :

— Luc, ton père...

Elle éclate en sanglots et il reste debout devant elle, entre ses genoux ouverts. Figé, dur et lourd comme une pierre. Il voudrait peut-être la consoler, mais il a trop à faire de son côté. Des sanglots lui montent, mais se bloquent dans sa gorge. Il voit au mur la grande carte d'Allemagne, les épingles qu'il a poussées, jour après jour, toute cette joie qu'il mettait dans ce geste dérisoire, à chaque avance, chaque territoire grignoté. Les épingles sont au-delà de Weimar : c'est fini.

Il regarde encore la carte d'Allemagne :

— Et maman ?

— Tu sais que les Allemands vont libérer toutes les prisonnières de Ravensbrück. Ils vont les envoyer en Suède. Elle sera là bientôt.

C'est Julien Cain, lui dit-elle, qui, rapatrié le premier par avion, est venu annoncer la nouvelle à ses grands-parents. On n'a pas pu la cacher à son grand-père : et pourtant il n'aurait pas fallu qu'il sache, il est tellement mal en ce moment, mieux eût valu attendre qu'il aille mieux. Mais c'est déjà dans les journaux.

Son père est mort en mars, dit encore la tante. Il n'a pas souffert.

Voilà une phrase inutile, pense Luc. Encore une phrase toute faite. Comme dans les livres. Pourquoi dit-elle cela ? Pour qui le dit-elle ? Pour moi ? Pour elle ? Moi je n'y crois pas. Pendant sept mois il a souffert sa mort chaque jour. Il est mort de faim.

— Il est mort comment ? demande Luc.

— On n'a pas de détails. Mais il a été soigné par des amis jusqu'au bout. Il s'est éteint lentement, il n'a pas souffert.

*

Elle ne le dit pas à Luc, il ne saura que bien plus tard : on connaît les détails de son agonie. Mais à quoi bon les lui donner ? Et on en aura beaucoup d'autres. Est-ce Julien Cain qui a rapporté, sauvé par un voisin de paillasse, le journal de son père ? Une simple feuille de mauvais papier pliée en seize, une circulaire de l'administration du camp sur le verso vierge de laquelle il a, au crayon, tracé trois colonnes et, d'une écriture minuscule, écrit le calendrier des mois d'août 44 à avril 45. L'espace d'une ligne par jour, qu'il remplissait ensuite. Le dernier jour dont il ait écrit la date est le samedi 23 avril ; en face il a écrit : « *Printemps.* » Le *P* majuscule de ce Printemps est tracé de façon insolite, d'une graphie qui n'est pas ordinairement la sienne — ses pattes de mouches rapides ont toujours été très simples, très dégagées, sans fioritures ; or ce P est contourné, la boucle du haut s'enroule largement, fleurit presque en arabesque : un *P* appliqué, tel qu'on l'enseignait à l'école primaire ; ce qu'on appelle une « lettre ornée ». Mais, depuis le 5 mars, la colonne est blanche. Et le 5 mars, une seule lettre : *D.* D pour diarrhée, mot qui revient déjà depuis des jours. Il est mort avant le printemps.

Il a lutté jusqu'au bout. Il a lutté avec ses armes à lui, comme lors de sa détention au secret à Fresnes, en 1941. Au camp, quand il a été envoyé aux carrières, l'organisation communiste clandestine a agi efficacement pour le tirer de là et l'affecter à des travaux moins durs. Deux ou trois jours de plus, il y mourait. Car l'organisation clandestine opérait, elle aussi, ses sélections ; elle avait, elle aussi, droit de vie et de mort. Le père du Chat en a bénéficié : la consigne était de tâcher de sauvegarder tout individu représentant une valeur pour le patrimoine et l'avenir de son pays ; le père du Chat était une valeur intellectuelle sûre ; l'organisation souterraine l'a protégé. Si elle ne l'a pas sauvé, c'est que sa lutte contre le système était quand même trop inégale.

Il a participé à la vie d'une véritable université clandestine, une université de clochards. Des conférences ont réuni jusqu'à quinze participants. Il y avait le froid et la faim, les travaux forcés, les appels de jour et de nuit, les séances d'épouillage ; et il y avait ces hommes qui réussissaient à se retrouver. Chacun parlait de ses travaux, de sa discipline, de ses connaissances, de ses voyages : la discontinuité de la matière, l'atome, l'art des cathédrales, l'introduction des épices dans la cuisine occidentale à l'époque des Croisades, les vieilles coutumes normandes. Lui a parlé, entre autres, des pèlerinages aux monastères bouddhiques du Japon dont il a partagé la vie, et de sa visite au roi-sorcier sur les hauts plateaux du Tonkin. Jusqu'aux derniers jours, dans la puanteur du Revier, ils ont continué à quelques-uns, de paillasse à paillasse, cet effort surhumain. Il a tenté d'écrire à sa femme à Ravensbrück, en passant par l'administration du camp ; il n'en a jamais eu de nouvelles. Il a, jusqu'à la fin, parlé d'Antoine pour répéter qu'il l'approuvait ; et il s'est inquiété pour les études de Luc.

Luc a raison : son agonie a été très longue. Le dernier mois : plaies ouvertes, escarres et phlegmons d'avitaminose, dans la puanteur de sa paillasse souillée. Quelques jours avant sa mort il a réussi à laver son caleçon. Il l'avait mis à sécher : on le lui a volé, pendant son sommeil.

*

« *Le professeur Ponte-Serra est mort au camp de Buchenwald.*

A la longue liste des crimes commis systématiquement par la barbarie nazie contre la culture et la civilisation, il conviendra désormais d'ajouter le nom de l'un des plus grands sinologues européens, Victor Ponte-Serra. Professeur au Collège de France, auteur notamment d'une monumentale Histoire de l'introduction du bouddhisme en Extrême-Orient, Victor Ponte-Serra incarnait le type même de ces savants français qui... »

Voilà ce qu'il lit dans les journaux de l'après-midi, en caractères minuscules, au bas de la page 2. Il veut aller quand même au lycée. Le professeur de français, au début de son cours, prononce quelques mots de circonstance, avec beaucoup d'émotion, mais lui ne les perçoit que confusément, rivé à sa place, tout rouge, dans le silence de la classe, fixant le bois de sa table. A l'heure suivante, le professeur d'histoire, le singe vert, vient lui serrer la main et compatit :

— J'espère qu'il n'a pas trop souffert. Quel âge avait-il ? ajoute-t-il sur un ton technique.

— Plus de cinquante ans, dit le Chat, évasivement (car il est rare que l'on sache l'âge exact de ses parents).

— Ah bon ! Évidemment, à cet âge..., dit le singe vert — qui n'en a pas moins —, en hochant la tête d'un air entendu.

Toujours le soleil, et l'air très doux. Toujours, sur le boulevard Raspail, devant le Lutétia, les gens qui attendent, massés en petits groupes, photos à la main, l'apparition d'hommes en costume rayé.

Le lendemain, jeudi, il va chez Lady Ponte-Serra. Dans l'antichambre, la petite vieille dame raccompagne, en essayant de se tenir très droite, un homme aux épaules larges et voûtées, aux traits tirés sous des cheveux gris coupés très ras, dont le corps maigre flotte dans un beau complet gris.

Luc se penche pour embrasser sa grand-mère. (Dans la famille du Chat, lorsqu'on embrasse, on effleure à peine la joue des lèvres : une fois, rarement deux. Pas de ces baisers redoublés qui claquent : ce serait vulgaire. Rien, aucune circonstance exceptionnelle, pas même la mort, ne doit perturber ce rituel.)

— Grand-maman, je vous... Il reste muet. Il n'a rien à dire.

Sa grand-mère pleure. Julien Cain fait à Luc un signe affecteux et distrait, et s'en va. Il ne le reverra jamais. Il se surprend à en vouloir à cet homme. Il va découvrir bientôt qu'il n'aime pas facilement les survivants. Qu'il n'admet pas facilement qu'ils aient survécu. C'est un réflexe primaire. Il le sait. C'est injuste. Il ne peut rien contre. Les morts passent trop souvent dans les récits des survivants comme des ombres qui n'ont pas eu de chance. Des ombres qui ne font qu'accentuer le propre calvaire des narrateurs. Et puis il y a aussi tous ceux qui font parler les morts. Aux commémorations : martyrs et héros. Un jour, il lira dans le livre d'un survivant que les morts n'ont pas besoin de drapeau :

seulement d'un regard pur et fraternel. Celui-là, il l'aimera. Et quelques autres, comme lui. Rares.

Sa grand-mère s'est déjà installée dans sa douleur. Elle a perdu un fils à la guerre, en 1915 : le premier Antoine. Elle perd maintenant son autre fils. Elle fait dans ses crises de larmes des grimaces qui terrifient Luc. Mais elle connaît aussi les gestes qu'il faut faire pour ne pas complètement s'abandonner. La puissance des rites est toujours sa sauvegarde.

— Mon pauvre enfant, je ne comprends pas que ta tante ait osé te laisser sortir dans cet état. Décidément, ces gens-là ne pensent à rien.

Et les voici, elle et sa bonne, qui fouillent dans les tiroirs, en extraient des tissus de crêpe noir de toutes tailles et de toutes sortes : ce qui reste de tous les deuils de toute sa vie.

Elles cousent un épais brassard sur un bras de sa veste.

— Voilà. C'est plus convenable. Maintenant, tu es en deuil.

Des amis se succèdent dans le salon.

— Si au moins le petit Antoine était là.

*

Toujours ces images qui reviennent la nuit, les yeux ouverts dans le noir. Et, le jour, le besoin de crier, le besoin de fuir.

Est-ce déjà le lendemain ? C'est un jeudi, il est à la maison avec ses cousins. Il fabrique des avions en papier, les plus perfectionnés qu'il ait jamais conçus : ils filent vers le plafond, planent et se heurtent aux murs, au lustre, aux meubles, comme de gros papillons aveugles. Il court derrière, saute, hurle. Ses cousins fabriquent des bombes à eau en papier et tous trois se postent au balcon et guettent les passants. Luc accélère le jeu : il va chercher dans l'armoire à pharmacie sa vieille amie la poire à lavements et, tapi derrière une persienne, il asperge les gens de longs jets bien ajustés. Il est repéré. Quelqu'un monte et sonne. La tante reçoit le premier choc de l'indignation d'un monsieur dégoulinant :

— Je vais appeler la police.

— C'est Luc, disent les cousins qui ont eu le temps de liquider les dernières bombes. La tante se sent tenue de répercuter, amplifiés encore, ce bruit et cette fureur. Elle le sermonne :

— Tu n'as pas honte ? Deux jours après la mort de ton père ?

A-t-il honte ? C'est formidable, pense Luc : il peut savoir que quelque chose d'irrémédiable s'est cassé en lui, que rien ne marche ni ne marchera plus jamais comme avant. Et pourtant rien n'est changé. Il n'y a pas vraiment d'avant et d'après. Tout garde la même couleur. Le poids des choses et du temps reste le même. La figure, les gestes, les paroles des autres sont les mêmes. Il peut vivre en portant en lui ce vide définitif, en ce sentant couler comme tiré par un lest de plomb, et, en même temps, se laisser flotter par là-dessus, très loin, très haut, tout naturellement, avec toutes les apparences de l'oubli. Et pas seulement les apparences : il fonce parfois dans les joies les plus immédiates, les plus fulgurantes — un éclair fugace. Et si, au même instant, il entend en lui une voix légère — la sienne — qui lui souffle que tout cela est dérisoire et n'a pas de sens, alors il fonce encore plus fort, il rit encore plus haut. Il chante, il crie, il se bat et il entend qu'on dit :

— Décidément, cet enfant n'a pas de cœur.

Ce qu'ils pensent de lui n'a pas d'importance. Qu'ils pensent ce qu'ils veulent. Il ne faut pas qu'il s'en préoccupe. Il n'ira pas se battre contre. Cela n'en vaut pas la peine. Peu de choses valent vraiment la peine qu'on se batte, et certainement pas ce que les autres disent de lui. Les choses qui méritent véritablement qu'on ne cède jamais, il sait qu'elles existent : il passera sa vie s'il le faut à les trouver et à les défendre. Il est sûr qu'Antoine serait d'accord.

7. La neige de mai

Au matin du 1er mai 1945 Luc voit, étonné, par la fenêtre de l'ancienne lingerie où il a sa tanière, que les hautes branches des marronniers en fleur ploient sous la neige épaisse que caresse déjà le soleil.

La mère de Luc est vivante. Elle a été libérée en février par les Russes. Elle n'était pas à Ravensbrück, mais dans un *Kommando*, beaucoup plus à l'est. Elle est dans un hôpital, en Pologne. Elle pesait trente kilos à sa libération. Elle a un grave abcès à la jambe. Elle ne peut pas marcher. Elle est bien soignée. Elle est en voie de guérison.

Ces nouvelles, c'est une déportée rapatriée par Odessa qui les a apportées. Elle est venue dîner la veille à la maison. La tante avait pu avoir, de Chevigny, un rôti de porc et des pommes de terre. L'invitée a accroché dans l'entrée son manteau grisâtre de fibres synthétiques barré au dos d'un grand X jaune cousu dans le tissu découpé et marqué, à la manche, d'un matricule et d'un triangle rouge. Elle a repris deux fois de tout :

— J'ai eu tellement faim, pendant deux ans, dit-elle.

— Oh, dit la tante, ici aussi, nous avons souffert. Tenez : nous n'avons pas eu d'huile de tout l'hiver.

Entre deux bouchées, cette femme a parlé avec volubilité de sa vie au camp, de la grande bataille qui a marqué la libération par l'Armée rouge. Luc est resté silencieux. Il a seulement posé deux ou trois questions, à la fin. Il a demandé si sa mère avait été tondue. Elle lui a répondu que oui, mais que les cheveux repousseraient vite et qu'elle se coifferait certainement « à l'aiglon », ce qui est, paraît-il, très seyant. Il a demandé si elle avait de quoi manger en Pologne. Elle a expliqué que les premiers jours de leur libération les combats n'étaient pas terminés, les Russes avaient abattu pour elles une vache à la mitraillette et qu'ensuite elles avaient pu prendre ce qu'elles voulaient dans les stocks des casernements SS. Une femme s'était jetée sur un seau de confiture et en avait mangé tout le contenu d'un seul coup : elle en était morte. Puis elles s'étaient servies dans les maisons abandonnées par la population allemande, à toutes les étapes de leur voyage en camion vers l'est, vers l'arrière des lignes russes, à travers la Poméranie ; elles n'avaient pas eu de scrupules parce que, de toute manière, les Russes brûlaient tout. Elles avaient été aidées par des prisonniers français qui les avaient prises en charge. Et, dans l'hôpital polonais où elle avait vu sa mère pour la dernière fois, celle-ci ne manquait de rien, les bonnes sœurs polonaises étaient très attentionnées.

Mais pourquoi n'avait-elle pas donné de nouvelles plus tôt ? Et pourquoi n'avait-elle pas écrit une lettre ? La femme avait expliqué qu'il n'y a aucun courrier dans l'armée soviétique : pas de poste aux armées, les soldats eux-mêmes n'ont aucune possibilité d'écrire à leurs familles. Elles sont restées prises dans la bataille de l'Oder et, ensuite, il s'est écoulé encore beaucoup de temps avant qu'elles ne parviennent à entrer en contact avec l'ambassade de France à Varsovie : elles n'avaient aucun moyen de faire connaître leur existence. Et quand le rapatriement des femmes valides de leur groupe a été décidé, cela s'est passé un jour, un beau jour, en quelques minutes. Les camions russes étaient là, qui attendaient : sa mère n'a pas eu le temps d'écrire un mot.

— Mais elle ne peut pas marcher..., a répété Luc, méfiant.

Car si sa mère revient avec les cheveux courts — et gris —, elle peut aussi bien revenir avec une jambe coupée, une jambe de bois : il voit déjà le pilon noir, dépassant sous la robe, pareil à celui du grand-père moustachu des réfugiés, à Marles. Après tout, au point où on en est, qu'est-ce que ça peut faire ? Et si c'est cela, on ferait bien mieux de le lui dire tout de suite. L'essentiel, bon Dieu ! c'est qu'elle revienne, qu'elle ne reste pas là-bas, perdue dans l'hôpital de cette ville au nom polonais imprononçable qu'il ne trouve pas sur la carte et qui est, lui dit-on, près de Poznan, mais il faut chercher *Posen*, c'est le nom allemand. Un *bon hôpital*, bien sûr, il connaît la chanson.

Il faut conjurer le mauvais sort. Ces jours-là, dans la cour du lycée, au Luxembourg, sur les trottoirs, il va clamer à tous les vents son nouveau chant de guerre :

Elle avait une jambe de bois
Et pour que ça n'se voit pas
Elle avait mis par-dessous
Des rondell' en caoutchouc.

*

Lorsque les femmes du convoi parti le 15 août de Paris ont été extraites, le 22 août à Ravensbrück, de leurs wagons à bestiaux, elles ont croisé des colonnes de prisonnières qui marchaient en chantant, sinistres, des chants allemands. Puis, entrant dans le camp par la porte fortifiée, elles ont vu la voiture qui transportait les cadavres vers le crématoire. Dévêtues, immatriculées, douchées, nanties de défroques grotesques, elles se sont retrouvées à trois par châlit dans l'obscurité du bloc de quarantaine.

Deux semaines plus tard, la mère de Luc est repartie avec la plupart des Françaises du même convoi vers un camp du Brandebourg, un Kommando, pour travailler dans une usine de munitions. Bouclées dans leurs wagons, elles ont passé la nuit abandonnées sous un bombardement dans la gare de Berlin-Tempelhof. Arrivées dans ce nouveau camp, les Françaises ont déclaré qu'elles refusaient de travailler aux munitions ; et celles qui y sont allées ont, pour la plupart, saboté efficacement leur travail. Les « mauvaises têtes » ont été renvoyées à Ravensbrück. La mère de Luc était parmi elles ; elle a travaillé aux terrassements, au sable. Elle avait touché, cette fois, un manteau trop grand et le partageait, pendant les appels, avec l'une des « petites parachutistes » anglaises — qui devait être fusillée. Elle a été envoyée dans un nouveau Kommando de femmes, sur la rive droite de l'Oder, qui était affecté à la construction d'une piste d'aviation. Là, elles ont trouvé des baraques noires abandonnées, sur un terrain boueux, des châlits à trois étages et des couvertures grouillantes de poux. Neuf cents femmes étaient rassemblées là : deux, ou plus, par paillasse. La mère de Luc a travaillé, sous les coups de ceinturon du *Meister*, à poser des rails. Jusqu'en décembre, les femmes sont restées avec leurs hardes « d'été », sans manteau, sans chaussettes, pieds nus dans leurs galoches. Au début de décembre, elles ont reçu des vêtements supplémentaires en fibrane. On leur donnait deux soupes par jour : la soupe de midi, sur le chantier, était toujours froide. L'*Oberaufseherin* les a punies à plusieurs reprises en les privant de nourriture pendant vingt-quatre heures sans cesser de travailler. Elles ont su si bien faire traîner le travail que l'aérodrome n'a jamais été terminé. Avec la faim et le froid, les phlegmons d'avitaminose, les dysenteries, les typhoïdes ont fait des ravages. Au *Revier*, qui a pu être, enfin, ouvert, il n'y avait ni pansements ni médicaments : on faisait des compresses avec du papier et les poux se mettaient dans le pus. L'absence de bassin et de tout récipient était pour les dysentériques un cauchemar supplémentaire. La mère de Luc, immobilisée par son genou suppurant, atteinte de dysenterie et perdue de fièvre, a pu être admise au Revier. Elle a partagé un moment sa paillasse et sa couverture avec une petite Grecque, seule rescapée de toute sa famille raflée à Salonique, qui est morte. Le 1er février, à l'approche de l'armée russe, les Allemands ont réuni les femmes valides, une centaine, et les ont emmenées à pied vers Ravensbrück. Beaucoup sont mortes sur la route gelée, achevées par leurs gardiens quand elles s'écroulaient. Au matin, les femmes laissées au Revier ont entendu une fusillade dans le camp. Des soldats allemands sont entrés dans toutes les baraques, ils ont renversé les poêles pour mettre le feu et sont repartis. Le vent est tombé et le Revier n'a pas brûlé. Plus tard, d'autres soldats sont encore passés : ils ont abattu à coups de revolver des femmes qui étaient sorties ; les cadavres sont restés sur la neige. Trois jours durant, les survivantes ont été prises au centre d'une bataille d'artillerie, sous les hurlements des orgues de Staline. Elles ont entendu le grondement des chars. Puis trois soldats russes sont arrivés à bicyclette. Ils avaient l'air asiatique, ils portaient des bonnets de fourrure et des bottes. Elles sont demeurées sur place encore plus d'une semaine car le camp était pris dans la première ligne des combats. Les Russes leur ont distribué la nourriture qu'ils pouvaient trouver — les stocks allemands, la vache abattue à la mitraillette.

Des femmes ont continué à mourir : d'épuisement ou d'indigestion. L'une d'elles, devenue folle, est partie une nuit, tout droit devant elle, dans la neige, disant qu'elle rentrait chez elle. On ne l'a pas retrouvée. Elles ont enfin été évacuées dans des camions découverts. Il faisait moins vingt, plus froid peut-être encore. Elles restaient une trentaine de Françaises. Elles ont cantonné dans des villes en ruine. Elles ont subi les bombardements de l'aviation allemande. Elles ont été prises dans l'immense cohue des arrières russes : les troupes montant au front dans des convois de matériel américain, suivies de voitures de tout genre, à moteur ou à cheval, où s'entassaient des femmes, des enfants. Et, dans l'autre sens, les colonnes de prisonniers allemands à pied, les camions chargés de matériel allemand, de blé, de paille, les troupeaux de bétail poussés vers l'est et, le long des routes, les femmes allemandes réquisitionnées, travaillant avec les pelles.

Lorsque enfin la mère de Luc a été hospitalisée par les Russes dans cet hôpital polonais, lorsque enfin elle a pu, après des semaines, entrer en contact avec l'ambassade de France à Varsovie et demander qu'on lui donne des nouvelles des siens, elle a reçu une réponse ; les siens allaient bien. Le professeur Ponte-Serra était libéré. Luc et Antoine l'attendaient à Paris.

*

Ce premier mai, Luc apprend qu'Antoine est mort. Depuis quelque temps, Luc s'était mis à parler beaucoup d'Antoine. Exactement comme s'il sentait qu'Antoine lui échappait et qu'il fallait essayer de le retenir par tous les moyens : et le dernier moyen qui lui restait était de prendre son ombre dans le filet des mots ; de tisser un réseau de paroles et d'images pour l'y retenir prisonnier. Ainsi, désormais, plusieurs fois par jour, disait-il :

— Quand Antoine reviendra...

— Je suis sûr qu'en ce moment Antoine...

— Antoine trouve certainement que...

Récemment, il a même commencé à s'inventer carrément des histoires. Un matin, en arrivant en classe, il a annoncé à son voisin que son frère venait d'être décoré de la croix de guerre. Il trouvait que cela faisait bien, mais surtout cela lui prêtait encore de la vie. De toute manière il le méritait : simple affirmation d'une réalité seulement un peu anticipée. Mais il sait, au fond, qu'il s'embarque là dans de piètres subterfuges.

Une fois, à table — toujours la même scène : le déjeuner, toute la famille, la cuisine embrumée de vapeur —, sa tante a réagi alors qu'il parlait avec volubilité du retour de son frère. Il devait dire que sa grand-mère venait de faire ranger la chambre d'Antoine par la vieille bonne ; qu'elles avaient mis des draps propres.

— Je trouve, a-t-elle dit brusquement, je trouve que ta grand-mère est folle. C'est de la folie, au bout de tant de mois, de faire comme si de rien n'était. De rêver au retour d'Antoine. C'est de la folie.

Sur-le-champ, il ne s'en est pas vraiment inquiété : lorsqu'il s'agit de Lady Ponte-Serra, la tante se laisse emporter par les mots. Elle est coutumière de ce genre de phrases, sèches comme des gifles.

Au début de l'après-midi de ce premier mai, jour férié, première fête du travail de la France libérée, tandis que la radio retransmet l'allégresse des travailleurs qui défilent dans la neige fondante, sa grand-mère maternelle sonne à la porte. C'est lui qui ouvre. Ses cousins sont partis vers quelque marché aux timbres. Elle a le visage fermé, la bouche tordue. Elle semble ne pas le voir. Elle pénètre tout droit, elle l'écarte presque de la main. Elle va s'enfermer avec sa tante. Luc regagne sa chambre. Il s'accroupit sur son lit. Il attend. Il lui arrive des éclats de voix des deux femmes, des sanglots. Plus tard, c'est sa tante qui vient le rejoindre. Sa grand-mère a disparu. Elle est repartie. Peut-être n'a-t-elle pas eu le courage ? Elle est retournée auprès de son mari : il a bien fallu lui annoncer. Depuis la nouvelle de la libération de sa fille, il semblait aller mieux. L'œil moins fixe. La parole moins perdue. Il eût mieux valu attendre encore qu'il puisse supporter le choc. Mais était-ce possible ? « Cette fois, il ne s'en remettra pas », a-t-elle dit à la tante.

La tante est courageuse : il faut certainement beaucoup de courage pour parler à Luc. Mais est-ce même la peine de lui parler ? Elle est assise au bord du lit. Lui s'est rencogné de toutes ses forces dans l'angle du mur, une épaule contre les barreaux de cuivre, les genoux relevés contre la poitrine. Non, il ne faut pas beaucoup de paroles. Est-ce vrai ou est-ce un cauchemar, lui dit-elle vraiment :

— Tu vois, je t'avais bien dit... ?

Ce n'est certainement qu'un cauchemar de plus. Elle ne peut avoir prononcé ces mots-là. Elle est aussi malheureuse que lui. Elle lui caresse le bras. Il retire le bras autant qu'il peut. Il se mord les poings fermés. Un cri sourd et continu monte et se bloque dans sa gorge, il ne le libère pas, ce n'est peut-être qu'un murmure, mais il est tout entier dans ce cri. Elle le laisse seul.

Seul recroquevillé sur son lit, dans la chambre vide. Le brouillard des larmes qui ne coulent pas.

Non, il ne faut pas beaucoup de mots, pas beaucoup de temps, pour dire cela. Un instant, quelques secondes pour l'entendre. La vie entière, ensuite, pour comprendre l'absence.

Antoine lui disait, quand ils jouaient, avant la guerre :

— Aujourd'hui, je suis le roi et tu dois me suivre partout comme mon ombre. Je te ferai chevalier. Je te dessinerai tes armoiries : avec un aigle. Tu dois m'appeler Padishah, Votre Altesse, Khalife, Cheikh el Islam, Commandeur des Croyants, Émir, Mikado, Maharadjah, Dalaï Lama, Grand Mogol, Inca suprême, Empereur de toutes les Indes et Pape des bonzes.

Voilà. Antoine est mort.

*

Les enveloppes des lettres adressées à Antoine qui revenaient l'une après l'autre portaient sous les nombreux tampons des postes françaises et américaines (dont deux, de dates différentes, indiquaient le passage, à l'aller et au retour, par Camp Campbell dans le Kentucky), sur les deux faces, les empreintes violettes de plusieurs coups d'un large tampon mal appliqué, mal encré : une main sortant d'une manchette boutonnée pointait l'index vers le vide (il devait être probablement prévu qu'elle désigne l'adresse de l'expéditeur) et, sous les doigts repliés, s'imprimaient ces mots : « *Return to writer*. » Au-dessous, figuraient des mentions difficilement lisibles par défaut d'encrage :

Reason checked :
Unclaimed... Refused... Unknow — For better adress...
Moved — Left no address... No such office in state.

Destinées à être soulignées ou barrées, aucune de ces mentions ne l'était. Dans un coin, une écriture penchée, très cursive, un gribouillis hâtif presque indéchiffrable, indiquait : « *Deceased,* 9-44. » Suivait une signature, un paraphe plutôt, suivie de la mention « *Capt inf* » et une autre date : cela, si petit, si compact, si noyé dans les autres inscriptions, les taches, le froissement et l'usure du mauvais papier de l'enveloppe, le mot *deceased* et la signature en vérité ne faisant qu'un insignifiant tas de signes, qu'on pouvait n'y voir que quelque visa de service parmi d'autres, sans intérêt.

Sur chaque enveloppe, la poste française avait consciencieusement ajouté, au retour, brouillant encore un peu l'ensemble, ce dernier tampon :

Une enveloppe
retournée peut
encore servir.

Antoine est mort en septembre. Il était bien dans l'armée Patton : Luc avait vu juste. Il est mort plus de quinze jours avant que Luc ne parte à sa recherche. En un mois, il a traversé la France d'ouest en est, toujours en tête de la grande boucle qu'a tracée la IIIe armée américaine d'Alençon au Mans puis à la Loire, d'Orléans à Reims puis à Verdun. Un mois, le temps d'être adopté par le bataillon, de s'y faire des amis. Sa fringale était légendaire : les soldats se rassemblaient pour le voir avaler à la suite plusieurs rations quotidiennes : exactement comme le Chat sur la Red Ball. Il n'avait donné que son prénom. Il n'avait pas parlé de son passé, sauf pour dire qu'il s'était déjà battu, qu'il avait un compte spécial à régler avec les *Krauts.* Il cherchait toujours à être en première ligne et, pour cela aussi, il était connu de tous. Et comme il était myope, qu'il avait cassé ses lunettes dans sa fuite et qu'il tirait à tort et à travers, on essayait gentiment de tempérer sa violence. Il lui arrivait parfois, parlant avec les uns et les autres, d'évoquer dans l'histoire des États-Unis des faits, des gens, des périodes qu'il semblait beaucoup mieux connaître qu'eux : et comme il le faisait avec beaucoup de naturel, cela surprenait et le faisait aimer. (Lorsque, à la fin de 1945, le sergent Peter McLore démobilisé rentrera chez lui à Bangor, dans le Maine, l'un de ses premiers gestes sera de se précipiter à la bibliothèque pour vérifier s'il est bien exact, comme le lui a dit ce fou de Frenchman, que le général Pershing, le vainqueur de 1918, s'était fait, peu auparavant, flanquer la pile par Pancho Villa à la frontière mexicaine.) Verdun conquise, la Meuse traversée, sa division s'était lancée sur la route de Metz. L'avance s'était ralentie. De Metz, des appels étaient arrivés : il fallait agir très vite ; les Allemands étaient en plein désarroi, il ne fallait pas leur laisser le temps de réorganiser la défense de la ville : en quelques heures, les Américains pouvaient se rendre maîtres du plus formidable point fortifié de la plaine lorraine.

Mais ils étaient restés bloqués entre Verdun et Metz. L'accident tant redouté par les états-majors depuis le débarquement était en train de se produire : la surcharge et la rupture des lignes d'approvisionnement, dont le fil trop ténu s'étendait désormais sur sept cents kilomètres, des ports exigus de l'Atlantique à la pointe de l'offensive. L'essence manquait. Ces heures-là ont été décisives. Lorsque les colonnes blindées ont pu repartir, la résistance des forts avait été réorganisée. Metz ne devait tomber que deux mois plus tard, après être devenu le verrou de tout le dispositif de défense allemand en avant du Rhin. Lorsque le bataillon d'Antoine a débouché sur la rive de la Moselle, il a été pris presque aussitôt, sur son flanc nord, sous le feu de l'artillerie lourde des forts dominant Metz. Les premiers éléments qui avaient commencé à traverser la rivière ont dû se replier en désordre. Le village où ils se trouvaient est devenu un enfer. En une journée, le bataillon, qui comptait huit cents hommes, en a perdu quatre cents. Le corps d'Antoine est resté dans le no man's land que constituait ce village dévasté. Le capitaine a fait récupérer son portefeuille, dans sa poche, par une patrouille nocturne. Il en avait expressément donné l'instruction : il espérait qu'on lui rapporterait aussi le carnet sur lequel Antoine prenait quotidiennement des notes, mais une patrouille allemande avait déjà fouillé le corps du côté où se trouvait ce carnet. Dans le portefeuille, le capitaine a trouvé une lettre inachevée à sa grand-mère et, sur cette lettre, le nom d'Antoine et l'adresse de celle-ci. Le capitaine aimait beaucoup Antoine.

Lorsque quelques temps plus tard le régiment a été envoyé au repos et que le capitaine a pu se rendre en permission à Washington, il a mis le portefeuille dans une épaisse enveloppe, y a joint une longue lettre et a expédié le tout à Mme Ponte-Serra, à Paris. *« Why it had to be Antoine instead of me or the man next to me, or a man up of the street, I don't know »,* écrivait le capitaine. Et il parlait de la volonté de Dieu. En janvier, l'enveloppe et son contenu sont revenus à Washington : la valse des *retours à l'expéditeur* n'était pas terminée. L'enveloppe portait : *« Return to sender. Reason for return : Weight of letters addressed to France limited to 1 once. »* Malchance ? Ce qui restait d'Antoine dépassait encore une once. Le capitaine était déjà reparti pour le front.

Ce n'est qu'en avril que les démarches faites par la famille de Luc ont abouti. La Croix-Rouge américaine avait pu retrouver la trace d'Antoine, le capitaine, joint dans sa nouvelle affectation, a confirmé sa mort.

Dans le portefeuille d'Antoine, il y avait encore, avec des photos des siens, quelques tickets de pain qui portaient un tampon maladroit presque illisible : « État français. Mairie de Choisel. »

*

Il y avait eu l'oncle Antoine : celui qui est mort à vingt-six ans, en 1915, celui qui avait déjà publié ses gros volumes érudits sur l'Égypte des Ptolémée, celui qui a laissé ses poèmes, ses dessins, ses peintures, celui qui est resté, pour toujours, le jeune frère du père du Chat. Antoine, le frère du Chat, a été prénommé ainsi comme pour le perpétuer : le faire revivre ? Pour marquer la différence, sa grand-mère l'appelait le *petit Antoine.* Mais il lui arrivait de les confondre : ce n'était pas complètement involontaire. Les voilà qui se rejoignent. La douleur de la grand-mère de

Luc est, pour employer le mot convenu, insoutenable, ce qui veut dire au contraire que, toutes les limites dépassées, elle est encore là à supporter le choc, et Luc avec elle qui la voit pleurer. En quelques jours, son fils, son petit-fils. Cela fait près de trente ans qu'elle a prévu dans les moindres détails sa propre mort. Elle en a parlé aux siens presque chaque jour comme d'une chose naturelle. Toutes ces années, elle les a passées à écrire sur chaque chose qui lui tenait à cœur quelque long message destiné à ceux qui en hériteraient : « Pour mon fils Victor, ces bracelets que son père ramena de Montevideo à l'âge de vingt ans. Ils lui furent offert par M. Gonzalez Fernandez en reconnaissance de l'aide qu'il lui apporta dans ses travaux sémantiques sur la langue aymara... » « Pour mon petit-fils, ce télégramme de Lord Carnavon m'annonçant la découverte du tombeau de Toutankhamon ; qu'il n'oublie pas que son grand-père... » « Morceaux de pipes en terre cuite retrouvés dans le déblaiement du Sphinx de Gizeh, abandonnés par des soldats de l'expédition d'Égypte. Je prie Antoine, s'il ne veut pas les conserver, d'en faire don à la société La Sabretache qui collectionne les souvenirs de l'Empereur. » Ainsi, prévoyant méticuleusement tout ce qui devait se passer chez les siens après sa mort, elle préparait un peu sa propre survie à travers des objets, témoins inanimés qui ont jalonné son existence, au milieu desquels elle a vécu. En en préparant la transmission avec tant de soin elle ne pouvait imaginer qu'elle les léguerait à des morts. Elle ne comprend pas pourquoi c'est elle qui reste la survivante, et c'est cette injustice que, perdue dans les larmes, elle répète à Luc. Et lui, que peut-il faire d'autre que de rester muet, et soutenir devant elle, lui aussi, le choc de l'*insoutenable.* Lady Ponte-Serra elle-même, plus et mieux que toute autre, a toujours tenu à lui inculquer ce principe fondamental d'une *bonne éducation :* il n'est rien de moins convenable, de plus incongru, que d'exprimer ses sentiments par des gestes incontrôlés : quoi qu'il arrive, embrasser brusquement sa grand-mère, la prendre dans ses bras, est complètement impensable ; ce n'est pas un geste d'enfant respectueux. Alors il reste muet, et immobile, sous le déferlement de sa peine. Il l'accompagne dans ses monologues. Par moments, elle refuse, elle doute encore : c'est peut-être une erreur. Antoine n'était pas sous son vrai nom ;

il a pu y avoir confusion. Ce n'est pas lui qui est mort : c'est un autre, un inconnu. La lettre qu'il a écrite en Angleterre n'était pas datée : n'est-elle pas arrivée à Londres près d'un mois après la date que l'on donne pour celle de sa mort ?

— Ce n'est pas possible, répète-t-elle. Il faut attendre. Attendre encore. Encore un peu.

Mais l'instant d'après :

— Il faut faire des démarches. Il faut savoir où ils l'ont mis. Il faut retrouver son corps.

Non, pense Luc horrifié. Non, surtout pas. Pas le corps. Non.

*

Le 8 mai, en fin de matinée, le soleil dans la classe, par les grandes baies ouvertes : les sirènes, celles qui sont sur le toit du lycée, toutes les sirènes du quartier, hurlent à l'unisson, une seule fois, longtemps. C'est le signal de fin d'alerte : c'est la fin de la guerre. Tout le monde se précipite dans la cour. Le proviseur fait un discours. L'heure de la maîtresse de chant est arrivée : tout le lycée chante à plusieurs voix les hymnes répétés pendant l'hiver. Pour faire bon poids, elle leur a encore fait apprendre, sur l'air du chœur de *Judas Macchabée* de Haendel, ces paroles qui sont peut-être de sa confection :

Chant de victoi-re
E-êxa-âltez nos cœurs
Nous fêtons la gloi-re
Des soldats vainqueurs.

La-a pa-âtrie appel-le
Au faîte de l'honneur
Le héros fidè-le
Le tri-i-i-omphateur !

(Pendant les répétitions, elle a patiemment expliqué que *le faîte de l'honneur* n'était pas *les fêtes de l'honneur*. A de Gaulle de se débrouiller, en équilibre, sur ce faîte. De toute manière, des paroles comme ça, tout le monde s'en fout. D'autant que ce couplet est chanté en solo par l'ami à grosse tête et à lunettes, qui, malgré sa mue récente, arrive à retrouver, en forçant beaucoup, sa voix de soprano angélique. Le chœur n'a donc qu'à attendre qu'il s'en tire tout seul, pour reprendre ensuite : « Chant de victoi-re... »)

— Mes enfants, que ce jour reste le plus beau de votre vie..., a dû dire le proviseur. Ou, s'il ne l'a pas dit, c'est que c'est un original. En tout cas, il a parlé de la paix à construire tous ensemble, de l'amitié des peuples et de la démocratie : « Plus jamais ça. »

— Maintenant, mes enfants, en ce jour de fête, rejoignez vos parents.

L'après-midi, Luc part à pied avec sa tante et ses cousins, au milieu d'une foule immense et délirante, vers les Champs-Élysées. Ce qui se passe ce jour-là, cette formidable vague de joie qui brasse tout, il ne le reverra jamais. Des millions de gens rient, chantent et s'embrassent. Des fusées montent de partout, éclatant en bouquets, tirées par des batteries de DCA. Sous l'Arc de triomphe flotte un grand drapeau. Luc marche beaucoup. Il a mal aux pieds. Il ne trouve pas cela très drôle. Il râle.

— Luc, lui dit gentiment sa tante, alors qu'ils sont en haut des Champs-Élysées, ballottés par le flot de la foule heureuse, Luc, si tu es fatigué, tu peux rentrer à la maison tout seul.

Il rentre. Il a beaucoup de mal à se frayer son chemin. A la Concorde, on danse. Il avance péniblement dans les masses compactes ; il louvoie pour gagner le boulevard Saint-Germain.

Le voici, à la tombée de la nuit, sur son lit, encore une fois recroquevillé, comme à son habitude depuis cet hiver. Il a faim, mais il n'a pas envie de bouger. L'obscurité gagne. Les éclatements des tirs de fusées font vibrer tout le quartier, les flamboiements, les gerbes de feux d'artifice éclairent la fenêtre, le ciel est balayé par des projecteurs : leur lumière vient jouer à travers les marronniers.

Il ne pense à rien de précis. Il ne veut penser à personne.

Rester ainsi dans l'ombre, le brouillard, le vague. De temps à autre, peut-être, il se répète :

— Les enculés...

Ou encore, pour varier :

— Cons comme la mort.

*

Le professeur de français leur donne le sujet de la composition du dernier trimestre : « Un garçon de votre âge vient à Paris pour la première fois en ce mois de mai. Décrivez ses impressions. »

Non, cette fois il ne se laissera pas avoir. Il a compris, il est rodé. Tout y passe : ces jours de mai sont ceux de la joie : Paris baigne dans le bonheur de la paix retrouvée, dans le soleil du printemps, la tour Eiffel est illuminée et l'Arc de triomphe enrubanné, les avions voltigent et, au coin des boulevards qui reverdissent, l'accordéon... Paris redevient la Ville Lumière, ce qui, chacun le sait, s'entend aussi au figuré : la ville du rayonnement spirituel. Oui, il a de la chance, ce garçon, de découvrir Paris en ces moments d'allégresse. Rien ne doit manquer au collier de perles que Luc enfile consciencieusement pendant deux heures et sur six pages, rien et surtout pas la note finale, en apothéose : Le cœur de ce garçon, qui est un bon garçon, s'élève vers des sentiments nobles : il cite le poème de Victor Hugo que le professeur leur a fait opportunément apprendre quelques semaines auparavant :

Gloire à notre France éternelle,
Gloire à ceux qui sont morts pour elle,
Aux martyrs, aux vaillants, aux forts...

Cette fois, la morale est au rendez-vous. Quand le professeur rend les copies, il annonce, un soupçon d'émotion dans la voix, que Luc Ponte-Serra est le premier de la classe, avec seize sur vingt.

Avec le beau temps, il s'attarde dans les jardins du Luxembourg. Accompagné de son ami à grosse tête, il détourne les fuites qui fusent des tuyaux d'arrosage, au long des allées : ils construisent des canaux, des lacs, des cascades, malaxant la boue sablonneuse. Ils jouent les pilleurs d'épaves dans le bassin, autour du jet d'eau. Entre midi et deux heures, les gardiens font la pause, disparaissant dans leurs kiosques verts pour se cuisiner leurs gamelles. C'est le moment propice pour retirer ses sandales et s'enfoncer jusqu'aux genoux dans l'eau froide et trouble. Ils cherchent, ratissant de leurs doigts écartés en chalut, les navires qui ont sombré corps et biens dans les grandes tempêtes les jours de vent, sous les trombes du jet d'eau fou, ou qu'une voie d'eau a envoyés par le fond : bateaux à voiles de toutes sortes, canots à moteur en fer blanc émaillé *Jep 2* et *Jep 3,* bleu ciel et blancs au nez arrondi, qui n'ont pas encore eu le temps de rouiller. Ils retrouvent aussi, en tâtonnant dans la vase et les déchets, quelques pièces de monnaie trouées. Les gardiens les accusent de pêcher les poissons du bassin. Pourtant ces poissons rouges et blafards, ces carpes albinos aux écailles moussues ne les intéressent pas. Leur seul contact visqueux les dégoûte. Aucune chance de trouver parmi eux le petit poisson d'or. Un jour, des gardiens venus des quatre points cardinaux entourent le bassin et les cernent. Luc s'échappe et laisse lâchement son ami entre leurs griffes. Le père de l'ami est alerté. Il doit venir chercher son fils sévèrement gardé à vue dans un kiosque vert. Procès-verbal, humiliation, sermon : le père est pasteur protestant.

Au musée du Jeu de paume rouvert, ils découvrent Van Gogh et Gauguin. Luc possède quelques petits livres de la collection Braun, mais toutes les illustrations sont en noir. Il a vu quelques rares reproductions en couleurs des impressionnistes. De la peinture de Van Gogh, il n'a retenu jusqu'ici que la violence de ces masses épaisses, qui se chevauchent comme dans une grande bataille, à l'assaut d'un clocher, d'un pont, de meules de blé, du ciel. Peut-être est-ce la légende du peintre qui l'a frappé le plus. Van Gogh à l'oreille coupée, Van Gogh dans un asile qui pourrait être celui de Chevigny, les trois soleils et le suicide. Et Gauguin... Son ami a lu cet hiver *le Grand Meaulnes,* et il se prend de plus en plus souvent pour Augustin Meaulnes ; Luc doit être son ombre émerveillée. Il ne lui reste plus qu'à trouver le parc mystérieux et la jeune fille inconnue, mais ce sont des détails : le voici en instance de départ. Comme Gauguin. Les merveilleux nuages... (Cet hiver, ils se sont aussi lancés tous deux sur les traces de Jack London : ils étaient Belliou la Fumée et le Courtaud, peinant sur leurs raquettes, écrasant la neige dure et craquante sur des espaces sans fin, derrière leurs traîneaux à chiens, leurs fidèles huskies. Le Grand Nord était exaltant. Mais il exigeait aussi de l'abnégation. Au printemps, ils l'ont abandonné sans trop de regrets.)

— Mais regarde, Gauguin, objecte Luc, son petit livre à la main. Tu vois bien que son dernier tableau, là-bas sous les tropiques, c'est ce village sous la neige : alors pourquoi partir, si au jour de sa mort... Et Meaulnes lui-même, quand il a voulu revenir, quel désastre...

— Il faut partir, affirme son ami en rajustant ses lunettes de fer sur son nez rond. Il faut partir.

Quand ils se retrouvent dans le musée presque désert qu'éclaire seulement la lumière du jour par les verrières sales, quand, marchant entre les tableaux, ils sentent venir les investir, puis, petit à petit, dans un lent déferlement, les noyer presque, quittant les cadres, de grandes vagues de formes et de couleurs, quand enfin ils s'arrêtent, paralysés, devant *le Cheval blanc* de Gauguin, ils ne se parlent plus. Ils restent là, plantés, les poings serrés dans les poches de leurs culottes. Ils s'enferment chacun dans un silence hargneux, presque hostile, tant chacun a peur que l'autre ne vienne troubler ce qu'il ressent et que nul, même le meilleur ami, ne devrait avoir le droit de ressentir aussi. Devant *le Cheval blanc* de Gauguin, Luc comprend que son ami a raison : il faut partir. Il se dit que cela vaut la peine de tout risquer et de tout perdre, vie comprise, si l'on peut arriver à faire ce qu'il voit *là.* Dans sa tête tourbillonne un grand désordre d'images.

Mais ce qu'il continue à voir, les yeux ouverts dans la nuit, il ne le rêve pas. Ce sont des choses qu'il pense, éveillé, qu'il remue, qu'il voit défiler : toujours ces images qui se sont faites familières à en devenir ordinaires. Bien sûr, de ces images il n'est pas maître — mais est-il davantage maître des images du plein jour, celles au milieu desquelles il est naturel de vivre et que l'on dit normales ? —, elles viennent à lui, elles l'enveloppent, elles l'attaquent, mais il ne les repousse pas. Ces images ne sont pas des inventions. Ce ne sont pas des cauchemars que l'on peut dissiper en les niant : le cauchemar existe. Le cauchemar est vrai. Ces images sont celles de la réalité. Peut-être même son imagination est-elle trop pauvre.

Son père toujours, et ce rictus de la tête décharnée, et le crématoire. Et Antoine ? Le corps d'Antoine. Dans la boue, au bord de la Moselle : pleuvait-il ce jour de septembre ? Il lui semble bien que oui. Que faisait-il, lui, ce jour-là ? Il se souvient très bien : ce soir-là, il a été jeter son stock de poudre dans le puits perdu et il a provoqué cette flamme géante. A cette heure, Antoine était probablement déjà tué. Le corps d'Antoine : masse informe, loque kaki souillée ; déchiquetée. Comment est-il mort ? Ils étaient en contrebas, au bord de la rivière, dans ce village, sous le tir de l'artillerie lourde. Tirés comme des lapins. Les maisons ont dû s'écrouler une à une. Pris sous les décombres, les reins brisés par la chute d'un grand arbre, essayant encore de se traîner, empoignant la terre et les pierres. Ou, peut-être, la tête écrasée. Agité pendant plusieurs minutes de soubresauts spasmodiques. Plus longtemps encore. Comme un lapin sous les coups de tisonnier, dans la cour de la ferme. S'il n'est pas mort sur le coup, il a crié. Appelé. Appelé qui ? Ses camarades, les autres ? Ses derniers mots en anglais ? Hurlé.

Luc n'était pas près de son père. Il n'était pas près d'Antoine. Ils sont morts dans la solitude. Il aurait voulu être là. Leur parler. Les toucher. Qu'est-ce que cela aurait changé ? Il ne sait pas. Décidément il rêve. Mais cette solitude, leur solitude, la mort... Cela n'est pas humain. Mais qu'est-ce que cela veut dire, humain ? Le Christ lui-même n'était-il pas moins seul ? Il faudrait qu'il parle de cela à quelqu'un. Il n'a personne à qui en parler. Le curé de Magny, peut-être.

Et maintenant ? Maintenant, il faudrait qu'il soit près de sa mère. C'est évident. Cette histoire de *bon hôpital* ne lui plaît pas. Cette histoire de jambe malade qui va guérir est une saloperie. On ne la lui fait plus. Bien sûr, il ne pourrait pas faire grand-chose. Il s'assiérait sur le bord du lit sans bouger. Il serait là. Il chercherait ses yeux, son regard ; il a absolument besoin de retrouver son regard : cela ne peut pas durer, les brouillards de souvenirs qui s'effilochent. S'il était près d'elle, il est sûr qu'elle se sentirait tranquille, calme, en sécurité. Un enfant qui veille au pied de votre lit sans rien dire, c'est tout le calme de la terre qui s'étend sur vous. Elle dormirait. Elle guérirait. Il lui apporterait de grands verres de thé noir brûlant : il s'est renseigné, c'est cela que l'on boit en Pologne — avec de la vodka bien sûr. Il connaît même le mot : *herbata.* Est-ce qu'il y a des samovars, là-bas ? Tourner le robinet de cuivre... Du thé sans sucre : il n'y a pas de sucre là-bas, encore moins qu'ici, paraît-il. Du thé de fanes de carottes même, probablement. Mais noir et brûlant.

Toute cette histoire a assez duré. Il faut que sa mère revienne.

On lui dit que c'est impossible pour l'instant. On ne peut traverser l'Allemagne, il n'y a plus de chemins de fer, les routes sont éventrées, encombrées de troupes, de prisonniers libérés, de populations errantes, tous les ponts sont rompus. On lui dit qu'il faut attendre que sa mère soit en état de marcher. On lui dit...

Non, décidément, cette histoire a assez duré.

Un après-midi, comme il vient de brailler pour la millième fois son grand air — « Elle avait une jambe de bois » — dans les couloirs de l'appartement, il entend sa tante qui explique très gentiment à un visiteur, comme pour l'excuser :

— Que voulez-vous, Luc est encore un enfant : la vie continue.

*

Fini le joli mai. Un jeudi, sa tante lui permet d'aller tout seul à Marles. Les semaines précédentes, il a bricolé le vieux vélo de son père — celui-là s'appelait Pégase — qui pourrissait dans la cave de l'immeuble familial. Il prend, avec lui, la ligne de Sceaux à Denfert. Sa tante lui a demandé de ramener des pommes de terre. Au moins des pommes de terre. Le tronçon de Massy-Palaiseau a été raccordé et le train traverse la gare de triage encore dévastée de trous de bombes. Il va à la vieille maison où vivent toujours les réfugiés. A Boulogne-sur-Mer, il ne reste plus un mur de leur logement et ils ont préféré attendre à Marles que l'on construise là-bas, sur ce qui fut leur faubourg, des baraquements préfabriqués qui doivent arriver d'Amérique. Luc est accueilli par un flot de larmes et d'embrassades, il renoue connaissance avec le tablier poisseux de la grand-mère. Son fils le prisonnier est de retour. Il serre la main de Luc avec vigueur en le regardant dans les yeux, l'allure virile et responsable :

— C'est moche, hein, mon vieux !

— Oui, dit Luc. C'est moche.

— Qu'est-ce que tu veux, c'est comme ça. On n'y peut rien. On en a tous bavé pareil, crois-moi. Maintenant, va savoir pourquoi ç'a été ton père et pas moi. Je me rappelle, fin 43, dans la ferme où je travaillais, un bombardement anglais, eh bien...

— Qu'est-ce que tu veux, répète-t-il encore. Ton frère...

Luc ne dit pas qu'il ne veut rien du tout. Juste qu'on lui foute la paix. Il demande des nouvelles de ses bêtes. Patachou, Timochenko, il ne se faisait pas beaucoup d'illusions sur leur sort. Mais les cochons d'Inde ?

— Ah ! mon pauvre petit, les cochons d'Inde... Tu n'étais donc pas au courant ? Quand les derniers Allemands sont passés — car nous avons dû encore loger des Allemands — eh bien, ils ont mangé tous les cochons d'Inde. On a bien pensé que ça te ferait de la peine.

— Salauds de boches, dit l'ancien prisonnier avec conviction.

— Salauds de boches, répète Luc.

Il voit que poules et lapins des réfugiés sont tous là, bien prospères, qu'ils prolifèrent : tous des rescapés du massacre des Saints Cochons d'Inde Innocents. Chacun sait que le cochon d'Inde est le mets de choix des barbares en retraite.

Il s'en va chargé de bénédictions et de pommes de terre. Il n'a pas le courage de s'arrêter à la ferme voisine. Ce n'est déjà pas commode d'être malheureux, le plus dur est encore de tenir le rôle sans faiblir, de faire face à la compassion des autres, à leurs commentaires, d'être à la hauteur pour donner la réplique. Les autres ont toujours l'air de connaître beaucoup mieux leur rôle que lui. Il redoute ces scènes-là. Même quand il s'agit de gens qu'il aime bien.

Il pédale sous le soleil vers la côte de Montainville. Ici, il a vu partir Antoine. Il y a presque un an, maintenant. Ce n'est pas encore le temps de la fenaison, mais déjà dans l'air léger, se glisse l'odeur des foins. Sur la petite place silencieuse de Magny, en face de l'église et du cimetière, il s'arrête. Il pose son vélo contre un volet de la fenêtre du curé. Il frappe à la porte pleine. C'est un jeune curé qui lui ouvre : un blond, un peu voûté dans sa soutane bien boutonnée.

— Je voudrais voir monsieur le curé, dit Luc.

— Mais c'est moi, jeune homme. Entrez donc.

Il s'efface devant la porte ouverte pour le laisser entrer, avec un grand sourire.

— Entrez, mon garçon.

— Non, dit Luc qui reste planté sans bouger. Non. C'est-à-dire que ce n'est pas vous que je cherchais.

— Mon Dieu, mon pauvre enfant, vous cherchiez l'abbé Malbry.

Il sourit toujours.

— Oui, l'abbé Malbry. C'est bien ça.

— Mon pauvre enfant. L'abbé Malbry nous a quittés cet hiver. Dieu... Enfin, il est mort cet hiver. C'est moi qui le remplace. Mais entrez donc. J'aime recevoir les jeunes. Je ne vous avais encore jamais vu.

Pourquoi n'arrête-t-il pas de sourire ?

— Non, dit Luc. Et il enfourche sa bicyclette.

Le jeune curé fait un pas vers lui, la main tendue, un geste amical pour lui prendre le bras, pour le retenir.

— Non, répète Luc, plus fort.

Il démarre en donnant un grand coup de pédale. Il est déjà au milieu de la rue. Il entend derrière lui la voix qui lui crie :

— Mon enfant, si vous voulez voir sa tombe...

Et encore, plus lointaine :

— Revenez. Revenez quand vous voudrez.

Luc pédale de toutes ses forces sur le plateau contre le vent, les mâchoires serrées. Il grogne :

— L'enculé !

(Le curé de Magny n'abordait jamais rien qui concernât directement la pratique de la religion. Là-dessus il fichait au Chat une paix totale. « La foi, lui avait-il dit, c'est quelque chose que tu dois décider seul ; seul avec le bon Dieu. C'est une question entre toi et lui. Le reste... » Il haussait les épaules.

— Ici, pour la plupart des gens, la religion, c'est comme une compagnie d'assurances. C'est un contrat de plus qu'ils souscrivent. Après, ils s'accommodent plus ou moins des clauses. Ils finassent. Elle est dure, fermée, cette campagne. Et comme je ne suis pas un agent d'assurances, alors, souvent, ils m'en veulent.

— Je ne comprends pas bien, s'était risqué une fois le Chat. Dieu s'est fait homme, puis le Christ est monté au ciel. Et ensuite il est redescendu sur les hommes sous la forme du Saint-Esprit...

Le curé avait tapé sur la table.

— Tu ne comprends pas. Tu ne comprends pas. Bien sûr, que tu ne comprends pas : « Il est monté..., il est descendu... » Mais qu'est-ce que c'est que cette navette ? Tu prends Dieu pour un ascenseur ? Si tu raisonnes comme ça, tu ne comprendras jamais rien à l'Évangile. Et puis cette manie que vous avez tous de vouloir tout expliquer. Tu ne sens pas que Dieu c'est justement quelque chose qu'on ne peut pas *expliquer,* parce que sans cela il ne serait pas Dieu ?

Qu'aurait pu lui dire aujourd'hui le curé de Magny ? Qu'avait-il envie qu'il lui dise ? Il n'en sait absolument rien. Il aurait seulement voulu parler avec lui. Qu'il lui parle. De toute manière il n'a personne d'autre avec qui parler. Mais aussi quelle idée bizarre : pourquoi vouloir parler avec quelqu'un ? Tout est muré autour de lui : c'est comme ça. Vouloir y changer quelque chose, quel caprice.)

Il a encore quelque chose à faire. Il rejoint la route de Dampierre. Les dix-sept tournants au milieu des arbres. La journée est déjà avancée : il fait doux. Il a du mal à retrouver la maison qu'il cherche, il ne l'a qu'entrevue au petit jour. Il la repère enfin, à la sortie vers Chevreuse, basse, les petites fenêtres, le toit qui s'avance en auvent. Il frappe et le vieux ouvre : il est en savates, un gilet de laine brun. Il le regarde, interrogateur, à travers les verres ronds de ses lunettes.

— Bonjour monsieur, dit Luc tenant encore le vélo d'une main. Vous ne me reconnaissez pas.

— Non, dit le petit homme indécis, sans ouvrir complètement la porte.

— Nous sommes passés chez vous l'an dernier, à la même époque, mon frère et moi. C'était la nuit.

— C'est ça. Bien sûr. Je me souviens. C'est ça. Eh bien, dis-donc...

— Mon frère avait dit qu'il faudrait passer vous remercier, après la libération. Alors.

— Mais ne reste pas planté là. Entre. Entre donc.

Il cligna de l'œil :

— Tu viens de chez votre oncle de Cernay, hein ?

Dans la pénombre de l'atelier, tout est toujours à la même place. La table avec la toile cirée, les chaises de jardin, l'établi avec l'étau, les outils soigneusement alignés au mur. Les plantes vertes. Et des chapelets d'oignons, fraîchement récoltés.

— On a de la visite ! crie l'homme.

Elle apparaît à la porte intérieure, elle le dévisage et rit :

— Je savais bien que vous reviendriez. On a souvent parlé de vous.

— Tu parles, dit l'homme, il fallait voir la tête des gendarmes en revenant de Choisel, le lendemain de votre passage.

— Tu es venu seul ? Et ton frère ?

— Il n'est pas là, dit Luc. Il... Eh bien voilà : il est mort. Il a été tué, vous comprenez.

— Assieds-toi, dit la femme.

— Donne-lui de la grenadine. Il doit avoir soif. Il est venu en vélo.

— Mes pauvres enfants, dit la femme.

Elle lui sert de la grenadine rose dans un grand verre avec de l'eau, elle coupe des tranches de pain de son qu'elle a dû faire elle-même et pose un pot de confiture entamé.

— J'avais bien failli vous foutre dehors tu sais, dit l'homme. A l'époque, des garnements sur les routes après le couvre-feu, c'était plus souvent des combines louches. Parce que la résistance par ici... Mais quand ton frère a parlé, il était tellement poli : on ne pouvait vraiment pas hésiter.

— Ça c'est vrai, dit la femme. On voyait bien que vous étiez des garçons bien élevés.

— Sauf que quand ton frère a voulu me faire la leçon, quand il s'est mis à parler politique, alors là tu parles, là, je me suis marré.

— Mes pauvres petits, dit encore la femme.

— Et votre fils ? demande Luc.

Alors la femme se met à pleurer, elle s'assied, la tête dans les mains, les épaules secouées. Et à la voir, Luc sent tout à coup qu'il a lui aussi envie de pleurer, que ça se dénoue dans sa gorge, il éclate en sanglots qui coulent sur sa confiture, il se sent soulagé d'un poids énorme, il se sent presque bien.

C'est seulement à ce moment qu'il voit, près de l'établi, sur une étagère, la photo, avec, pendant sur le coin gauche du cadre, des décorations.

— Quand les Américains sont arrivés, dit l'homme, en août, par la route de Cernay et qu'on s'est aperçu que c'étaient des Français, tous les gens étaient sur la route, ils criaient... Nous, on restait là, devant la porte. On regardait bien chaque char qui passait, ceux qui étaient dessus. Quand on le pouvait, on leur criait le nom de notre fils. Ils étaient pressés, ils avaient du mal à écarter tout ce monde qui bouchait le passage, tu comprends, et puis avec tous ces cris, et le bruit des moteurs... On est allé chercher sa photo et on l'a montrée à ceux qu'on pouvait attraper. Ils nous disaient tous que non, ils ne le connaissaient pas. Et les jours suivants, et les semaines suivantes... Tous les garçons de son âge qui venaient nous faire une visite, ils reprenaient le travail, la vie de famille et ils nous disaient, un peu gênés, bien sûr : « Il ne devrait pas rester parti si longtemps, si loin, sans donner de ses nouvelles. » Et puis un jour, cet hiver, on nous a appris qu'il était tombé le 18 août en Provence. A Draguignan. Il avançait dans la forêt et sa mitraillette s'est enrayée. C'est tout ce qu'on sait. On ne l'a pas retrouvé. Ce sont les gendarmes qui sont venus nous l'annoncer. Tu te rends compte, les gendarmes. Après il y a eu des décorations. Et des lettres officielles.

Il se lève et va farfouiller dans un tiroir. Il jette une liasse de papiers devant le Chat.

— Tiens.

Le chat lit :

« Monsieur,

J'ai l'honneur de vous communiquer le texte du décret portant attribution de la croix de guerre avec palme à titre posthume à votre fils Fernand D.

Évadé en 1941, a rejoint l'Afrique du Nord... »

Il saute les mots et va à la fin :

« ... il laisse auprès de tous ceux qui l'ont connu le souvenir d'un brave. En qualité de capitaine chargé de mission de la Ire Armée française auprès du ministre de la Défense nationale, je salue la dépouille d'un glorieux soldat de l'Armée française.

Veuillez agréer, Monsieur, l'expression de mon profond respect. »

— L'enfoiré, dit l'homme en se rasseyant. Tu parles d'un enfoiré. Tu as lu ? Il salue la dépouille. On n'a jamais retrouvé son corps, tu comprends.

— Au moins, dit la femme, si je l'avais ici, au cimetière, je sais pas, je crois que ça serait quelque chose.

— Personne ne peut comprendre, dit-elle encore. Personne ne peut comprendre ce qu'on ressent.

— Non, répond le Chat. Personne..

Il est plus de six heures. Il est temps d'aller reprendre le train à Saint-Rémy.

— Reviens, disent les deux vieux qui le regardent partir sur le pas de la porte, entre les fenêtres garnies de géraniums aux grosses fleurs rouges. Reviens nous voir.

— Oui, dit le Chat. Je reviendrai.

Un désastre, décidément. Un désastre.

Il rentre tard chez sa tante.

— Tu as passé une bonne journée ? lui demande celle-ci, dans la cuisine, tandis qu'il avale les nouilles qu'elle lui a fait réchauffer.

— Non, dit Luc.

— Toi, quand tu seras content de quelque chose..., soupire-t-elle. Et les cousins rigolent en se poussant du coude.

— C'est à cause des cochons d'Inde ? demande encore la tante. Je n'avais pas osé te le dire.

— Oui, dit le Chat. C'est à cause des cochons d'Inde.

*

Un jeudi après-midi, encore, rue de la Petite-Truanderie :

— Max est revenu, lui annonce Diane, sans lever les yeux des cartes étalées devant elle. Assieds-toi et ne bouge pas. Les cartes sont très noires. *Sehr schwarz.*

L'atmosphère du Petit Roscoff est pesante. Assise à la table la plus proche, au milieu des banquettes et des chaises vides, une fille mince se tient très droite. Elle est jeune, presque autant que Diane. Certainement plus grande qu'elle. Un visage sérieux et délicat de petit garçon. Des cheveux blonds courts, qui se rebiffent en arrière en petites mèches drues : c'est probablement cela qu'on appelle la coiffure à l'aiglon. Sous la table, il voit de très longues jambes, nues, lisses : la jupe est extrêmement courte et laisse découvertes les cuisses minces, dorées, ouvertes sur une culotte blanche qu'il n'ose regarder plus d'une seconde. Les bras à plat sur la table, le buste étroit cambé, elle fixe obstinément le vide, droit devant elle : des yeux immenses, gris-vert, cernés de traits de crayon noir qui collent les cils. Un regard perdu et noyé de larmes. Elle renifle silencieusement, les ailes du nez fin battent et se pincent. De temps en temps un sanglot lui secoue les épaules. Elle ferme les yeux, puis les rouvre très largement, presque écarquillés, dans un sursaut, son regard redevient fixe et les larmes coulent. Et ce que le Chat voit dans ces yeux grands ouverts, c'est une grande peine d'enfant battu. Et pire : de la peur.

Derrière son dos, il entend des rires épais. Il se retourne : à l'angle opposé de la salle, il voit le groupe habituel des joueurs de cartes, un peu plus nombreux peut-être, et plus bruyants. Au moment où il les regarde, l'un d'eux désigne la fille : tous s'esclaffent. Ils n'entend que confusément ce qu'ils disent, mais un mot surnage plusieurs fois et vient le frapper :

— Poufiasse.

Celui qui a tendu le doigt, un petit homme rondouillard aux cheveux gras rejetés en arrière, vêtu d'un complet sombre, se lève et marche vers la fille. Il l'empoigne par un bras. Il continue à rire.

— Viens avec moi.

La fille demeure assise, droite, raide, sans bouger. L'homme lui saisit le bras à deux mains, il semble serrer fort et l'oblige à se lever. Ses semelles de liège, ses longues jambes aux genoux pleins, elle est plus grande que l'homme. Il garde une main refermée sur son bras et l'autre s'abat sur une fesse que la jupe protège à peine, il l'empoigne au ras du pli de chair, et il pousse fortement la fille vers la porte. Elle avance d'un pas mécanique, le tête toujours raide, le regard toujours fixe et perdu. Elle continue à renifler à petits coups. Il rit encore :

— Tu vas voir, je vais te faire passer ça. Tu vas voir.

La porte de la rue se referme sur eux dans la rigolade générale. Les hommes s'esclaffent plus fort, se donnent de grandes claques sur les cuisses, le patron lui-même, derrière le comptoir, se tord comme s'il venait d'assister à la scène la plus comique de sa vie et il leur crie :

— Je remets ça, c'est ma tournée.

Diane n'a pas levé la tête. Elle brouille les cartes devant elle et elle grogne :

— Les salauds. Les salauds.

— Qu'est-ce qu'il y a ? demande le Chat.

— Laisse tomber.

Mais elle répète encore, sans desserrer les dents.

— Les salauds.

Le patron apporte les verres de la tournée, qui tintent sur le plateau. Les hommes comptent les points de la partie et continuent à brailler. Le Chat sent dans ce groupe d'hommes quelque chose de dur, de dangereux. De mortel. Des hommes entre eux. Un bloc soudé, inhumain. Il n'est pas nécessaire d'être SS, de porter un uniforme, des bottes, des armes. Il émane de ces hommes-là la même suffisance brutale, le même mépris qui le glacent. Ils sont ordinaires et ils puent la mort.

— J'en peux plus, dit Diane. On se barre.

Elle rassemble ses cartes.

— Mais doucement. Inutile de se faire remarquer.

Ils traversent la salle. Diane ouvre la porte. Des appels fusent.

— Alors, Diane, tu nous quittes.

— Tu te payes le gamin.

— Eh Diane, si tu es en chasse, je suis là.

— Tu veux pas mon crayon ? C'est plus sûr.

Diane est déjà dehors, le Chat sur ses talons, faisant le gros dos. Il entend encore une fois, dans les gloussements et les éclats de rire :

— ... Poufiasse.

Ils sont dans la rue. Il a la nausée, il tremble un peu. Diane tend vers lui son visage fermé, pointant son petit menton triangulaire.

— On va chez moi.

Un peu plus loin, une porte étroite, un escalier sombre, faux marbre brunâtre écaillé et plâtre à vif, des ampoules jaunes plus chiches encore que dans le métro ; à chaque étage des couloirs, plutôt des boyaux, qui s'enfoncent dans l'obscurité vers des portes nombreuses dont il ne devine que les premières. A mi-étage béent des chiottes à la turque qui puent. Diane pousse une porte. Une pièce minuscule et obscure, encore. Le Chat va à la fenêtre sale, et son regard plonge au fond d'une cour étroite entre les murs noirs : elle est jonchée de papiers, de déchets, vieilles serviettes, bouteilles cassées : comme si chacun jetait directement ses détritus par la fenêtre. On ne voit pas le ciel.

— Assieds-toi sur le lit, dit Diane. Je vais juste me changer.

C'est un lit étroit, recouvert d'un tissu à fleurs jaune très vif, dont la fraîcheur surprenante éclate dans la pièce triste. Le sommier métallique s'enfonce et grince.

— J'en ai marre, dit Diane. J'en ai marre et je veux partir. Il faut que je parte. Sans ça...

Il la regarde se changer. Elle fait comme tous les garçons lorsqu'ils se retrouvent à plusieurs dans une chambre pour la nuit : elle lui tourne le dos et s'arrange pour qu'il ne voie rien de son corps. Il est déçu. Elle passe d'abord une jupe légère, plissée, à fleurs, qui était en boule sur la seule chaise. C'est seulement ensuite qu'elle fait tomber, par-dessous, son pantalon sur ses mollets nus. Un instant, parce qu'elle a mal calculé son geste, le Chat voit le haut de la culotte Petit Bateau blanche, à côtes, pas tellement différente de la sienne. Elle passe son jersey au-dessus de sa tête. Il regarde son dos, ses épaules nues. La peau blanche, lisse, semée de taches de rousseur. La petite chaîne de l'épine dorsale, qui joue sous la peau quand elle se penche. Un dos de fille, presque enfantin, complètement dénué de mystère, mais dont il ne peut détacher ses yeux.

— Je te sens derrière moi, dit Diane. Je n'aime pas qu'on me regarde comme ça.

Elle se retourne brusquement et lui fait face. Il voit les seins petits, très écartés, et encore des taches de rousseur. Aucun mystère, là non plus. Un corps net et simple. Il voudrait bien s'attarder sur les seins, mais elle le fixe et il ne peut faire autrement que de remonter son regard vers les yeux verts. Elle enfile un chemisier blanc. Il bafouille :

— Mais…

— Non. Elle lui sourit en plissant l'amande de ses paupières. Et pas toi. Surtout pas toi.

Elle s'assied à côté de lui sur le lit qui grince encore, pour relacer ses chaussures de toile. Le Chat sent un frisson le parcourir, comme si sa peau se hérissait toute. Il est malheureux.

— Ne compte pas sur moi pour ça, dit-elle encore.

Ils remontent dans le soleil qui réchauffe les vieilles maisons noires et serrées, et marchent dans la pourriture de la rue Saint-Denis, qui est beaucoup plus animée que l'hiver passé. Déjà s'entassent les cageots de légumes et passent les charrettes à bras chargées de pyramides vacillantes, tirées à grand fracas vers les pavillons vert sombre, au bout du lacis de ruelles.

— J'ai rendez-vous avec Max, dit Diane. Viens avec moi.

Traversé le boulevard Sébastopol, ils s'engagent dans des régions inconnues du Chat. Des rues encaissées et calmes où jouent des enfants, des maisons toujours aussi serrées et aussi noires qui alignent des boutiques sages aux ventaux de bois à moitié fermés, parfois des porches larges et profonds aux sculptures délabrées, qui ouvrent sur des cours croulantes encombrées de baraques et d'appentis : il y règne une grande animation. On entend des bruits d'outils, des martèlements, des stridences de scies à métaux. Des hommes passent, poussant des chariots et des diables, ou portant sur leurs épaules de lourds ballots d'étoffes. Tout un quartier vivant sur lui-même, absorbé par un travail intense et calme.

Ils traversent une vaste étendue déserte, terrain vague de pavés et de tas de terre entre les hauts murs aveugles de maisons étayées de gros madriers de bois, murs sur lesquels se dessinent encore le tracé des conduits de cheminées éventrés, le papier des chambres, taches brunes ou bleues, où l'on devine encore les stries des vieux décors à fleurs, le carrelage mural des cuisines ouvertes sur le vide. Quelques camions stationnent dans les pierres de la place. Un cataclysme sans âge paraît s'être abattu ici.

— C'est le plateau Beaubourg, dit Diane. Je ne sais pas bien pourquoi c'est comme ça. Je croyais que c'était le bombardement allemand, mais il paraît que ça date d'avant. J'aime bien ces murs, la trace de tous ces logements, de toute cette vie disparue. Comme une ville engloutie. Tu te rends compte, il y a des petits vieux qui passent et qui se montrent une tache, tout là-haut, sur la muraille : « Tiens, voilà notre chambre. C'est la marque du lit. »

Ils débouchent sur une place qu'occupe un jardin aux arbres touffus enclos de grandes grilles rouillées. Tout autour, de hautes maisons à arcades dont les toits noirs s'escaladent les uns les autres et portent toutes les sortes de cheminées imaginables : cheminées de pierre, cheminées-périscopes, cheminées noires et longues comme celles des vieux remorqueurs à vapeur de la Seine. Les murs lépreux mêlent toutes les nuances du rose au gris, et des persiennes squelettiques pendent des grandes fenêtres aveugles. Ils avancent sous les arcades désertes qui apparaissent, à la vue et à l'odeur, comme un vaste urinoir.

— Tu connais la place des Vosges ? demande Diane. C'est drôle : les Parisiens ne connaissent jamais la place des Vosges. Max dit qu'il aimerait vivre ici cent ans. Je sais qu'il y cherche un logement. On en trouve facilement, et pas très cher. Mais il n'y a presque jamais l'eau courante, juste un robinet sur le palier.

C'est pourri d'humidité et de cafards. Pire que la rue Saint-Denis.

Ils s'assoient sur un banc du jardin près d'un socle qui porta, dit l'inscription, la statue équestre du roi Louis XIII (il y a longtemps qu'il n'y a plus, à Paris, que des socles vides. Des centaines de socles vides), au milieu de gosses qui crient. Parce que c'est jeudi : les gosses sont dans la rue. Un groupe de garçons joue aux barres. Certains ont l'âge du Chat.

— Je ne sais pas ce que je vais devenir, dit le Chat.

— Oui, dit Diane. C'est très triste, ce qui t'est arrivé. C'est une vraie vacherie. Une saloperie de merde.

Ils restent un moment silencieux. Le Chat s'apitoie sur son sort.

— Mais tu sais, reprend Diane en traçant des dessins vagues dans le sable avec ses semelles, tu sais, il ne faut pas charrier non plus. D'accord : tu es malheureux et, ça, tu n'y peux rien. Personne n'y pourra jamais rien. Ça, il faudra bien que tu te le fasses entrer dans ta sale caboche de bois de chat-escargot grincheux comme un chameau. Il faudra bien que tu vives avec. Ou alors...

Ce que le Chat, courbé vers le sol, trace du doigt dans le sable entre ses pieds, c'est un bateau. Un bateau enfantin, un seul mât et un bout-dehors, deux triangles courbes pour les voies gonflées par le vent. Et autour : des petites vagues.

— C'est marrant, tu sais. Le monde est décidément mal fait. Il y en a tellement qui ont ton âge, et des bien plus vieux aussi, surtout des plus vieux, si tu savais tout ce que j'entends, ils se plaignent tout le temps de leurs parents, de leur famille. Il geignent, on dirait qu'ils donneraient n'importe quoi pour en être débarrassés. Si tu les entendais : « Mon père est une peau de vache, ma mère me pompe l'air, ils ne me comprennent pas, de sales bourgeois, ils ne me laissent pas vivre, ah ! s'ils pouvaient me foutre la paix. » Et toi... Les cons !

— Je sais, dit le Chat.

C'est vrai. Même ses camarades de classe : cela lui fait un drôle d'effet de les entendre geindre en se plaignant de la tyrannie familiale. Même son ami à grosse tête, son père le pasteur... quand il veut lui demander quelque chose d'important, il n'ose pas lui parler, il attend des jours, angoissé, et il finit par lui laisser, le soir, une lettre sur son bureau. Et il rêve de départs.

— Et moi ? continue Diane. Comment tu crois que j'ai débarqué au Petit Roscoff ? Mes parents habitent Versailles. J'étais en pension chez les sœurs. Garder toujours les yeux baissés. Je suis partie l'an dernier, juste avant mon premier bac. Tu sais comment c'est chez les sœurs ? On prenait un bain une fois par semaine et on avait une chemise spéciale pour ça, une chemise de grosse toile très large, serrée au cou, sans manches, qui couvrait toute la baignoire. Merde. Un jour j'ai dit merde. Comme ça. Mon père était collabo. Un vrai. Un pur. Il y croyait. Il avait un bel uniforme de milicien bleu, que ma mère repassait tous les samedis. Il disait qu'on avait été pourri par les juifs. Qu'il préférerait encore que j'épouse un nègre plutôt qu'un juif. Et pourtant les nègres, pour lui… C'est pour ça qu'il pouvait pas blairer les Américains : parce que, eux, ils étaient pourris à la fois par les nègres et par les juifs. J'avais beau lui dire que les nègres, là-bas, c'était pas le paradis pour eux, le Ku Klux Klan et tout ça… Non : rien à faire. Pour la question des juifs, c'est drôle, je crois qu'il avait un complexe, parce que notre nom de famille il est en *mann,* tu comprends, il ne supportait pas les questions sur l'origine de son nom, alsacien il disait, alors il devait en rajouter pour essayer de faire oublier. Oui, il en rajoutait. Il disait qu'on était encore trop bon avec les juifs, qu'il n'y avait pas de différence à faire, français ou pas : il fallait tous les envoyer là-bas, à coloniser les terres polonaises, et que d'ailleurs c'était trop beau pour eux : « Donnez-les aux vrais patriotes, qu'il disait, donnez-les aux vrais Français, vous verrez ce que nous en ferons. » Aujourd'hui qu'on sait vraiment ce qu'on leur a fait, aux juifs, je trouve qu'en un sens, il devrait être rassuré. Il a disparu à la libération, mon père. Il avait intérêt. J'ai lu dans un journal, cet hiver, qu'il avait été condamné à mort par contumace. Volatilisé. Planqué. Peut-être en Espagne.

— Salauds d'Espagnols, dit le Chat avec conviction.

— Il n'était pas méchant, mon père. Je suis sûre qu'il y en a des millions comme lui. Rue Saint-Denis, je suis bien placée pour me faire une idée. Quand il parlait aux gens, dans le quartier, on l'écoutait. Il était respecté. Il aurait pu rester toute sa vie comme ça, à raconter ses conneries, à faire chier gentiment ses trente employés : il était chef de je sais pas quoi, dans son usine. Seulement il y a eu Pétain, Darnand, son idole, et tout le bordel. Ça lui a monté à la tête. Il fallait qu'il parade avec les copains. Ses copains, c'était sacré. Et puis il y avait ma mère. Tout ça, il l'a fait pour briller à ses yeux. Pour lui montrer qu'il était un homme, un vrai. A part ça, oui, il était gentil, mon père. Ce qu'il aimait par-dessus tout, c'étaient les arbres de Noël. Ça le faisait pleurer, les arbres de Noël.

— Moi, je peux pas les blairer.

— Et moi donc. Après dix-sept ans de *Tannenbaum* avec des bougies, tu parles d'une colique ! Et ma mère qui encaissait tout, admirative, et qui lui cousait ses petits insignes. Quand je suis partie, j'ai laissé un mot : je ne voulais plus vivre avec des collabos, salut ! C'était politique, ça faisait bien dans le tableau, mais je suis pas sûre que c'était vraiment ça : collabo ou pas... J'ai essayé de revoir ma mère. Elle m'a sorti des trucs idiots, qu'elle me maudissait, que je n'étais plus sa fille, et en même temps elle pleurait, elle m'a filé du fric. Et mes frères, ils m'ont traitée de putain. Après j'ai su que ma mère avait trinqué, on lui a rasé la tête, ils l'ont promenée à poil, ils l'ont douchée avec une lance à incendie : des hommes qui se disaient de la résistance, tu parles, les hommes du quartier, ceux qui écoutaient mon père, des braves gens comme lui, ceux qu'on croisait promenant leur sale cabot, le bistrot, l'épicier, des hommes comme ceux du Petit Roscoff. Je les connais : des pauvres types, toujours la queue en bandoulière.

« J'ai fait des petits boulots aux Halles. Difficile : j'étais mineure, pas d'autorisation des parents. Le patron du Petit Roscoff m'a adoptée. Au début, bien sûr, la main au cul. Je l'ai pas laissé faire. Il m'a foutu la paix. Il y a un an que ça dure. Il dit que je suis sa nièce : pas d'histoires avec la police. Je lui rends service, la nuit. Je l'aide au bar, je fais boire, je cause avec les clients, je danse avec eux quand il y a de la musique, bien que les bals, ça soit interdit. Je suis copine avec les filles. Je sais les histoires de toutes les rues voisines. Je leur écris leurs lettres. Je tiens la chronique des bordels : un beau sujet de rédaction pour mes bonnes sœurs. Un jour, je suis sûre que j'écrirai des livres. Les filles sont inquiètes : on parle de fermer les maisons. Leurs mecs ont fini par m'adopter, eux aussi. Ça doit flatter quelque part leurs instincts virils, de protéger pour de bon une mineure. Peut-être qu'il y en a aussi qui pensent que c'est un bon placement. Quand je suis embêtée par un type qui n'a pas compris, qui commence à trop me tourner autour, ça ne dure pas longtemps : ils ont vite fait de lui en faire passer l'envie, ils remettent les choses en ordre. Je peux pas me plaindre. Ils sont réguliers. L'ordre, ils connaissent. Des hommes d'ordre : dans le milieu, il n'y a que ça. Alors, quand tu dis : « Qu'est-ce que je vais devenir ? » tu comprends... Il ne faut pas tout mélanger. Tu vas continuer à aller en classe. Tu feras des études. Tu as une famille. Ta mère rentrera et tu t'occuperas d'elle.

— C'est facile à dire, grogne le Chat. D'abord je ne ferai pas d'études. Je n'ai pas envie. J'en ai marre de toutes ces conneries. Et puis je ne saurai jamais. Si j'avais quatre ans de plus...

— Tu sauras. Tu es malin comme un singe. Tu feras semblant. Tu feras comme si. Personne ne verra la différence. Sauf toi. Et tu les baiseras tous. Et qu'est-ce que tu ferais, si tu avais quatre ans de plus ? Moi, j'ai juste quatre ans de plus que toi. Moi, j'ai le droit de demander : « Qu'est-ce que je vais devenir ? » Je ne peux pas rester là. Je ne veux pas. Je finirais par devenir une vraie pute. Max est revenu : il a changé. Il est dur. Gentil, tendre, mais dur à l'intérieur. On s'y casse les dents. Il raconte toujours ses histoires de fou. Des histoires qui ont l'air comme lui, jolies, tendres, folles. Il dit qu'il veut passer toute sa vie place des Vosges. Qu'il veut installer un émetteur de radio, avec une antenne sur la fontaine du jardin, et envoyer de la poésie surréaliste aux quatre coins de France et du monde. Il dit aussi qu'un jour on aura la télévision partout comme aujourd'hui la radio, un truc qui te permet de voir des images chez toi, le cinéma à domicile ; il dit que c'est déjà comme ça en Amérique, qu'il est le premier à le savoir et qu'il sera le premier à le faire. Et puis il dit qu'il va traverser le Tibet à dos de chameau, franchir les Andes avec des lamas, à moins que ça ne soit le contraire, je m'y perds. Mais je vois bien que, dans toutes ces histoires, il n'y a pas de place pour moi.

— Si j'avais quatre ans de plus, risque le Chat, je t'emmènerais avec moi.

— Idiot, dit Diane. Elle lui dépose un baiser très léger et très doux sur le coin de l'œil.

— Rappelle-toi, dit-elle encore. Escargot pas borgne, ne rentre pas tes cornes. C'est ce que j'aime chez toi : tu ne dis rien, mais tu n'es pas borgne. A ton âge, tu sais déjà plein de choses que les autres mettront toute leur vie à apprendre. Toi, même quand tu te refermes sur toi-même, on dirait que tu as des antennes qui te font sentir les choses. Ne les rentre pas. Garde-les.

— Quelles choses ?

— Je ne sais pas, moi. Des choses. Des choses importantes. C'est des trucs que je sens.

Une ombre au-dessus d'eux. Max, grande silhouette à contre-jour. Il prend deux chaises jaunes rouillées, s'assied sur l'une, étend ses pieds sur l'autre. C'est vrai qu'il a changé. Cheveux coupés, plus de boucles blondes en accroche-cœur, le visage osseux et lisse, net, les traits comme lavés, et toujours les yeux clairs, dorés, sans ombres, parfaitement limpides. Il est en civil. Un pantalon tire-bouchonné, grisâtre, et un blouson bleu râpé dont les boutons pendent, comme le blouson d'Antoine.

— Salut, dit-il en faisant un geste vague.

Il ajoute, sans presque desserrer les dents :

— Les cons. Ils veulent nous envoyer faire la guerre contre le Japon maintenant. Reconquérir l'Indochine. Ils voulaient me faire signer un nouvel engagement.

Il laisse filer les mots comme à regret, dans un mince sourire ; on a du mal à le comprendre.

— Je vais être libre.

— Le Chat dit qu'il ne sait pas ce qu'il va devenir.

— Diane me parle souvent de toi. Moi non plus, je ne sais pas ce que je vais devenir. Il faut rester libre : c'est tout.

— Libre ?

— Aujourd'hui, je sais seulement que la liberté c'est d'être ici. Ici, place des Vosges, à six heures de l'après-midi, dans le soleil. Diane t'a dit ? Je me sens capable de ne plus bouger d'ici. Ce qui me plaît, c'est que les bourgeois n'ont pas su y rester. C'était peut-être trop beau pour eux ? Ici, tout est populaire et tout est beau — pour qui sait prendre le temps.

« C'est bizarre. Il me semble que je n'ai jamais si bien su ce qu'était la liberté que quand nous en étions privés et qu'il fallait se battre. C'était un rêve. Aujourd'hui, on dirait qu'elle nous file déjà entre les doigts. Peut-être est-ce ainsi parce que nous n'avons pas fait la révolution. Pas du tout. Et puis il y a ceux qui se réinstallent dedans comme dans de vieilles pantoufles : voilà, on a retrouvé la liberté ; une vieille habitude. Non, il ne faut pas s'habituer. Ça, au moins, j'en suis sûr. Moi, ce que je voudrais, c'est toute ma vie découvrir des choses nouvelles : les apprendre, savoir m'en servir. Les faire et les faire bien. Pas forcément des choses importantes. Et je voudrais garder toujours la possibilité de pouvoir partir, quand je ne me sentirai plus libre. Mais partir sans faire de mal à personne. C'est ça l'important. Et, puisqu'on t'appelle le Chat, un chat doit savoir cela : à tout moment, quand il le veut, pouvoir partir.

— Mon frère, dit le Chat, il parlait beaucoup de la liberté. Et de la révolution. Ça lui fait une belle jambe, maintenant.

— Écoute, dit Max. Tu vas grandir encore, tu vas vieillir. Tu vas vivre toute ta vie. Ta vie à toi. Ton frère, lui, il restera à tes côtés sans jamais vieillir. Tu mourras en lui tenant la main : tu seras peut-être très vieux ; lui, il aura toujours dix-neuf ans. Ses amis vont devenir des messieurs, certains très importants, des présidents de ceci ou de cela, et d'autres aussi des ratés, des médiocres, ils auront des maladies de foie, ils seront chauves ou obèses. Ton frère, non. Ses amis feront leur chemin et, pour le réussir, il faudra qu'ils oublient ton frère le plus possible. Pas par méchanceté : simplement, ça les empêcherait d'avancer. Pas toi. C'est pour ça que tu ne suivras jamais exactement le même chemin qu'eux. Quoi que tu fasses, y compris les pires conneries, tu seras toujours un peu différent. C'est aussi ta chance.

— Non, dit le Chat, qui tente de tenir bon dans les rafales de mots. Non. Tout ça, c'est du vent. Je voudrais qu'Antoine soit vivant. C'est tout.

— Tu as raison, dit Max. C'est toi qui as raison.

*

Julius Kleinberg téléphone un soir.

— Luc, c'est pour toi, dit la tante. Je crois que c'est un camarade de classe.

— Tu te rappelles de moi ? demande Julius. Et de Bob ? La Deuxième DB.

Julius n'est à Paris que pour quelques jours. Il veut passer le voir.

— Non, dit le Chat. Retrouve-moi plutôt demain soir à sept heures.

Il lui donne l'adresse du Petit Roscoff.

— C'est bizarre, dit Julius. C'est un drôle d'endroit.

— Bien sûr, dit le Chat. Tu verras.

Le lendemain, Luc sort dans le monde. Il va avec ses cousins à une réception de fiançailles dans le dix-septième arrondissement : des membres de l'innombrable parentèle du côté de sa mère, dans le décompte de laquelle il se perd. Il porte un complet à pantalon de golf d'un de ses cousins, barré de crêpe noir au revers ; il s'est lissé les cheveux avec de l'eau pour tracer une raie sur le côté. Le fiancé est en uniforme d'officier : c'est, lui dit-on, un polytechnicien. La fiancée a une robe rose. Des vieilles dames le pressent une fois encore sur leurs mamelles odoriférantes. Il se débat comme il peut. Il est arrosé de larmes.

— Ah quand je vois ce malheureux enfant…

A vrai dire, il n'a pas beaucoup d'efforts à faire pour garder une contenance. Pleurs et démonstrations ne s'adressent pas à lui : il n'est que simple figurant dans le rituel ; il n'a qu'à se raidir et à attendre qu'enlacements, sanglots et arrosage se terminent.

— Il y a, lui disent les cousins en le poussant du coude, des trucs formidables qui s'appellent des petits fours, avec une espèce de crème blanchâtre qui sort quand on presse dessus.

— C'est dégueulasse.

— Oui, mais c'est bon.

Beaucoup de gens qui parlent très fort dans des salons en enfilade. Venant d'une pièce éloignée, par bouffées, les notes d'un piano. A travers les groupes, Luc remonte vers la source. Dans une pièce d'angle ensoleillée, le pianiste est seul ; il le voit de dos qui déchiffre une partition sur laquelle il s'écrase le nez. C'est une espèce de valse rapide, très marquée, avec tout d'un coup de drôles d'accords dissonants. Le pianiste s'arrête brutalement, pousse quelques jurons confus dans lesquels Luc distingue vaguement les mots *chier* et *piano de merde,* et fait pivoter d'un coup son tabouret :

— Beethoven, 29e sonate, dite encore *le Coucou*... Ça fait cinq ans que je n'ai pas joué sur un piano accordé. Toi, tu es le Chat, non ?

— Oui, dit Luc. Et vous ?

— Je suis Gabriel. Toi aussi, tu m'as oublié ?

— Non. Bien sûr que non. Je ne savais pas que tu étais revenu.

— Je ne suis pas revenu. Pas du tout. C'est un mirage. Une erreur. Je suis juste de passage. Je suis le lieutenant Gabriel Delage, au service de la glorieuse Armée rouge, présentement cantonné à Berlin, Unter den Linden, oui, parfaitement, et en instance de départ pour Kiev, Nijni-Novgorod et peut-être même Arkhangelsk, l'espace et les steppes, et de passage à Paris pour deux jours. Clandestinement. Presque un déserteur. Je serai peut-être mis au trou en y retournant. Et je suis bien content d'y retourner. Je repars demain matin. Je n'ai rien à faire ici. Je suis un Martien. Je viens d'un autre monde. En transit.

— Bien sûr, dit-il encore, bien sûr que tu ne m'as pas reconnu. Tu avais neuf ans, la dernière fois qu'on s'est vu.

— Il y avait aussi un piano.

— Oui. A l'époque, je savais en jouer.

Il se lève. Il n'est pas beaucoup plus grand que le Chat. Ce n'est plus le garçon maigre et vif qui grimpait aux arbres à la Valerane. Il s'est épaissi, ses cheveux laissent sur son front un plan dégarni en forme de fer à cheval. Il porte un costume sombre rayé, une veste croisée, mal défripée, une cravate tordue comme une ficelle, et le Chat sent l'odeur de la naphtaline.

— Qu'est-ce que je fous ici ? demande Gabriel en haussant la voix pour couvrir les vagues des conversations qui viennent des pièces voisines. J'ai appris hier la mort d'Antoine. Depuis je ne pense qu'à lui. Je vois comment les gens vivent, ici, et je pense à lui. Vous aviez reçu mes lettres ?

— Oui. Mais tu sais, Antoine...

— Je sais. Elles étaient ridicules, mes lettres. Et dangereuses, en plus. Mais, tu comprends, de là-bas, comment savoir, comment deviner les choses qui se passaient ici. Si je devais rester, combien de temps me faudrait-il pour ne plus me sentir un étranger, comme en ce moment ? Et quand je reviendrai pour de bon...

C'est à ce moment que le cousin Bernard Maury apparaît dans l'encadrement de la porte du salon. Il est revêtu d'un élégant uniforme d'officier, une tunique kaki taillée dans un tissu souple, qui lui moule la taille, une chemise blanche et une cravate assortie.

— Gabriel, quelle surprise. Tu es démobilisé ? Cinq ans de camps : ça a dû être dur, hein ?

— Non, dit Gabriel. Au contraire. Je retourne à Berlin demain.

— Mon pauvre petit Luc, dit Bernard Maury. Antoine n'a pas eu de chance.

— Non. Il n'a pas eu de chance. Et vous ? C'est quoi ce machin sur le bras ?

Le cousin Bernard Maury arbore un large galon doré tissé de fil rouge.

— Je suis aspirant. Les choses s'arrangent bien. Il y a une session spéciale des grandes écoles pour tous les élèves qui étaient dans l'armée : je suis sûr de sortir de l'École des mines dans un bon rang. Finalement, je n'aurai pas perdu tout à fait mon année. Et je pars en vacances à Vaufoin.

— C'est vrai, dit le Chat. Les choses s'arrangent bien.

Il tourne le dos au cousin Bernard Maury. Il pose son front sur la vitre de la fenêtre et regarde la rue ensoleillée et déserte. Il entend Gabriel plaquer quelques accords sur le piano.

— Il est parti, le cousin. Mais qu'est-ce que tu as contre lui ?

— Rien, dit le Chat. Rien. Il aime bien les uniformes. Et puis, si : c'est un enculé.

— Décidément, je ne suis pas dans le coup. Mais tu sais, moi aussi j'ai un beau déguisement. Hier matin, quand j'ai sonné chez ma mère et qu'elle m'a vu en uniforme de l'armée russe, elle a poussé un grand cri : « Mon Dieu ! quelle horreur ! » Et après, seulement, elle m'a embrassé. Je crois qu'elle aurait presque préféré me voir mort plutôt que déguisé en bolchevique. Drôle de retour.

— Tu aurais dû venir ici en uniforme.

— Cinq ans sans habits civils. Tu ne peux pas imaginer. Je voulais savoir si j'allais me sentir libre, vraiment, en me changeant.

— Et alors ?

— Eh bien ! je ne sais pas. Je flotte.

— Je ne savais pas qu'il y avait des Français dans l'armée russe.

— Tu n'est pas le seul. C'est ce que j'entends depuis hier. Au ministère de la Guerre, on m'a baladé de bureau en bureau. Ils disaient tous la même chose. J'étais un vrai phénomène de foire. On a été chercher le ministre pour qu'il voie le numéro.

Gabriel raconte qu'en janvier les Allemands ont évacué son Oflag et lancé les prisonniers en colonne sur les routes de Prusse orientale par vingt degrés au-dessous de zéro. Il a enfin réussi à s'évader, avec plusieurs camarades. Ils ont survécu, se cachant, vivant comme des bêtes, se déplaçant la nuit, jusqu'à l'arrivée des Russes. Jamais, dit Gabriel, il n'avait imaginé qu'on puisse survivre à un tel froid. Ils ont proposé aux Russes de former une unité de prisonniers français libérés. Ce qui a décidé les Russes, c'est que le plus gradé, un capitaine, était le petit-fils de Foch. Avoir un Foch officier dans l'armée soviétique, cela plaisait à Joukov. Et les voilà repartis à la guerre, un bataillon, presque mille hommes équipés et armés, bonnets de fourrure et Terechnikov, de l'Oder à Berlin. De combat en combat, ils avançaient, toujours dans le froid, avec les chars russes.

— Un moment, pendant la grande percée, nous avons roulé sur des colonnes entières de soldats allemands morts, mitraillés, qu'écrasaient les chars.

— Quelle impression ça faisait ? demande le Chat, curieux.

— Comme une sorte de feutre gelé, gris, qui tapissait la route.

— Arrivés à Berlin, dit encore Gabriel, ils ont cru que la fin de la guerre marquait la fin de leur engagement. Ils sont restés à camper là, Unter den Linden, un champ de ruines à perte de vue. Leur camp, c'est une vrai smala. Ils ont ramassé en route toutes sortes de Français paumés, des malheureux errants, des femmes du STO qui n'osaient pas se confier aux Russes, un milicien de dix-huit ans, complètement perdu…

— Un milicien ? Mais tu ne savais pas…

— Non. Je ne savais pas. Rends-toi compte : coupés de la France pendant cinq ans. La collaboration, il aurait fallu y être, pour comprendre. Nous, on a eu droit à une propagande nourrie, la mission Scapini aux petits soins, Pétain au début n'avait pas mauvaise presse chez les officiers. Mais ce qui nous vaccinait, aussi, c'est que tout transitait par les Allemands. En un sens, nous étions préservés. Bien sûr, la lâcheté quotidienne, la démission, les planqués et les profiteurs, on ne se faisait pas d'illusions : c'est de toutes les guerres, c'était déjà bien avancé pendant l'hiver 39. Et plus Vichy parlait d'ordre nouveau et de rédemption, plus je sentais la puanteur gagner jusqu'à nous. Mais pas à ce point-là : la Gestapo française, la milice, la déportation des juifs… Le vrai choc s'est produit quand nous avons retrouvé des déportés abandonnés sur une route. Nous sommes arrivés bien tard. Des squelettes : ils continuaient à mourir devant nous. Ils étaient déjà passés de l'autre côté, impossible de les faire revenir. Ils ne nous entendaient même plus. La haine, jusque-là, nous l'avions surtout vécue par procuration : nous avions connu des Russes, des Ukrainiens, des Polonais ; eux, ils savaient : la terreur nazie totale, l'extermination, l'avilissement. Nous, nous avions des ennemis, mais nous ne les haïssions pas vraiment. Aujourd'hui, je crois que je sais ce que c'est que de haïr ; et ce ne sont pas les Allemands que je hais : c'est quelque chose qui les dépasse eux-mêmes. Quelque chose qui peut survivre à cette guerre. A moins de tout changer. Mais vraiment, tout changer… Aujourd'hui seulement, je crois que je comprends Antoine. Et, maintenant, me voici dans ce salon avec ces Mickeys. Eux n'ont pas changé. Un cauchemar ! Je vais me réveiller à Berlin dans ma smala de fous déguisés en popofs : c'est tout ce qui me reste de solide.

— Mais vous allez être rapatriés.

— Figure-toi que je suis ici pour le savoir. On a l'impression qu'ils ne sont pas pressés de nous lâcher. Ils parlent de nous ramener vers l'arrière, en Russie, avec la division, pour nous démobiliser. Mais l'arrière, ça va jusqu'où, pour les Russes ? Je suis venu ici pour exposer notre cas aux autorités françaises. Dans un avion français, avec un ordre de mission français, délivré à Berlin par l'état-major de De Lattre, sans avoir consulté les Russes, bien sûr. C'est pour ça que je rentre demain. Tout cela ne me dit pas pourquoi le cousin Bernard Maury, qui a une sale gueule de chic boy-scout, d'accord, et un uniforme ridicule, et des yeux roses, est un…, enfin, comme tu dis.

— Rien de grave. (Le Chat a eu, pendant l'hiver, le temps de compléter son information et de la ruminer.) Une idée comme ça. Ingénieur dans l'organisation Todt : uniforme brun. Résistant en septembre 44, engagé FFI : uniforme kaki. Et maintenant… Je te dis qu'il collectionne les uniformes. Comme il dit : tout s'arrange.

— J'aimerais changer d'air. Ça pue. Tu ne veux pas qu'on aille ailleurs ?

— Oui. Je sais même où.

— Déjà en 1939, quand j'étais en garnison à Charleville, je ne supportais pas les salons de la ville. De toute manière, nous, les officiers des troupes indigènes, nous n'étions pas bien vus ; nous n'étions pas *reçus*. Finalement, le seul endroit où je me trouvais bien, c'était au bordel. C'était calme.

— Ça tombe bien, dit le Chat.

— Ce qui n'a pas changé, dit Gabriel dans le métro, c'est l'odeur de citronnelle. Ça me fait plaisir.

— Pendant cinq ans, dit-il encore, j'ai rêvé d'un café-crème sur les boulevards.

— Oui. Avec des croissants. Et d'un piano devant la mer, face aux îles.

— Hier, j'ai commandé un café. Dégueulasse. Peut-être ai-je perdu le goût. Il n'y avait pas de croissants.

— A la Valerane, tu sais, il ne reste que le piano. Mais pas grand-chose autour.

— Quand même, il reste la mer. Mais ce sera peut-être comme le café. Amer.

— Qu'est-ce que tu feras, quand tu reviendras pour de bon ?

— Je ne sais pas. Je crois que j'aimerais rester très silencieux. Écouter les autres et essayer de les comprendre. Au fond, ce dont j'aurais besoin, ce serait de prier. Évidemment, ça pose le problème de Dieu. Pour prier, il vaudrait mieux y croire. Mais, au point où j'en suis, je suis sûr que ça doit être nettement moins compliqué que le reste.

— C'est pas un métier.

— C'est bizarre comme tu dis ça : un métier…

— Et toi ? demande Gabriel. La dernière fois que je t'ai vu, tu étais à l'âge où on parle d'être pompier, général ou chauffeur de locomotive…

— Non. A l'époque, je voulais être marin. Je me rappelle très bien : servir sur un bateau de guerre. J'ai changé d'avis.

— Pourquoi ?

— Une histoire idiote. Aujourd'hui je voudrais surtout partir très loin. Il paraît qu'au Congo on peut faire fortune en cultivant des plantations énormes de tomates. Elles sont mûres en hiver, on les envoie en Europe, et il y a deux récoltes par an. Entre deux saisons, je ferai de la peinture.

— Et tu feras travailler les nègres à coups de trique. Bravo.

— Non. C'est vrai. Alors j'irai au Cambodge. Si j'en étais capable, j'étudierais l'archéologie et je finirais de restaurer Angkor.

L'ombre de Bahadour Shah essaye de se faufiler dans le wagon de métro ; mais il y a trop de monde, les gens ne veulent pas se pousser. En 1945, le métro n'est pas fait pour qu'y trottinent les éléphants : il renonce et descend à la station Solférino.

— Mais tu en es capable. Tu n'as pas de bonnes notes ?

— Ce n'est pas le problème. Je n'en suis pas capable, c'est tout.

— Pourquoi ? Tu es intelligent. Et l'histoire, dans ta famille…

— Non. Ça me fait chier. Tout ça me fait chier.

Le Chat sourit un peu :

— Ils me font tous caguer.

— Tu as vu tous ces types qui portent un petit barbelé à la boutonnière ? demande Gabriel, alors qu'ils remontent au jour.

— Bien sûr. Ce sont les anciens prisonniers.

— Ça, alors.

Ils sont devant le Petit Roscoff. C'est le soir, la rue est déjà animée. Piles de cageots, charrettes et diables ; les filles sont dehors, les hommes s'interpellent.

— Décidément, dit Gabriel, toujours songeur, tandis que Luc pousse la porte vitrée, décidément ce Chat est un drôle d'oiseau.

La salle du café est encore calme. Julius est assis seul à une table rouge et lit *Combat.* Il est en civil. Ce n'est pas que le Chat soit sûr de le reconnaître : tout ce qu'il se rappelle de lui, ce sont des lunettes et une moustache sous un béret de marin, dans la nuit, à la lueur d'un briquet. Simplement, il y a, dans ce coin désert du café, un homme seul, avec des lunettes et une moustache. Le Chat va vers lui.

— Julius ?

L'homme lève la tête.

— Je te l'avais bien dit : c'est vraiment un drôle d'endroit.

— Je suis venu avec mon cousin Gabriel. Il est de passage à Paris. Il vient de Berlin.

— Moi aussi je suis de passage.

— Tu es démobilisé ?

— Pas si vite. On vient juste d'être ramenés en France. Après... à moins d'être volontaires pour l'Indochine.

— J'ai toujours ton briquet, tu sais. Mais je n'ai plus d'essence.

— J'ai souvent pensé à toi cet hiver, dit Julius. Bob se faisait du souci. Il répétait : « Le gosse m'a raconté des salades. Je suis sûr qu'il n'avait pas de famille à Nancy. Et puis je ne savais pas que les Allemands n'étaient qu'à vingt-cinq kilomètres. J'ai fait une connerie. » Il y a quelque temps, par hasard, j'ai lu la nouvelle de la mort de ton père dans un vieux journal. Je me rappelais toujours cette nuit de la libération à Paris, quand je n'avais pas le courage d'être gai, alors qu'on en rêvait depuis si longtemps. En croisant des Américains, j'ai souvent donné le nom de ton frère. Rien bien sûr. Ç'aurait été un miracle. En arrivant à Paris, j'ai appelé chez toi. Je suis tombé sur la bonne de ta grand-mère, je crois. Elle m'a dit, pour ton frère, aussi.

— Et Bob, demande le Chat. Comment il va, Bob ?

— Bob est mort. Cet hiver. En Alsace.

(Mais comment raconter la mort de Bob, cette nuit glaciale de neige et de boue gelée, où tombé dans une embuscade au milieu d'un village, pris de plein fouet par un obus de mortier, il a sauté de son char en flammes, le bras arraché, et roulé dans un trou en hurlant, un trou qui était en fait une profonde fosse à merde ; il est mort en criant le nom d'une fille que personne ne lui avait jamais entendu prononcer, mort après l'avoir crié pendant un temps interminable, d'une voix stridente de chien aux abois ; il a fallu s'y reprendre à plusieurs reprises pour retirer son corps de la fosse tant était suffocante l'odeur dans laquelle il baignait. C'était déjà au petit matin. Il y avait longtemps qu'il avait cessé de crier. Voilà : elle est racontée.)

— Et Janusz ?

— Oh Janusz, j'ai eu de ses nouvelles. Il est au repos. Il paraît qu'il était devenu bizarre. De plus en plus lointain, de plus en plus absent. Il restait planté sur place, à attendre. Oui, il disait qu'il attendait. Personne ne pouvait lui faire dire quoi. Il se dandinait d'un pied sur l'autre, en souriant gentiment, il faisait sa danse des ours polonais. Une fois, seulement, il a dit qu'on l'attendait en Espagne... Je crois qu'il est dans un hôpital psychiatrique.

— Patron ! jette le Chat avec autorité. Patron. Trois rouges !

— Tu ne vas pas boire du vin rouge ? s'inquiète Gabriel.

— Ça va, dit le Chat. Ne me fais pas chier.

Julius parle de son retour rue Vieille-du-Temple. Ses parents sont rentrés dans leur appartement. Mais il ne connaît plus aucun des locataires. Ceux d'autrefois, partis au rythme des grandes rafles, on sait qu'ils ne reviendront jamais.

— J'ai quitté ce quartier, j'avais dix-sept ans. Ce n'est plus mon quartier. Il ne reste que des maisons et des murs. Je suis passé rue des Rosiers et rue des Écouffes, j'ai eu très froid. J'ai été jusqu'à l'École normale de musique et je n'ai pas osé entrer. La concierge monte tous les jours le courrier à mes parents, comme avant : « Bonjour, monsieur Kleinberg, quel beau temps ce matin. » Je n'ai pas osé la regarder en face. Non, ce n'est pas pour ça que je me suis battu. Je ne sais pas si je resterai à Paris. Je n'irai pas en Indochine. Décidément, j'irai voir du côté de la Palestine.

Julius parle de Bertchesgaden et Gabriel de Berlin ; de Sten et de Terechnikov, d'épaisseurs de blindage et de *katiouchas*.

Le Chat entend derrière lui une voix familière, hachée et sarcastique :

— Réunion d'anciens combattants ?

C'est Max. Il s'assied, sourit à peine. Le Chat bafouille des présentations. Max ricane :

— Les aristos de la Deuxième DB : la garde prétorienne. Les SS à de Gaulle… Mais je ne savais pas qu'il y avait des Français dans l'Armée rouge. Ici, on est repris en main par les réactionnaires, les culottes de peau, les Vichyssois. Vous verrez que Pétain ne sera pas condamné à mort. Être dans l'armée soviétique : les officiers sont élus démocratiquement par leurs soldats… Quelle expérience !

— Je ne sais pas où tu as pris tes renseignements, dit Gabriel. Les Russes sont généreux et fraternels, les Russes sont fous comme des lapins, mais je ne me suis pas aperçu qu'ils élisaient leurs officiers, démocratiquement ou pas.

— Alors, c'est que tu n'as pas bien vu.

— Certainement, soupire poliment Gabriel. Certainement. Je n'ai pas bien vu.

— Je ne comprends pas, dit encore Max. Je ne vois que des gens qui parlent de partir. Qui disent qu'ici ce n'est pas vivable, qu'ils sont déçus. C'est pourtant ici qu'il faut changer les choses. Partir… rêves de petits-bourgeois.

Le Chat rit dans son coin. Max, visage dur, dents serrées, lui demande pourquoi il se marre.

— Parce que je pense à ta radio, à la poésie.

— Tu peux ricaner, sale graine de bourgeois. Pour toi, bien sûr, la poésie c'est tellement naturel que c'en est ridicule. Chez toi, c'est bourré de livres... A l'école, tu es saturé des grands auteurs. Tu n'imagines pas que des millions de gens en sont privés : la culture, c'est comme le reste. Je ne sais pas si je ferai une radio, ou un journal, ou des livres, ou du cinéma, ou même de la télévision à supposer que ça existe vraiment un jour. Mais je sais qu'il y a des mots et des images qui peuvent faire bouger le monde. Il faudra bien secouer tout ça...

— Bon courage, dit Gabriel. Et il rit.

— Toi qui es dans l'Armée rouge...

— Bien sûr. Gabriel frotte pensivement son visage pâle. Bien sûr. En tout cas je préfère entendre ça.

Gabriel se lève brusquement. Il tient bon son verre de rouge. Il crie :

— *Za Stalina* !

Il le regardent un peu ahuris.

— Non, dit Max : au peuple soviétique !

— C'est la même chose. *Da zdrastvouïet tovaritch Stalin !*

— Ah ! bon, dit Max. Dans ce cas. Ils boivent.

Le café s'est rempli. Des hommes viennent donner de grandes claques dans le dos de Max. Le bruit des exclamations et des discussions monte, la fumée s'épaissit. Le patron est affairé.

— Où est Diane ? demande le Chat à Max.

— Diane a disparu depuis deux jours.

Max se lève et va vers le piano aux dents jaunes. Il joue du jazz. Gabriel se lève, le rejoint et prend sa place un instant. Il joue aussi du jazz. Sur la table rouge, Julius, rêveur, marque le rythme de ses doigts et plaque des accords imaginaires. Puis un homme au blouson américain douteux vient, avec une clarinette, près de Max, et, plus tard, un autre avec une guitare. C'est la première fois que le Chat entend *Basin Street Blues*. Plus rien n'existe d'autre que la montée de la clarinette et la fusion dans le chorus final : un monde nouveau s'ouvre à lui. Tout est encore possible, l'espoir est là, la vie sera différente.

Plus tard, ils sont tous autour de la table et le patron apporte des andouillettes. Ils boivent du vin rouge immodérément, y compris le Chat, ils parlent et gesticulent. Le Chat se sent bien. Mais pourquoi Diane n'est-elle pas là ? « Escargot pas borgne... » Il ne dit plus rien. Il ferme à demi les yeux. Plus tard encore ils sont tous dans la rue, il parlent fort. Le Chat n'avait jamais vu l'agitation des Halles, la nuit. Il est ébloui. Ils se quittent en faisant de grands serments d'amitié. Le Chat vacille. Gabriel, un peu inquiet, le raccompagne, mais il n'est pas très stable non plus. Il le quitte au pied de l'immeuble. Le Chat se hisse péniblement le long des escaliers, se glisse dans sa chambre, et s'écroule. Il ne fait pas de mauvais rêves. Aucune image de mort ne vient le visiter. C'est sa première cuite. Au vin rouge. Elle est légère.

*

La semaine suivante, le jeudi, Luc repasse au Petit Roscoff. Le patron prend le soleil sur le pas de la porte, la poitrine broussailleuse largement à l'air.

— Tiens, te voilà, toi ? Diane est partie.

— Partie où ?

— Je ne sais pas. Elle n'a rien dit. Tout juste au revoir. C'est tout. Même pas merci.

Il fixe le Chat de ses petits yeux de cochon soudain vivants, presque humains.

— Elle n'a rien dit. Et tu sais, au fond, je crois que c'est mieux comme ça.

Au début de juillet, la grande question à l'ordre du jour est celle des vacances. Au lycée, les cours se terminent dans la torpeur : les élèves se raréfient, les professeurs se font familiers, le singe vert raconte aux garçons des histoires salaces. Ce sont des journées de chaleur magnifique, à ressortir les culottes courtes et les espadrilles trouées. Au Luxembourg, les feuilles des arbres grillent sous le soleil. Même le club des avions en papier n'a plus la même vigueur : malgré de grandes harangues de Luc, ses troupes se clairsèment. Son ami à grosse tête est toujours là, mais ses rêves d'évasion sont provisoirement ramenés aux préparatifs du départ familial vers une plage de l'Ouest, parpaillote et, paraît-il, pas déminée.

A la maison, la tante de Luc parle aussi de départ en vacances : ira-t-on une fois encore à Chevigny se faire dorloter chez les fous ?

Il essaye souvent d'évoquer la Valerane. Difficile de fermer les yeux et d'y penser sans voir se dessiner des images de maison ruinée aux murs noircis par les flammes, aux fenêtres aveugles, et de grands arbres dénudés, blessés au cœur par les éclats d'obus. Marchera-t-il encore sur la route aux cailloux de quartz blancs qui scintillent ? Fera-t-il encore des quadruples ricochets avec des galets plats sur la mer lisse les jours de grand calme ? Tire-t-on encore le bargin sur la grande plage ? Il n'arrive plus à entendre les cris des enfants quand miroitent les premiers poissons. On lui a dit que les pêcheurs, maintenant, travaillent à la dynamite : un seul coup, une explosion sourde au fond, un bouillonnement, et des milliers de poissons, parmi les plus beaux, viennent flotter le ventre à l'air à portée de la main : la vraie pêche miraculeuse. Il roule parfois entre ses doigts les grains de grenat à la gangue brune qu'il a pris dans l'armoire de son frère : la magie opère mal, trois grenats, ronds comme des crottes de lapin aux reflets dorés, ne ressuscitent plus le pays absent : il sent que le passé meurt en lui.

Un après-midi, il rentre du lycée et ses cousins lui disent que sa mère est arrivée. Elle est au Lutétia. Sa tante est déjà partie.

De la maison au Lutétia, il y a, en courant, à peine dix minutes. Il ne savait pas qu'il pouvait être heureux avec tant de force et de violence. Il arrive hors d'haleine, la chemise et les cheveux collés par la sueur, les oreilles bourdonnantes. Il demande sa mère au comptoir. On consulte des registres, on le fait attendre et cette attente lui fait mal au ventre. Finalement il entend, à travers le brouillard, quelqu'un lui dire que sa mère est déjà partie : on est venu la chercher. Il demande encore qui est venu la chercher :

— Mais sa famille, bien sûr.

Il rentre chez sa tante. Ses cousins lui disent que celle-ci a appelé : sa mère est chez les grands-parents. Il y va par le métro. C'est très long.

Il arrive dans le grand appartement obscur. Sa grand-mère lui ouvre. Depuis plusieurs semaines, déjà, son grand-père n'est plus là ; on le soigne dans une clinique. Elle lui dit, à voix basse, que sa mère est couchée, qu'elle est très fatiguée et qu'il ne pourra pas la voir longtemps. Elle a mis quinze jours à traverser la Pologne et l'Allemagne, en camion et en train, et c'est seulement la veille, en passant la frontière, qu'elle a appris la mort des siens. Il la suit par les couloirs pour gagner ce qui fut, jadis, la chambre de jeune fille de sa mère. Il entre dans la pénombre de la pièce : la lumière est filtrée par des rideaux poussiéreux. Il dit simplement bonjour. Peut-être dépose-t-il un léger baiser sur sa joue. Il s'assied au pied de son lit. Ose-t-il lui prendre la main ? Il la regarde. C'est vrai qu'elle a les cheveux gris, et courts. Et les traits tirés, accentués, comme retaillés au couteau, la peau marquée de curieuses taches, plus larges que des taches de rousseur. Et ses yeux bleus. Elle le regarde, sourit et dit :

— Bonjour, le Chat. Comme tu as grandi.

Alors il s'efforce de sourire. C'est un peu difficile.

Table

IMP. HÉRISSEY A ÉVREUX (4-84)
D.L. AVRIL 1984. N° 6791-2 (34465)